Dörte Hansen, geboren 1964 in Husum, lernte in der Grundschule, dass es außer Plattdeutsch noch andere Sprachen auf der Welt gibt. Die Begeisterung darüber führte zum Studium etlicher Sprachen wie Gälisch, Finnisch oder Baskisch und hielt noch an bis zur Promotion in Linguistik. Danach arbeitete sie als Autorin für Hörfunk und Print, bis ihr gefeierter Debütroman »Altes Land« 2015 erschien und zu einem riesigen Bestsellererfolg wurde. Er wurde zum »Lieblingsbuch des unabhängigen Buchhandels« gekürt und avancierte zum Jahresbestseller 2015 der SPIEGEL-Bestsellerliste. Auch ihr zweiter Roman »Mittagsstunde«, im Herbst 2018 erschienen, wurde zum SPIEGEL-Jahresbestseller und von Publikum und Kritik gefeiert. Mit ihrer Familie lebt sie in der Nähe von Husum.

Mittagsstunde in der Presse:

»Wer ›Altes Land‹ mochte, wird ›Mittagsstunde‹ lieben ...«
Süddeutsche Zeitung, Jörg Magenau

»Dörte Hansens neuer Roman ist ein literarisches Ereignis, ihre Leserinnen und Leser werden zu Recht begeistert sein.«
SPIEGELonline, Stephan Lohr

»Ihr neuer Roman ›Mittagsstunde‹ setzt einer untergehenden deutschen Lebensform ein literarisches Denkmal.«
SWR lesenswert, Denis Scheck

Dörte Hansen

Mittagsstunde

Roman

Penguin Random House Verlagsgruppe FSC® N001967

1. Auflage 2021

Umschlaggestaltung: bürosüd unter Verwendung einer Gestaltung von Sabine Kwauka und eines Bildes von Alexander Eckener
Satz: Buch-Werkstatt GmbH, Bad Aibling
Druck und Bindung: GGP Media GmbH, Pößneck
Printed in Germany
ISBN 978-3-328-10634-0
www.penguin-verlag.de

Dieses Buch ist auch als E-Book erhältlich

Christa, Dirk, Inke, Oke – för jem.
Un för de Schlosser.

I

Ich schau den weißen Wolken nach

Der erste Sommer ohne Störche war ein Zeichen, und als im Herbst die Stichlinge mit weißen Bäuchen in der Mergelkuhle trieben, war auch das ein Zeichen. »De Welt geiht ünner«, sagte Marret Feddersen und sah die Zeichen überall.

Die alten Ulmen starben einen Sommer später, am Westerende, wo sie seit hundert Jahren Ast in Ast gestanden hatten. Ihre Blätter wurden plötzlich gelb, die Kronen kahl, im Juni schon. Sie standen noch ein Jahr wie abgedankte Könige. Dann kam Karl Martensen mit seinen Leuten, und ihre Motorsägen kreischten lange, bis sie die Ulmenstämme auf dem Wagen hatten. Hartes Holz, das ewig trocknen musste, bis man es hobeln oder fräsen konnte. Marret kam, sie holte sich ein Stück der grauen Borke ab und eine Handvoll Ulmenfrüchte, dann ging sie wieder durch das Dorf, von Tür zu Tür, wie sie es immer tat, wenn sie ein Zeichen sah: »De Welt geiht ünner.«

Die Welt ging unter, als auf der neuen Straße der jüngste Sohn von Hamkes überfahren wurde, kaum dass die weißen Striche in der Mitte trocken waren. Und als die Jäger bei der Treibjagd im November den ganzen Tag über die leeren Felder zogen und nicht *einen* Hasen fanden, den sie hätten schießen können, ging sie wieder unter. Und dann noch einmal ein paar Sommer später, als Paule Bahnsens Ältester mit einem Dominator 76, dem größten Mähdrescher, der je im Dorf gesehen worden war, ein Rehkitz überfuhr. Es hatte sich im hohen Korn versteckt, weil junge Rehe nicht vor Feinden fliehen. Sie machen sich ganz klein und bleiben liegen, bis die Gefahr vorüber ist. Oder das Schneidwerk eines Dominator 76 sie erwischt, 3,60 Meter breit und nagelneu. Knochen, Blut und Fell im Messerbalken. Ein junger Bauer, der nie wieder dreschen will.

Man konnte Marret Feddersen von Weitem hören, wenn sie in ihren weißen Klapperlatschen angelaufen kam. Sie trug die alten Dinger immer. Schiefgetretene Holzsandalen, auch bei Schnee und Eis. Wozu noch Schuhe kaufen.

Die Leute seufzten, wenn sie das Klappern auf der Straße hörten. *Dor kummt de Ünnergang al wedder.* Man hatte Bohnen einzuwecken, den Motorblock des Schleppers auszubauen, man stand gerade am Sortierband mit den Frühkartoffeln oder hängte die gewaschenen Gardinen auf – und dann kam Marret angeklappert. Es passte manchmal schlecht.

Sie brauchte nicht zu klopfen, natürlich kam sie durch die Hintertür, denn an die Haustür gingen nur die Fremden und Hausierer. Wenn niemand da war, setzte sie sich an den Küchentisch, malte summend ein paar Blumen oder Tiere auf Notizblöcke und Einkaufszettel, kritzelte mit Kugelschreibern Schafe, Schweine, Kühe auf die Rückseite des Bauernblatts und Rosenranken an den Rand der Tageszeitung. Manchmal trank sie ein Glas Wasser oder nahm sich einen Apfel. Wenn dann noch immer keiner kam, versuchte sie es in der nächsten Küche. Sie ging auch in die Ställe, in die Werkstätten, stand in den Klapperlatschen plötzlich an der Hobelbank, am Amboss, in der Bäckerei am Ofen. Sie erschreckte Kalli Jensen einmal fast zu Tode an der Melkmaschine, der Kompressor war so laut, er hatte sie nicht kommen hören und sackte halb zu Boden, als ihm Marret plötzlich auf die Schulter tippte. Er japste, lehnte sich schwer atmend an die Stallwand und wollte dann kein Wort mehr hören von irgendwelchen Untergängen.

Die toten Fische, Bäume, Kinder, Rehe, der Sommer ohne Störche und die Felder ohne Hasen, sie waren Vorzeichen der großen Katastrophe, die Marret schriftlich hatte, schwarz auf weiß in ihrem *Blatt.* DIE ZEIT LÄUFT AB! Ein altes Heft im DIN-A5-Format, mit Tesafilm an vielen Stellen schon geklebt. Sie hatte es auf einem Tisch gefunden im Gasthof Feddersen, wo sie den Boden wischte jeden Abend, es musste jemand dort vergessen haben. Das Titelbild sah aus, als hätte sich ein Jahrmarktsmaler an der Apokalypse versucht: berstende Häuser vor loderndem Himmel und Menschen, die mit aufgerissenen Mündern um ihr Leben rannten. Der Untergang in Airbrushtechnik. ERWACHET! Die Wahrheit stand in diesem Heft, sie trug es immer bei sich, wenn sie ihre Runde machte.

Sie kam gewissenhaft und zuverlässig wie die Post oder der Mappenmann, der jeden Donnerstag von Tür zu Tür ging und die Lesezirkelhefte tauschte.

Man war gewöhnt an *Marret Ünnergang* wie an die Kinder zu Silvester, die jedes Jahr als Rummelpott verkleidet an die Türen kamen, auf Trommeln oder Töpfe schlugen und laut ihr Lied über ein Schiff aus Holland sangen. *Dor kummt een Schipp ut Holland, dat het so'n scheeve Wind.* Kein Mensch verstand das Lied. Warum das Schiff aus Holland kam und was ein schiefer Wind war, wusste niemand. Es spielte keine Rolle. Man hörte zu, man nickte, lachte, gab den Sängern Süßigkeiten und versuchte unter den Perücken und den Masken die Nachbarskinder zu erraten. Bekam ein frohes neues Jahr gewünscht und ließ sie weiterziehen. Marrets Untergangsgeschichten waren wie der Wind aus Holland – schief und seltsam, mehr auch nicht. Man nickte, hörte zu und ließ sie weiterziehen.

Selbst Pastor Ahlers nahm es hin, dass das Orakel in den weißen Klapperlatschen von Zeit zu Zeit durch die Gemeinde zog. Er fand es nicht ganz glücklich, dass Marret ihre Prophezeiungen auch noch mit einer Werbeschrift der Zeugen Jehovas untermauern musste, aber nach vielen Jahren Dienst in der nordfriesischen Provinz war Ahlers Schlimmeres gewohnt. Auf solche Kleinigkeiten kam es gar nicht an, die Leute glaubten sowieso nichts. Er hatte es weiß Gott versucht, die Seelen zu erquicken und sie aus dunklen Tälern zu befreien, aber der Hirtenjob war hart hier draußen. Seine Sorte Schaf schien gegen jeden Glauben imprägniert zu sein. Wind- und wetterdichtes Fell, nichts Frommes drang da durch. Alles Göttliche lief ab an ihrem Fell wie Wasser am Gefieder einer Gans. Sie glaubten ihm kein Wort. Aber an Marrets Untergänge glaubten sie genauso wenig. Verrückte und Pastoren, einfach klappern lassen.

Nur Carsten Leidig, der in der alten Mühle hauste, hatte Angst vor Marret Ünnergang. Er fluchte schon und fuchtelte mit seinem Rübenmesser, wenn er sie nur von Weitem sah, als wäre das, was Marret hatte, ansteckend. Oder das, was ihr fehlte.

Sie war wohl immer noch normaler als der kahle Fremde, der jedes Jahr im März oder April die Dorfstraße entlanggehumpelt kam, in einem kurzen, himmelblauen Rock. Er hatte nur ein Bein, das andere war aus Holz. Er schliff die

Messer und die Scheren, man konnte Bürsten bei ihm kaufen, Schnürsenkel und Schuhcreme, und die Kinder durften nicht so gucken, wenn er kam. Aber Weggucken war ganz unmöglich, wenn ein Mann im Rock mit weißen Feinstrumpfhosen an die Türen klopfte und unbedingt gesehen werden wollte.

Der kahle Scherenschleifer ging nicht in die Küchen, er musste an der Haustür stehenbleiben. Es lag nicht an den Feinstrumpfhosen und dem himmelblauen Rock, es lag daran, dass er ein Fremder war. Man nickte, kaufte eine Nagelbürste und ließ ihn nicht hinein.

Marret mit den Klapperlatschen und dem zerfledderten ERWACHET!-Heft gehörte zu den Leuten aus dem Dorf, den Nachbarn und Bekannten, den Zustellern und Lieferanten, die durch die Hintertüren in die Häuser kamen und auf den Küchenbänken sitzen durften. Man legte Zigaretten auf den Tisch, holte Weinbrand oder Bier und stellte, wenn Marret kam, ein bisschen Saft und Schokolade hin. Manchmal sang sie nach den Zeichen und der Wahrheit noch ein Lied. Stand auf und breitete die Arme aus und sang wie Connie Francis oder Heidi Brühl, weil sie die Schlagerlieder noch mehr liebte als die Untergänge.

In den Liedern, die sie sang, wollten die Menschen siebzehn sein. Mit siebzehn träumte man, dann kam das Glück, dann wurde alles gut. *Ich schau den weißen Wolken nach und fange an zu träumen.*

Dass manchmal auch das Unglück kam, das war ein anderes Lied: Mit siebzehn träumte man, dann kam ein Kind, dann wurde man verrückt. Vielleicht war man auch erst verrückt, dann kam das Kind, die Reihenfolge war in Marrets Fall nicht klar.

Der Vater ihres Kindes konnte keiner aus dem Dorf gewesen sein, so viel stand fest. Denn Marret Feddersen, so klein sie war, hatte die Brinkebüller Bauernjungen gar nicht angesehen, wenn sie auf den Festen mit ihr tanzten. Auch an den Tischler- und den Bäckersöhnen immer stur vorbeigeschaut, von ihnen weg, den Blick schräg über ihre Köpfe, in die Ferne, in die Höhe.

Zu schräg für Sönke Feddersen, der hinter seinem Tresen fast die Gläser in der Hand zerdrückte, wenn er die Tochter so mit ihrer hohen Nase tanzen sah. Auch das Verwehte und das Flackernde an ihr, das Singen immer und dann plötzlich Schreierei und dann drei Tage lang kein Wort, es machte Sönke Feddersen verrückt. Mal ging es eine Weile gut, dann hörte sie, wenn jemand mit ihr sprach, und gab auch Antwort wie ein ganz normaler Mensch. Dann wieder dieses Flackern.

Wurde siebzehn, wurde schwanger, sagte niemandem, von wem. Und ließ sich auch nicht heiraten von Hauke Godbersen, der sie genommen hätte, mit ihrer hohen Nase und dem Rest.

Marret Feddersen war nicht zu retten, schon damals nicht.

Mit ihrem Unbekannten musste es gewesen sein wie in den Liedern, die sie sang. *Schöner fremder Mann* … Einer von drei jungen Ingenieuren, einquartiert im Gasthof Feddersen im Sommer 1965, als Landvermesser für die Flurbereinigung … *du bist lieb zu mir.*

Er hinterließ die Brinkebüller Feldmark aufgeräumt und übersichtlich, baum- und heckenlos, die breiten Wirtschaftswege wie mit dem Lineal gezogen, die Felder riesengroß, die Wälle und die Streuobstwiesen weggehobelt.

Die Welt von Marret Feddersen verließ er wie sein Fremdenzimmer: Verwüstet und zerwühlt, alles ruiniert von seinen schweren Stiefeln.

Sie war *verdreiht,* sie konnte Fledermäuse hören und auf gepflügten Feldern Feuersteine finden, aber wenn Ella Feddersen für achtzig Mann Rouladen kochen musste, war ihre Tochter keine Hilfe. Es reichte nicht mal zum Kartoffelschälen, sie summte vor sich hin und schnitzte Muster in die Schalen, bis Ella ihr das Messer wegnahm und sie an den Schultern aus der Küche schob.

Sie sah die großen Falten nicht, die sie in Leinendecken oder Bettbezüge bügelte. Ging vorbei an leeren Gläsern auf den Tischen, an vollen Aschenbechern und verstaubten Fensterbänken. An den Betrunkenen, die noch am Tresen lehnten, wenn sie zum Melken ging am Morgen. Auch an den Schnarchenden und Lallenden, die nach den großen Festen in der Eckbank hingen wie ausgesetzte Meuterer.

Weil Marret sie nicht sah und Sönke selbst am Tisch hing, zog Ella sie allein an ihren Schlipsen hoch und führte sie am kurzen Zügel durch den Saal zum Flur. Lehnte sie kurz an die Garderobe, drückte ihnen die Prinz-Heinrich-Mützen auf und schob sie Richtung Tür mit einer Drehung, als wollte sie ein schweres Fass über den Boden rollen oder Gasflaschen aus Stahl. Sie packte sie, wie Krankenpfleger oder Viehhändler es machten mit ihren widerspenstigen Klienten. Geübter Griff, nicht allzu grob, nur fest genug, um klarzumachen, dass es ernstgemeint war.

Aber Marret fand die letzten Glockenblumen oder Klatschmohnblüten, die auf den kunstgedüngten Feldern noch zu blühen wagten, pflückte sie und presste sie im

Shell-Atlas, dem einen großen Buch, das die Familie Feddersen besaß.

Sie fütterte die Tiere, zog Küken, Ferkel, Kälber groß. Und wenn sie ausgewachsen waren, schwer genug zum Schlachten und Verkaufen, sah sie sie nicht mehr.

Sie fütterte den Jungen auch, sie wusch und kämmte ihn und rieb ihm jeden Abend seine Brust mit Wick-Erkältungssalbe ein, dem aufgesackten Kind, das wie ein Husten war, nicht wieder loszuwerden. Ein chronischer Infekt, der mit Erkältungssalbe nicht mehr wegzureiben war. Menthol auf seine Brust, weil er ihr Leiden war. Es wurde besser, als er größer wurde und mit Sönke Feddersen hinter dem Tresen stehen konnte. Manchmal sah sie ihn dann gar nicht mehr.

Sie bohnerte die Böden vor den Festen, das Parkett im großen Saal, und wenn es blank war, tanzte sie zu ihren Schlagerliedern. Augen zu und weitersingen, siebzehn sein und bleiben, ein Mädchen in Schwarz-Weiß wie auf dem alten Foto, das im Gasthof an der Wand hinter dem Tresen hing: Marret mit der Tanzkapelle im großen Brinkebüller Saal. *Die Barracudas,* ernste Jungs mit schmalen Schlipsen, Gitarre, Bass und Schlagzeug, und in der Mitte ein toupiertes Mädchen mit dem Mikrofon. Spitze weiße Schuhe und im Haar ein schwarzes Tuch mit Punkten, ihr Lächeln viel zu groß für einen Gasthof in Nordfriesland. Marret Feddersen, die singen konnte. Stern von Brinkebüll.

Sie ging durchs Dorf in ihren Klapperlatschen, als in den Jahren nach der Flurbereinigung die ersten Starfighter der Bundeswehr in Richtung Nordsee über Brinkebüll geflogen kamen. Es klang wie eine Explosion, wenn der Pilot die Schallmauer durchbrach, ein Donnern, das vom Himmel kam, es konnte nur ein Zeichen sein. *Na, Marret, geiht de Welt mol wedder ünner?*

Nach diesen ersten Düsenjägern kamen viele, manchmal täglich, sie starteten vom alten Fliegerhorst, der seine zweite Blüte jetzt im Kalten Krieg erlebte, er lag knapp zwanzig Kilometer weit vom Dorf entfernt. Ihr Donnern wurde so alltäglich wie die Motorsägen von Karl Martensen oder das Schleifen aus der Landmaschinenwerkstatt. Sie gehörten bald zum Dorf wie das Gebell der Hunde auf den Höfen, das Rattern der Traktoren auf den Feldern, das Brüllen junger Rinder, die zur Viehwaage getrieben wurden, wie die Tanzmusik im Gasthof Feddersen an jedem Wochenende.

Die Flieger hinterließen Spuren, weiße Streifen, Parallelen, Kreuze. Der Himmel über Brinkebüll war voller Zeichen, aber außer Marret sah sie niemand.

2

Old man, look at my life

Im November stand das Wasser auf den Feldern, und der Himmel legte Steine auf das Land, Schleifsteine und Schieferplatten, Beton, Granit, Zement, Kies, Schotter. Dicke Stapel schweres Grau, als müsste dieses Land noch flacher werden.

Wolken wie Mühlsteine auf durchgeweichten Feldern, auf Häusern, Ställen, Scheunen, Carports, auf geduckten Feldsteinkirchen, die diesem Himmel auch nicht ganz zu trauen schienen. Auf einem dünnen Pferd, das mit gesenktem Kopf am Gatter seiner nassen Koppel stand, die Hinterhand geknickt. Ein Kiesel noch, dann würde es wahrscheinlich fallen. Es stand sehr still, den Kopf nach Osten, weg vom Westwind, der in den kahlen Bäumen randalierte wie ein durchgedrehter Feldherr, an Zweigen riss und Eichenstämme rempelte, ein alter Wind, der viel gesehen hatte, Findlinge geschliffen. Jetzt peitschte er den Regen und ließ die Fahnen stramm an ihren Masten stehen, drei Tage ohne Pause, wenn ihm danach war.

Man machte es am besten wie das dünne Pferd, man duckte sich und blieb ganz still, den Rücken in den Wind, den Kopf gesenkt, norddeutsche Schonhaltung. Dem großen Mahlwerk möglichst wenig Angriffsfläche bieten, man gewöhnte sich das an, wenn man hier aufgewachsen war. So sehr, dass man im Auto noch die Schultern hochgezogen hielt, wenn man durch diese Landschaft fuhr. Er merkte es und ließ sie sinken, stellte den Scheibenwischer auf die höchste Stufe.

Er fuhr die Strecke jetzt so oft. Windböen, die ihm ins Lenkrad griffen, das große Heulen an der Seitenscheibe, ein toter Fuchs am Straßenrand. *Don't let it bring you down,* er sang das Lied seit über dreißig Jahren mit. Neil Young im Auto, immer schon. Wenn jemand mitfuhr, ließ er die CD im Handschuhfach verschwinden, er hatte keine Lust mehr auf die Kommentare, er lebte seine Liebe zu Neil Young seit vielen Jahren heimlich aus. Andere fälschten Geld im Keller oder teilten Tisch und Bett mit einer Latexpuppe. Er fühlte sich seit dreieinhalb Jahrzehnten von einem Kerl getröstet, der Karohemden trug und mit wimmernder Stimme von goldenen Herzen und alten Männern sang.

Und wenn er im November über die menschenleeren Straßen der schleswigschen Geest fahren musste, dann war ihm das Gewimmer dieses Mannes eine große Stütze.

Man hatte hier als Mensch nicht viel zu melden. Man konnte gern rechts ranfahren, aussteigen, gegen den Wind anbrüllen und Flüche in den Regen schreien, es brachte nichts. Es ging hier gar nicht um das bisschen Mensch.

Das hier war Altmoränenland, es hatte ewig unter Gletschereis gelegen, es war geschliffen und verschrammt, das bisschen Wind und Regen machte ihm nichts aus.

Er war nicht blind, er sah das alles: Die zerrupften Krähen, die in den Furchen eines nassen Stoppelfeldes wateten, die Silagehügel unter weißen Plastikhäuten, beschwert mit alten Reifen, verpackte Ballen Heu auf den verwaisten Feldern, die großen Tanks der Biogasanlagen, ihre grünen Kuppeln wie die Wahrzeichen des Maiszeitalters. Bauernhäuser, die irgendwann mit weißem Klinkerstein verkleidet worden waren, jetzt standen sie an ihren vollverzinkten Gartenzäunen wie unglückliche Bräute, die keiner haben wollte. Die Felder, auf denen außer Mais nur noch Solaranlagen oder Windturbinen wuchsen. Die Wartehäuschen an den Haltestellen, Fahrpläne hinter Plexiglas für Busse, die dann doch nie kamen. Die hohen Straßenlampen mit dem bleichen Licht, die in den starken Böen schwankten.

Keine Schönheit weit und breit. Nur nacktes Land, es sah verwüstet und geschunden aus. Ein Land, das man mit einer frommen Lüge trösten wollte, die Hand auf diese Erde legen: Wird schon wieder. Wird alles wieder gut. Es vertrösten auf die guten Tage, wenn der Himmel steinfrei war, windstille Tage, manchmal gab es das. Singvögel, Feldlerchen, Schwalben, blühende Kastanien und Silberpappeln, Kiefern, die in der Sonne dufteten. Tage mit Farben: Raps und Löwenzahn, Sommergras, Heidekraut, schwarzbunte Rinder, Sonnenauf- und -untergänge. Bei klarer Sicht ein bisschen Glanz vom Wattenmeer.

Er hing an diesem rohen, abgewetzten Land, wie man an einem abgeliebten Stofftier hing, dem schon ein Auge fehlte, das am Bauch kein Fell mehr hatte.

Auch das ein Fall fürs Handschuhfach, Klappe zu und keine Kommentare, besten Dank.

Er war, was das anging, kuriert, seit Ragnhild ihn das erste Mal hierher begleitet hatte, die Füße auf dem Armaturenbrett, die Tabakkrümel ihrer Selbstgedrehten auf dem Sitz, Lakritzstangentüte und Handcremetube im Schoß, die Taschentücher überall verteilt. Das alles war ihm damals ganz egal gewesen, aber ihr Feixen aus dem Autofenster nicht, ihr »O Gott« bei jedem Blumenkübel aus Waschbeton und jeder Plastikhaustür aus dem Baumarkt. Besonders nicht ihr »Ach du Scheiße«, als sie beim Brinkebüller Ortsschild waren, und dann noch einmal, grinsend, auf dem Parkplatz vor dem Gasthof Feddersen. Er, schafstreu und schwer getroffen, hatte ihr das lange nicht verziehen. Vor allem nicht sich selbst verzeihen können, dass sie ihn so gesehen hatte. Den Jungen aus dem Dorf, am Bauch kein Fell, so tölpelhaft verletzt.

Don't let it bring you down, it's only castles burning.

Er sah sich manchmal selbst im Bauerngang über den Kieler Campus stiefeln, mit langen, tiefen Schritten, als hätte er die Schubkarre noch immer vor dem Bauch. Oder die Sackkarre mit Bierfässern und Brausekisten, die in den Kühlraum mussten. Den Bohnerbesen für das Parkett im großen Saal. Er sah sich in den hohen Fensterscheiben der philosophischen Fakultät, ein Landmann auf dem Weg zur Arbeit, kein Anzug konnte das verbergen und kein weißes Hemd. An manchen Tagen roch es in der Seminarbibliothek nach Bohnerwachs. Der Boden war aus Eichenholz, ein breites Fischgrätmuster, bernsteinfarben, wie im Brinkebüller Saal.

Man konnte dort am Vormittag nicht arbeiten, weil sich die Erstsemester dann mit ihren Bücherlisten durch die Gänge wühlten wie Frischlinge durchs Unterholz. Aber am frühen Morgen oder gegen Abend waren die Lesesäle still wie Geisterschiffe. Er trieb dort manchmal ohne Ziel und Richtung durch die Zeiten zwischen Urkunden und Sammelbänden, die seit Jahrzehnten niemand in die Hand genommen hatte.

Die Bücher, die er brauchte, standen meist im Keller, wo es noch Zettelkästen gab und Neonröhren, die ein nervöses

Licht verströmten. Oft machte er sie gar nicht an, weil ihm die kleinen Leselampen lieber waren, die auf den Tischen in den Ecken standen.

An manchen Tagen las er sich in alten Dokumenten fest, saß lange dort wie etwas Heimliches, das unter Steinen lebte, nur hin und wieder von Studenten aufgestöbert, die ahnungslos das grelle Deckenlicht einschalteten und dann vor ihm erschraken.

Wie gestern diese junge Frau, Strickjacke und Schal, eine von denen, die es schafften, in einer überheizten Bibliothek zu frieren.

Sie hatte das Licht gleich wieder ausgeschaltet, hastig ihre Bücher aufgehoben, die ihr vom Arm gefallen waren, dann war sie weggelaufen Richtung Lesesaal. Er war kurz in Versuchung aufzuspringen und ihr stöhnend hinterherzuhumpeln, Quasimodo Feddersen, das Phantom der Ur- und Frühgeschichte. Der Mann, dem man im Dunkeln nicht begegnen möchte, der regungslos in schummerigen Ecken kauerte, im knitterigen Hemd, und manchmal hing es ihm dann auch noch hinten aus der Hose. Der große Bleiche aus dem Keller, wahrscheinlich sah er selbst an manchen Tagen aus wie etwas Freigelegtes, Ausgegrabenes.

Sehr gute Chancen als Erschrecker bei der Geisterbahn, falls es mit der Vertragsverlängerung nicht klappen sollte.

Er wäre nicht der Erste, der in diesem Fachbereich zum Schrat geworden war. Man musste sehen, dass man als Prähistoriker die Kurve kriegte, man durfte nicht zu lang in irgendwelchen Kellern, Gruften oder Höhlen sitzen, sonst fing man früher oder später an, nach Atlantis zu graben, man fantasierte über Moorleichenlegenden oder marschierte in römischer

Legionärsausrüstung über die Alpen, alles schon dagewesen. Kollege Dahlmann verbrachte die Semesterferien als Klingenschmied in einem *Bronzezeit Erlebnispark*. Sechs Wochen lang im Fell am Amboss stehen – dann lieber Geisterbahn.

Die Frau, die vor ihm weggelaufen war, hieß Sünje Gregersen. Sie war in seinem Seminar, eine von den Stillen, nur ihr Name war ihm aufgefallen. Mehr musste er auch gar nicht wissen. Er konnte solche Namen lesen wie Familienbücher oder Lebensläufe. Sünje Gregersen, so hieß nur jemand, der aus Nordwesten kam. Kreis Nordfriesland, Abitur in Niebüll oder Husum, vielleicht in Westerland, vielleicht in Wyk auf Föhr, aber er tippte mal auf Festland, Kraut- und Rübenkindheit auf der Geest. Es klang für ihn nach einem Bauernhof auf einem Boden, der nichts taugte. Nach Kiefern, Flugsand. Ziemlich flach, aber nicht platt.

Ein Name wie ein Schlüsselloch. Er guckte durch und konnte alles sehen: die Schülerin mit Monatskarte, frühmorgens an der Haltestelle in irgendeinem kleinen Dorf mit »-büll« am Ende. Er sah den norddeutschen Schrägregen und die Kapuze, die sie mit beiden Händen am Gesicht festhielt, damit der Wind sie nicht herunterzerren konnte.

Er konnte den Schulbus sehen mit den beschlagenen Scheiben, der wieder ewig brauchen würde für die zwanzig, dreißig Kilometer bis nach Niebüll oder Husum, der behäbig wie ein Kartoffelroder über die Geestdörfer fuhr, um all die anderen Kapuzenkinder auch aufzulesen. Kleine Saatkartoffeln, aus dem sandigen Boden gerüttelt und ins Gymnasium gesteckt, damit aus ihnen mal was würde. Er konnte sehen, wie Sünje Gregersen im Halbschlaf vor der Schule stand, bevor der Hausmeister um kurz vor sieben endlich mit dem Schlüssel kam.

Und sah, wie sie am Nachmittag um zwei aus dem Kartoffelroder stieg und durch ihr Dorf ging, das um diese Zeit im Koma lag, nicht ansprechbar. Das schulbusbleiche Kind, das durch die Hintertür ins Haus schlich und dann auf Strümpfen in die Küche. Er konnte sehen, wie es aß, mit einem Buch neben dem Teller, dann vorsichtig die Treppe hochstieg, dabei nicht mit der Tasche ans Geländer schlug und auch nicht an der Wand entlangschleifte. Wie es in sein Zimmer huschte und dort blieb, bis seine Eltern unten vom Sofa aufgestanden waren.

Niemand konnte leiser essen und Treppen geräuschloser hinaufschleichen als Kinder, die in Nordfriesland aufgewachsen waren. Wenn es etwas gab, was den Menschen hier oben heilig war, dann war es ihre Mittagsstunde.

Der Name Sünje Gregersen verriet ihm mehr, als sie je über sich erzählen würde. Den Rest verriet ihm ihr Gesicht, sehr hell, ein bisschen eingesunken, wie Holländer sie malten oder Flamen auf den alten Bildern. Nordseegesichter, das Profil von Westwind abgeschliffen. Nichts ragte vor, nichts stach heraus, man übersah sie leicht.

Es gab nicht wenige von dieser Sorte, und sie erkannten sich.

Alles, was er von ihr wissen konnte, wusste sie auch über ihn. Sie brauchte nichts als seinen Namen, Ingwer Feddersen. Dass vor dem Namen jetzt ein »Dr.« stand, dass er ihr Hochschullehrer war, Dozent und Grabungsleiter, das spielte alles keine Rolle. Abitur in Husum, Studium und Promotion in Kiel. Er war einer, der im Kartoffelroder gesessen hatte. Er konnte sehr leise essen.

Eins von den Kapuzenkindern, die wie blinde Passagiere

in die Hörsäle und Seminarräume geschlichen kamen, wie Gäste, die niemand eingeladen hatte. Bis heute staunte er darüber, dass er in all den Jahren niemals aufgeflogen war. Dass keinem Menschen eingefallen war, dass er dort gar nicht hingehörte. An manchen Tagen schien er immer noch darauf zu warten, dass jemand kommen und ihn aussortieren könnte, ihn auf den anderen Kartoffelhaufen legen.

Dass jemand ihn dabei erwischen könnte, wie er in seinem Keller saß, Grabungsberichte und Pollendiagramme vor sich, *de Nääs in de Böker,* statt etwas Richtiges zu tun: Mais zu häckseln, den Kotflügel am Schlepper zu schweißen oder im großen Saal den Tanzboden zu bohnern und dann für achtzig Gäste einzudecken.

Hundert Kilometer lagen zwischen Uni Kiel und Gasthof Feddersen, er war seit dreißig Jahren nicht mehr *Kümmerling* gewesen, der Junge mit dem Tresen vor der Brust, aber sobald er einen dieser Namen hörte, stand er im Brinkebüller Saal. Oder saß in einem Wartehäuschen an der Haltestelle und zog den Kopf ein unter einem Mühlsteinhimmel.

Manchmal, wenn er in seinem vollgestapelten Büro am Schreibtisch saß, schien plötzlich Sönke Feddersen vor ihm zu stehen, in seiner schwarzen Breitcordhose, die Hände in den Seiten, auf den Teppichboden spuckend, weil ihm das alles unbegreiflich war. Wie man so dumm sein konnte: hinter Bücherstapeln kauern und in verstaubten Seiten wühlen, das Leben einer Milbe, einer Assel führen. Wie einer fünfzehn Hektar Land und einen Gasthof liegen lassen konnte, um Steine und kaputte Töpfe auszubuddeln.

Sönke Feddersen, *de Kröger.* Er hatte das Menschenmögliche getan, um aus dem vaterlosen Jungen von Marret Ünnergang *wat halfweegs Normales* zu machen. Hatte ihn auf dem Bohnerbesen über das Parkett geschoben, bis er groß und stark genug war, um das schwere Ding alleine zu schieben. Ihn an den Tresen gestellt, auf eine umgedrehte Sprudelkiste, damit er an den Zapfhahn kam, und hatte ihn, sobald die Beine lang genug gewesen waren, an das Steuer des IHC-Schleppers gesetzt. Hatte ihn Heu pressen, Mist streuen, melken lassen, abends in der Gaststube die Aschenbecher leeren und morgens nach den Festen die Toiletten schrubben.

Kaufte ein Tenorhorn, als er sieben wurde, ließ ihn mit zwölf im Takt marschieren mit dem Musikzug Brinkebüll und schickte ihn mit fünfzehn zu den Übungsabenden der Jugendfeuerwehr. Schnitt ihm die Haare mit dem Messer, auf einem Schemel vor dem Stall, alle sechs Wochen, *dat du mol wedder as een Minsch utsiehst.*

Und dann Gymnasiast. Bis heute wusste Sönke Feddersen nicht, was da schiefgelaufen war. Womit er das verdient hatte.

Hä! Op de hoge School!

Er hatte dieses *Hä!* in hohem Bogen ausgespuckt, als hätte er auf etwas Widerwärtiges, Verdorbenes gebissen. Sein Spucken fing im fünften Schuljahr an. *Sexta,* sagten sie in Husum am Gymnasium. *Hä!*, sagte Sönke Feddersen und hörte mit dem Spucken nicht mehr auf. Quinta, Quarta, Tertia … Spuckte weiter bis zum Abitur. Verstand die Welt nicht mehr, als Ingwer Feddersen sich dann auch noch vor seinem Wehrdienst drückte, um als Zivildienstleistender die Tattergreise abzuputzen, die im Seniorenheim in ihre Bettbezüge sabberten. Und was nicht noch alles.

Spuckte auf den BAföG-Antrag, das Diplom, den Doktortitel.

Und hielt im Gasthof Brinkebüll die Stellung. 93 Jahre alt, Arthrose und auf einem Auge blind, genau wie Marret Ünnergang: Er sah nur, was er sehen wollte.

Dass Fremde grinsten, wenn sie auf ein Bier und eine Bockwurst in seine abgeschrammte Schankstube geschneit kamen, sah er nicht. Wenn er mit der Bestellung in die Küche schlurfte, zeigten sie auf seinen grünen Sparclubkasten und die verstaubte Wurlitzer-Musikbox in der Eichenholzverkleidung. Sie rollten mit den Augen, wenn sie die Bilder von fidelen Tippelbrüdern an der Wand entdeckten oder die Aschenbecher, die ihm ein Schnapsvertreter vor Jahrzehnten mal geschenkt hat: *Nette Menschen trinken gerne Kümmerling.*

Und Sönke Feddersen, *de Kröger,* zuckte nicht, wenn E-Bike-Pärchen oder Hünengrab-Touristen, die sich in seine Gaststube verirrten, die aufgeplatzte Bockwurst überschwänglich lobten und beim Bezahlen seine Schulter klopften, als wäre er ein altes Zirkuspferd. Er stellte sich in Positur an seinem Zapfhahn und ließ sie ihre Handyfotos machen von diesem krummen Gastwirt in der Dorfkaschemme, der kaum noch über seinen Tresen schauen konnte. Er spielte sturer Findling, er würde sich von seinem Platz nicht wegbewegen.

An schlechten Tagen brauchte er jetzt den Rollator, an guten nahm er sein Tenorhorn aus dem Koffer und spielte *Sternschnuppen-Polka,* so weit er mit der Luft noch kam.

Als er noch jung gewesen war und wütender, hatte er *Gruß an Kiel* gespielt, fast jeden Sonntagabend, wenn Ingwer Feddersen die Sachen packte, um nach dem Brinkebüller Wochenende zurückzufahren zu den *»Studierern«.*

Studierer wie Verlierer, wie Zerstörer, wie Verbrecher – wer ihn nicht kannte, hätte denken können, dass Sönke Feddersen ein solches Wort nur zufällig benutzte, ein bisschen ungeschickt, gar keine böse Absicht. Aber was er sagen wollte und was nicht, das wusste Sönke Feddersen genau. Jeder Schuss ein Treffer, mit jedem Spucken konnte er ein Schiff versenken.

Old man, look at my life.

Es wurde dunkel, als er auf die Bundesstraße abbog, vierzehn Kilometer noch bis Brinkebüll. Der Regen hackte auf die Windschutzscheibe ein, der Scheibenwischer hetzte. Am Himmel blinkten, hundert Meter hoch, die roten Warnlichter der Windkraftanlagen. Dutzende von ihnen im immergleichen Takt, ein stetiges Pulsieren. Es schien aus einer anderen Welt zu sein, als sollten diese roten Lichter eine Landebahn für fremde Raumschiffe markieren. Oder die Beatmung für ein großes kosmisches Organ kontrollieren. Die Leute hassten dieses Leuchten, es hagelte Proteste gegen Windanlagen, die jeden Kirchturm überragten, den Horizont verstellten und an den Sonnentagen unaufhörlich ihre Schatten auf die Felder und die Straßen schlugen.

Er wünschte sich noch mehr von ihnen. Mehr von den roten Leuchten, die diesen Himmel nicht so ernst zu nehmen schienen, aufmüpfig blinkten, Clownsnasen für einen, der keinen Spaß verstand. Noch mehr von den Rotoren, die den Choleriker von Wind vor ihren Karren spannten. Er hatte hier so lange sinnlos vor sich hin gewütet, Sturmfluten hochgepeitscht, Bäume umgeknickt und Häuser abgedeckt, er konnte sich jetzt endlich nützlich machen. Ins Geschirr mit ihm.

Hinter den atemlosen Scheibenwischern konnte er den Stollberg sehen, 43 Meter hoch, vierthöchste Erhebung des

Landkreises Nordfriesland, Altmoräne aus der Saale-Eiszeit. Sein Heimatkundewissen schien ihm wie ein Hund vorauszurennen, verlässlich sprang es auf, sobald er an der Bundesstraße 5 den kleinen Hügel kommen sah, den nur ein Deichvolk ernsthaft als Berg bezeichnen konnte.

Sandersande, Kiessande, Geschiebemergel, er hätte immer noch im Schlaf den Längsschnitt durch den Gletscher zeichnen können, den er im vierten Schuljahr in sein quergelegtes Heft gezeichnet hatte. *Grundmoräne, Endmoräne, Sander, Urstromstal.* Auswendig, wie ein Heimatlied.

Seltsam kreisten die Kartoffelkinder lebenslang um ihre Dörfer, blieben auf den Umlaufbahnen, die sie hielten, nicht zu nah und nicht zu fern. Treue Mondgesichter, die an ihrer alten Erde hingen.

Kiel war fern genug für ihn. Hundert Kilometer weit konnte selbst Sönke Feddersen nicht spucken. Und nah genug, denn wenn man dort über die Felder ging, konnte man fast die gleichen Steine finden wie hier. Windkanter, die von den Eiszeitgletschern irgendwann vergessen worden waren, eine Landschaft, die ein paar Hunderttausend Jahre lang geschliffen worden war – nicht so hart und gründlich wie die Geest bei Brinkebüll, aber es reichte ihm.

Er grub schon, seit er denken konnte. Drehte Steine um an Straßenrändern. Wühlte, wenn er an der See war, jeden Spülsaum durch und suchte Bernsteine und Donnerkeile, Seeigel-Fossilien. Er konnte gar nicht anders: Volksschule Brinkebüll, vier Jahre Heimatkunde. Man war bei Lehrer Steensen um das Graben nicht herumgekommen.

Mit Spaten, Handschaufeln und Hämmern in die Feldmark, in Zweierreihe zu dem großen Acker, der gleich hinter dem Schulwald lag. Den alten Feldrucksack geschultert, die Ärmel hochgerollt, so hatte Steensen seine Schüler zu den Grabungen geführt, um sie in die Geheimnisse der norddeutschen Vorzeit einzuweihen. Sie hatten Flintsteine gesucht und Hühnergötter, Pfeilspitzen und Faustkeile.

Schon seine Mutter hatte das getan, 1955 eingeschult, Steensen musste damals noch ein junger Mann gewesen sein, viel jünger jedenfalls, als Dr. Ingwer Feddersen jetzt war.

Alle Steensen-Schüler hatten graben müssen. Alle hatten schleunigst damit aufgehört, sobald sie ihre Brinkebüller Grundschultage hinter sich gelassen hatten, nur Ingwer Feddersen grub immer weiter, drehte Steine um.

Er sah die Krähen über nasse Felder flattern wie Lehrer Steensen früher, der seinen Blick beharrlich auf die Erde richtete, Flintdolche, Rundbeile suchend. Steensens Ära war die Jungsteinzeit, er dachte nicht daran, nach vorn zu sehen.

Nicht zu lange mit gesenktem Kopf durch Ackerfurchen gehen – noch eine Mahnung an alle Prähistoriker, wenn sie die Kurve kriegen wollten, man konnte sie am Beispiel Steensen lernen.

Old man, look at my life. I'm a lot like you were.

Jemand musste das Brinkebüller Ortsschild angefahren haben, es stand schief, am letzten Sonntag war davon noch nichts zu sehen gewesen. Er ging vom Gas. Fuhr vorbei an Carsten Leidigs alter Mühle, die wieder Flügel trug, nachdem sie drei Jahrzehnte lang als Stumpf in der Kurve gestanden hatte. Vor der umgebauten Meierei hatte der Sturm die Wertstofftonne umgeweht, eine leere Dose rollte Richtung Rinnstein, auf ihrem weißen Etikett stand »ja!«, und dünne Plastiktüten huschten mit ihr über die Dorfstraße. Auf dem Fußweg zerrte ein Jugendlicher mit Kapuzenjacke an der Leine eines Cockerspaniels, Ex-Wunschhund und Ex-Hundewünscher, beide schienen sich den Abend anders vorgestellt zu haben. Sonst war niemand unterwegs im Dorf, blau flimmerten die Stubenfenster am frühen Freitagabend.

Im Gasthof Brinkebüll lief NDR 1 Welle Nord, Hits & Oldies aus dem kleinen Lautsprecher in der Schankstubenecke. *Marmor, Stein und Eisen bricht,* am Tresen Sönke Feddersen, heute ohne den Rollator. Er zapfte Pils für Paule Bahnsen, der allein am Stammtisch saß und jetzt den Schraubverschluss von einer kleinen Flasche drehte, die in seinen Pranken fast verschwand. »Moin, Ingwer.« Dann trank er seinen Kümmerling. Klemmte sich den Flaschenhals zwischen die Zähne, legte den Kopf in den Nacken und ließ die 35 Vol.-% Halbbitter freihändig in seine Kehle laufen.

Ingwer stellte den Rucksack ab, zog die Jacke aus und legte sein Schlüsselbund auf den Tresen. »Koppwehwetter«, sagte Sönke Feddersen und schob ihm einen Kümmerling über die Theke, den zweiten kippte er selbst.

3
Schuld war nur der Bossa Nova

Die Landvermesser ließen Bier- und Weinbrandflaschen in den Fremdenzimmern stehen und bürsteten den Schmutz von ihren Stiefeln in die Waschbecken, bevor sie ihre Koffer packten und den Gasthof Feddersen verließen. Marret, die die Zimmer putzen sollte, fand Kippen in den Aschenbechern und eine leere Packung Stuyvesant auf einer Fensterbank. Sie sammelte die ausgedrückten Zahncremetuben ein, den Kamm, das kleine, schmuddelige Seifenstück, das auf dem Boden lag. In einem der drei Zimmer hing an einer Tür im Kleiderschrank noch eine einsame Krawatte. Die Seide schimmerte nachtblau, wenn man darüberstrich. Kommode leer und Nachttisch leer. Das Bett zerwühlt, das Handtuch schmutzig. *Schöner fremder Mann.* Er hatte seine Stiefelspuren damit vom Linoleum gewischt.

Als Ella kam und frische Bettbezüge brachte, lag ihre Tochter auf der abgezogenen Matratze, das Laken über ihrem Kopf. Sie hielt es fest, als ihre Mutter daran zog. Und Ella Feddersen, die sich seit langer Zeit schon nicht mehr über Marret wunderte, ließ ihre Tochter liegen. Räumte den Teller wieder weg, als sie zum Mittagessen nicht herunterkam, stellte die Tasse in den Küchenschrank zurück, als sie zum Kaffee immer noch nicht unten war. Zur Melkzeit hatte Sönke Feddersen die Nase voll. Drei Tage lang kein Wort, dann große Schreierei um nichts, dann Schlagerlieder auf dem leeren Saal, jetzt stellte sie sich unter einem weißen Laken tot. *Nu langt dat.* Er polterte die Treppe zu den Fremdenzimmern hoch, zog ihr das Betttuch weg, dann klemmte er sich Marret wie ein Kantholz unter einen Arm und schleppte sie bis an die Hintertür. Stellte ihr die Gummistiefel vor die Füße, und als sie stehen blieb, stur wie ein Stock, zog Sönke ihr die Stiefel an und schob sie in den Stall, wo schon die Kühe an den Ketten zerrten und die Kälber brüllten.

Am Abend kam sie nicht, als Ella sie zum Essen rief, und Sönke aß das Spiegelei, das übrig war. Fluchte, als er sah, dass Marret wieder nicht den Boden in der Gaststube gewischt hatte. Suchte aber nicht nach ihr, weil er schon wusste, dass es zwecklos war. Man fand sie sowieso nicht.

Sie war für das Verschwinden wie gemacht, schmal wie ein Hemd, die Füße einer Schülerin. Sie konnte lange hinter Bäumen stehen, in Gräben oder unter Hecken kauern. Verschwand am Mergelschacht im Schilf, schob sich in Paule Bahnsens Gerstenfeld und tauchte in den langen Halmen unter. Streunte über Sandwege und Trampelpfade, lief bis zum Hünengrab und legte sich ins Heidekraut. Das einzige, was Marret Feddersens Versteck manchmal verriet, war eine kleine Wolke Qualm. Sie paffte Zigarettenstummel, die sie im Gasthof von den Tischen sammelte, wenn Sönke es nicht sah. Halb gerauchte Juno, Gold Dollar oder Ernte 23, die in den Aschenbechern liegen blieben.

Sie tauchte meistens in der Mittagsstunde unter, sie machte es wie alle, die in Brinkebüll für eine Zeit verschwinden wollten. Die nicht gesehen werden wollten, wenn sie um Häuser oder Scheunen schlichen, wo sie nichts verloren hatten, oder mit langem Schritt ein fremdes Feld vermaßen, als ob es ihnen schon gehörte. Ihre Räder leise aus dem Schuppen schoben, zwei leere Eimer an den Lenker hängten und zum Süderende fuhren, um schnell die reifen Fliederbeeren abzupflücken, bevor es jemand anders tat. Man musste warten, bis das Dorf wie ein betäubtes Tier zusammensackte. Bis in den Küchen und den Stuben nach und nach die Tageszeitungen zu Boden glitten und tief geatmet wurde auf den Eckbänken und Sofas. Die Brinkebüller Kinder lernten früh, dass man das leise Schnarchen hören musste, bevor man auf den Strümpfen durch die Diele huschen konnte, zum Heuboden hinauf, wo die versteckten Comic-Hefte lagen oder die blinden, jungen Hunde, die man eigentlich nicht haben durfte.

Das betäubte Dorf bemerkte nicht, wenn Marret Feddersen verschwand, es sah sie nur auf ihrem Weg zurück, mit Gräsern in den Haaren oder Sand an ihren Kleidern. Sie kam mit Steinen in den Taschen, Schneckenhäusern, Scherben, Holzstücken und Bucheckern, Ahornsamen oder Klatschmohnkapseln, kleinen Knochen, manchmal toten Vögeln, Mäusen, Feldhamstern, und nichts von dem, was Marret in den Feldern rund um Brinkebüll gefunden hatte, durfte weg. Die Pflanzen legte sie mit Löschpapier in Sönkes großen Shell-Atlas, der Rest kam in ihr *Schap,* den ausrangierten Küchenschrank, der staubig an der Wand im Kuhstall stand. Die toten Tiere sorgten regelmäßig für Geschrei, weil Sönke sie im Stall nicht haben wollte. Er warf sie auf den Mist, sobald er sie entdeckte, und Marret schrie, weil diese Tiere erst verschwinden durften, wenn sie gezeichnet und beschriftet worden waren. Sie mussten in ihr *Book,* ein blaues Schulheft, großkariert, mit breitem Rand.

Wippsteert ist gleich Bachstelze. (Singvogel, Zugvogel) Am 21. September 1964 an der Brücke bei Wischers Heck gefunden. Schon länger tot. (Brummer)

Sie schrieb in Schönschrift, unterstrich die Überschrift zweimal mit Lineal und ließ dabei die Unterschleifen aus, das hatte sie bei Lehrer Steensen so gelernt. Es konnte Stunden dauern, bis sie fertig war mit ihrem Zeichnen und Beschriften, manchmal Tage. Weil Ella sie nicht mit den toten Tieren in die Küche ließ, zog Marret sich den alten Schemel in den Stall und saß, das blaue Heft im Schoß, den Rücken an ihr *Schap* gelehnt. Summte, malte, schnörkelte und unterstrich, als gäbe es um sie herum nichts anderes zu tun, als stünden da nicht Eimer, Besen, Forken, als müsste Sönke Feddersen nicht wütend über ihre ausgestreckten Beine steigen. Sie sah ihn gar nicht. Sie merkte wohl auch nicht, dass ihre toten Tiere manchmal schon schlecht rochen.

Marret Feddersen schien hinter einer Wand aus Glas zu leben. Man musste rufen oder winken, um sie zu erreichen, und manchmal war das Glas auch noch beschlagen. Sie sah und hörte nichts, wenn sie im Stall auf ihrem Schemel hockte, in Kleiderschränken saß oder im Brennholzschuppen, wo sie die Lesezirkelhefte las, *Quick, Stern* und *Bunte,* und den Filmstars und den Schlagersängerinnen, die auf den Titelbildern waren, Zahnlücken oder Bärte malte, Brillen, Lockenköpfe. Sie hörte nicht, dass Hauke Godbersen, der Mappenmann, fast jede Woche gegen die Kommode trat und fluchte, wenn er ihr Gekritzel sah. Weil er sich wieder das Gemecker von den nächsten Abonnenten anhören konnte. Wer wollte denn Curd Jürgens ohne Schneidezähne sehen und Heidi Brühl mit Backenbart und Brille?

Marret war auch taub, wenn sie an klaren Tagen auf das Meiereidach stieg, bis zu dem Brett am Schornstein, wo die Tauben immer saßen. *Nu schnackt se uk noch mit de Vageln.* Sie schaute nicht nach unten, und sie hörte nicht, wenn Jakob Meierist nach oben brüllte, dass sie »gefälligst mol zackzack« da runterkommen sollte. Sie sah den Himmel über Brinkebüll, sonst nichts. Das kleine Dorf da unten ging sie gar nichts an und Jakob Meierist schon gar nicht. Anfangs hatte er ihr mit der Faust gedroht, jetzt ließ er sie da oben sitzen, solange sie ihm nicht die Dachziegel heruntertrat.

Es brachte nichts, sich aufzuregen, gar nichts. Das wusste Dora Koopmann mittlerweile auch. Sie wippte nur noch mit dem Fuß, die Arme vor der Brust verschränkt, wenn Marret Feddersen in ihren Laden kam und summend Richtung Tiefkühltruhe schlenderte. Sich ein Vanilleeis aus der Gefrierbox angelte und summend wieder aus der Ladentür spazierte. »Ik heff keen Geld«, sie zahlte nie, und Dora sagte dazu gar nichts mehr. Sie stemmte sich aus ihrem Stuhl und schwankte auf den schweren Beinen von der Kasse bis zur Truhe, um den Deckel wieder richtig zuzumachen, dann nahm sie ihren roten Stift und schrieb die 20 Pfennig in ihr Kontobuch. Ella würde sie beim nächsten Mal bezahlen. Man brauchte über Marrets Macken nicht zu reden, »dor ward dat uk nich anners vun«. Mehr sagte Ella nicht, wenn jemand über ihre Tochter schimpfen oder klagen wollte. Für Ella Feddersen war das schon viel, sie sprach ja nicht, wenn sie nicht musste.

Manchmal, wenn im Laden keine andere Kundschaft war, spielte Dora Koopmann *Wunschkonzert* mit Marret, dann tauschten sie ein Lied gegen ein Eis. Marret durfte durch den Laden tanzen wie eine Schlagersängerin, und Dora wünschte sich fast jedes Mal dasselbe: *Schuld war nur der Bossa Nova.* Das Lied war wie gemacht für sie, weil Dora Koopmann immer gerne klärte, wer an etwas schuld war.

Schuld an ihrem hohen Blutdruck und dem Wasser in den Beinen war die Kundschaft. Die Gören mit den klebrigen Gesichtern und den Grabbelfingern, die stundenlang in ihrem Laden lungerten, weil sie nicht wussten, ob sie sich für ihren Groschen lieber Dauerlutscher oder Brausepulver kaufen sollten. Die faulen jungen Frauen, die nie das Essen pünktlich fertig hatten und Dora dann für eine Tüte Maiskernpuder aus der Mittagsstunde klingelten. Die alten Junggesellen, die ihr halbes Schwarzbrot und zehn Scheiben Jagdwurst mit einer Handvoll Pfennigen bezahlten. Die jungen Mofafahrer, die mitten in der Nacht an ihrem Zigarettenautomaten rüttelten, das halbe Dorf wachbölkten, weil mal wieder ein Zweimarkstück weg war. Die Besoffenen, die gegen Morgen an ihr Zimmerfenster hämmerten, weil sie noch eine Flasche Bommerlunder brauchten. Das ganze undankbare, unverschämte Volk, das sich in ihrem Edeka-Geschäft bedienen ließ, war schuld daran, dass Dora Koopmann hin und wieder mit Konservendosen schmeißen musste oder eines der verklebten Gören an den Ohren aus dem Laden zerren. Die Herrschaften bedienen, wer war man denn.

Marret Feddersen kam jedenfalls nicht in der Mittagsstunde, und sie fasste außer dem Vanilleeis nichts an. Sie war für Dora Koopmann lange nicht die schlimmste Kundin.

Marret war *verdreiht,* schon vor der Klapperlatschenzeit und vor den Untergängen, sie war noch nie normal gewesen. Auch nicht verrückt, sie lag wohl irgendwo dazwischen. Ein Knäuel Mensch, verfilzt, schief aufgerollt. Es gab die Sorte überall, in jedem Dorf. Zwei oder drei, die in sich selbst verknotet waren, mit keinem sprachen und bei Ostwind weinten, rohe Rüben von den Feldern aßen oder barfuß liefen, wenn es schneite. Die zahme Elstern in der Stube hielten oder bei Vollmond Zwiebeln, tote Katzen oder Kuhhörner vergruben. *Halfbackte,* wunderliche Menschen, sehr einsam hinter ihrer Wand aus Glas. Gefangene, die nichts verbrochen hatten. Man sprach mit ihnen wie mit Kindern, Fremden oder Schwerhörigen, laut und nickend, zwinkerte und machte Witze, die sie nicht verstehen konnten. Man mochte ihnen aber nicht begegnen, wenn es neblig oder dunkel war, auf stillen Wegen außerhalb des Dorfes. Sie waren einem nicht geheuer mit ihren seltsamen Geräuschen, dem Flüstern und dem Murmeln, mit ihren Steinen und den toten Tieren in den Taschen. Man wusste nicht, woher die schiefen Lieder kamen, die sie sangen, warum sie lachten oder weinten. Ob sie nicht Dinge sahen oder hörten, von denen die Normalen gar nichts ahnten. Ob sie nicht angeschlossen waren an etwas Größeres und Heimliches.

Man quälte die *Verdreihten* nicht, man nahm sie hin wie Löcher in den Straßen oder das eine unberechenbare Rind, das es in jedem Kuhstall gab. Man kannte sie und hielt ein bisschen Abstand.

Im Gasthof seufzte man vielleicht, zog höchstens kurz die Augenbrauen hoch, wenn Marret beim Servieren Pirouetten drehte, die Schüsseln auf die Tische knallte und auf Strümpfen über das Parkett glitt wie ein Schlittschuhläufer. Wenn sie die Kaffeelöffel einfach auf die Tische streute und mit dem Finger Schaum von einem vollen Bierglas schnippte.

Und Ella wunderte sich nicht, wenn ihre Tochter einen

halben Tag in einem leeren Landvermesser-Zimmer lag, ein Betttuch über ihrem Kopf, als wäre sie gestorben.

Sie hatte sich das Wundern abgewöhnt, das musste man, wenn man ein Kind wie Marret hatte. Und man begrub am besten auch den Wunsch, es zu verstehen. Man wurde selbst verrückt, wenn man versuchte, ein vertrautes Muster zu erkennen oder einen roten Faden. Es war so sinnlos wie im Kaffeesatz zu lesen oder am Strand die angespülten Muscheln zu sortieren.

Marret war wie etwas Flüchtiges, Verwehtes, das ständig seine Form veränderte, Sanddüne, Wolke, Quecksilber, sie hatte keine Grenzen. Keine feste Haut, so kam es Ella manchmal vor. Sie hatte lange Zeit gesucht nach einem Sinn in dem, was Marret sagte oder tat, nach einer Ordnung, einer Formel, die ihr dieses Kind begreifbar machen sollte. Sie hatte aber aufgehört damit, es brachte nichts. Man flog nur wie ein Brummer krachend an die Scheibe, immer wieder. Ein Kind wie Marret war ein Spiel mit komplizierten Regeln, und man bekam es ohne Anleitung. Also spielte Ella Feddersen, obwohl sie nichts verstand. Sie würfelte. Gewöhnte sich das Wundern ab, als wäre es ein Laster.

Stutzte nicht, als Marret plötzlich unter Betten kroch, Kommoden von den Wänden schob und mit den Händen über Teppiche und Bettvorleger tastete, die dreiteiligen Matratzen aus den Gästebetten hievte, Vorhänge und Gardinen schüttelte, Begonien und Sansevieria aus ihren Übertöpfen hob, im ganzen Haus in Schubladen und Schränken wühlte. Als nachts das Scharren weiterging, das Möbelrücken in den Fremdenzimmern, das Tasten und das Wühlen bis zum frühen Morgen. Bis es Zeit zum Melken war und Marret ganz allmählich dämmerte, dass von dem schönen fremden Mann nicht mehr zu finden war als eine nachtblaue Krawatte.

Er hatte hier nichts mehr verloren.

Die Arbeit der Vermessungsingenieure war getan, sie hatten Brinkebüll bereits erledigt, abgehakt. In ihren Flurkarten und Plänen gab es dieses alte Dorf nicht mehr, es war auf dem Papier schon ausradiert, berichtigt und begradigt. Die ungeteerten, rumpeligen Wege, die Trampelpfade und die Dorfchaussee mit den Kastanienbäumen, die Wälle und die Knicks mit ihren hohen Büschen, die jede freie Sicht und freie Fahrt blockierten. Die lächerlichen kleinen Felder, auf denen ein moderner Mähdrescher kaum wenden konnte. Die kümmerlichen Bauernhäuser, Stall und Stube Wand an Wand, die sich in der Dorfmitte aneinanderdrängten wie die Eintagsküken. Das ganze Enge, Schiefe und Beschränkte, das Verwinkelte und Zugewachsene, das Umständliche musste weg. Man konnte diese Dörfer nicht so lassen, wie sie waren.

Die jungen Ingenieure brauchten ein paar Sommerwochen, um alle Brinkebüller Felder, Wege und Gewässer zu vermessen. Sie kamen in ein Dorf, das sich im Regen aufzulösen schien, den ganzen Juni über hatte es gegossen, und auf den Höfen standen tiefe braune Pfützen. Brinkebüll lag ausgekühlt und kränkelnd unter vollgesogenen Wolken, geknebelt, halb erstickt von einem Himmel, der so räudig wie die Küchenlumpen war, die sich die Frauen aus den alten Unterhosen, -hemden oder Bettbezügen der Familie schnitten. Mit denen sie dann über alles *schnuddelten,* was nicht ganz sauber war, den Herd, den Tisch, den Spülstein, Teller, Tassen, Töpfe und die Gesichter ihrer Kinder, die vor den grauenhaften Lappen flüchteten, sobald sie laufen konnten.

Das Heu war klamm in diesem Juni und das Korn von Wind und Regen plattgedrückt, die Rüben fingen auf den Feldern an zu faulen. Die Frauen trugen Plastikhauben über ihren Stallkopftüchern, wenn sie frühmorgens zu den Weiden fuhren, um zu melken, den Männern lief das Wasser von den Mützenschirmen in die Augen. An den Koppelrändern standen Kühe mit gesenkten Köpfen wie Melancholiker an Bahnsteigkanten, sie suchten unter Büschen Schutz und starrten kauend auf die durchgeweichten Felder, die Hufe tief im nassen Grund. Sie stellten sich beim Melken an, als würden sie belästigt.

Die Kinder wussten nicht, wohin mit sich in ihren langen Ferien. Sie schlurften in den Gummistiefeln durch die Pfützen, ärgerten die Katzen und Geschwister, liefen ihren Eltern vor die Füße, wollten Zuckerei. Die Mütter drückten ihnen Groschen in die Hände und schickten sie zu Dora Koopmanns Laden, um sie für eine Weile loszuwerden. Sie kamen wieder, latschten mit den nassen Stiefeln durch den Flur und stritten sich um ihre Dauerlutscher, malten Tuschebilder an den Küchentischen, kippten ihre Pinselgläser um, flogen raus und gingen in die Ställe und die Scheunen. Schlugen sich die Finger mit dem Dengelhammer blutig, schnitten sich am Rübenmesser, jaulten, brauchten Pflaster. Machten irgendwas kaputt. Knallten in der Mittagsstunde mit den Türen, flogen raus und schlurften in den Gummistiefeln durch die Pfützen. Die Kinder wurden unausstehlich, die Erwachsenen auch, die Nerven blankgespült vom Regen, angesäbelt von den scharfen, nichtsnutzigen Winden. Ende Juni setzte Sönke Feddersen im Gasthof Brinkebüll den Wasserkessel auf für Grog und Teepunsch. »Nu maak man noch een Kerz an«, sagte Paule Bahnsen, »denn sing ik *Stille Nacht*«.

Die Landvermesser zogen auf den nassen Feldern ihre Köpfe ein und wateten durch Schlamm, der sich an ihren Füßen festzusaugen schien. Sie trugen Öljacken und Stiefel wie die Hochseefischer, schützten Winkelmesser und Stativ mit einem großen Schirm und rammten die rot-weiß gestreiften Fluchtstäbe in die Brinkebüller Erde wie in einen Wal. Wärmten sich an ihren Zigaretten, bis auch die Feuerzeuge streikten, dann packten sie ihr Zeug zusammen und gingen in die Gastwirtschaft, wo schon ein halbes Dutzend andere Männer saßen, Bauern, Maurer, Dachdecker, die draußen auch nicht weiterkamen.

Die drei Vermessungsingenieure trugen helle Hemden unter ihren Regenjacken, sie setzten sich an einen kleinen Tisch am Fenster, fragten Sönke Feddersen nach Streichhölzern, bestellten ihren Grog auf Hochdeutsch.

Er machte ihnen, leise pfeifend, seine *Damenmischung,* bisschen Rum, viel heißes Wasser, ein Stück Zucker mehr. Kleiner Kröger-Scherz, sie legten aber nur die klammen Hände um die Gläser und tranken brav das dünne, ungenießbare Gesöff, sie muckten gar nicht auf. Und Sönke Feddersen ging pfeifend wieder an den Tresen, am runden großen Tisch vorbei, wo Paule Bahnsen und die anderen saßen, grienten und in ihren Teepunschtassen rührten.

»Denn laat de Deerns man uk noch een kriegen«, sagte Kalli Martensen und zeigte zu den Landvermessern, als er die nächste Runde Punsch und Grog bestellte. Man prostete den Herren höflich zu, auch Sönke hob das Glas und grinste hinter seinem Tresen. Sie tranken sich das schlechte Wetter schön, mehr konnte man nicht tun.

Marret, die der Regen nicht zu kümmern schien, lief in

den Mittagsstunden hakenschlagend über die verschlammten Trampelpfade, hielt sich an die Bäume an den Wegesrändern, blieb halbwegs trocken unter Eichen, Birken und Kastanienbäumen. Ging am Hünengrab vorbei bis in den kleinen Fichtenwald, stieg auf den Hochsitz, der auf einer Lichtung stand, und rauchte ihre Zigarettenstummel. Hörte, was die Ringeltauben murmelten, versuchte auch, den Regen zu verstehen, der Morsezeichen auf das Holzdach klopfte, lange, komplizierte Botschaften an Marret Feddersen, die angeschlossen war an etwas Großes, Heimliches, von dem die anderen nichts wussten.

Die Landvermesser winkten mit den Zigarettenschachteln, kurz vor Feierabend, als sie das nasse Mädchen sahen, das wie ein Waldtier plötzlich aus den Büschen kam. Sie rauchten Stuyvesant mit ihr und ließen sich die Dinge zeigen, die sie in ihren Taschen hatte. Gaben sich sehr interessiert an ihren Steinen und den Federn. *Kleines Fräulein.* Sie hatten Spaß mit Marret Feddersen, die nicht normal war, aber singen konnte. *Regentropfen, die an dein Fenster klopfen, das merke dir, die sind ein Gruß von mir.*

Einer wollte mit ihr tanzen, Tango in den großen Gummistiefeln, »darf ich bitten«. Der Kollege hielt den Schirm, der andere sang mit: *Sonnenstrahlen, die in dein Fenster fallen, das merke dir, die sind ein Kuss von mir.*

Sie hatten Flachmänner in ihren Hochseefischerjacken, Korn und Weinbrand gegen das Sauwetter, und apropos *ein Kuss von mir:* Brüderschaft mit Fräulein Feddersen! Sie hießen Thomas, Wolfgang und Andreas. Eingehakt, getrunken. Und geküsst. Siebzehn Jahre alt, noch nie so was gemacht, und dann gleich drei an einem Tag. Morsezeichen auf dem großen Regenschirm: *Seh to, dat du tohuus kummst, Marret.* Sie ließ die Männer stehen, verschwand und saß in ihrem Kleiderschrank, bis Sönke sie zum Melken rief.

Mitte Juli kam der Sommer doch noch, über Nacht. Kein Knebel mehr, die grauen Lappen weg, der Wind, der wochenlang am Dorf gesäbelt hatte und genagt, schien plötzlich satt zu sein. Er ließ die Messer sinken, und die Schwalben, die am Tag zuvor noch tief geflogen waren, stellten sofort um auf Höhenflüge. Auf dem Dach der Brinkebüller Kirche schlugen halbwüchsige Störche mit den Flügeln, erst mal probehalber, wie Jugendliche, die ihr neues Moped starten wollten. Als könnten sie jetzt endlich los, als hätten sie auf dieses Wetter wochenlang gewartet. Es waren nur noch zwei. Drei junge Störche hatte Pastor Ahlers in den nassen Juniwochen tot auf dem Pflaster vor der Kirchentür gefunden und an der Friedhofsmauer beigesetzt. Dort, wo er auch die Hamster und die Wellensittiche begrub, die ihm die Kinder manchmal brachten, wenn sie nicht wollten, dass die toten Tiere von den Eltern auf den Misthaufen geworfen wurden. Marret Feddersen kam auch von Zeit zu Zeit, mit halb verwesten Vögeln oder Mäusen, da musste man als Pastor durch, er atmete dann einfach durch den Mund. Er legte sich ins Zeug bei den Bestattungen der Tiere an der Friedhofsmauer, *Erde zu Erde,* er konnte mit den Kindern dann auch gleich schon mal das Vaterunser und *Befiehl du deine Wege* üben, so hatten alle was davon. Selten wurde bei Bestattungen in Brinkebüll so fromm gebetet und so tief getrauert wie bei den Haustierbeisetzungen an der Friedhofsmauer. Und Ahlers hatte das Gefühl, gebraucht zu werden, das hatte man als Seelsorger nicht oft in Brinkebüll.

Die Julisonne zeigte in den Häusern plötzlich grell und tadelnd auf verschlierte Scheiben und verstaubte Fensterbänke, es ging so schnell, die Frauen griffen wie ertappt zu ihren grauen Lappen. Dann in die Gärten, Buschbohnen und Erbsen pflücken und Wasserwannen auf den Rasen stellen, in denen sie die kleinen Kinder planschen ließen. Die großen stoben aus den Stuben, zwei Wochen Ferien noch vor sich, schrappten mit den Rollschuhen die Dorfstraße entlang und nahmen Kurs auf Badekuhlen oder Dora Koopmanns Tiefkühltruhe. Wo es nach drei, vier heißen Tagen kein Schokoladen- und Vanilleeis mehr gab, weil Dora immer erst dann nachbestellte, wenn auch das letzte Erdbeereis verkauft war. *Dat kunn se wull so passen.* So weit kam es noch, dass sie sich von der Kundschaft sagen ließ, wann sie was zu bestellen hatte! Wer war man denn.

Brinkebüll schien in den langen Regenwochen abgetaucht zu sein, es war versunken, viel zu still gewesen. Jetzt klang es wieder so, wie ein gesundes Dorf im Sommer klingen musste, es hörte sich nach Arbeit an, die Landmaschinen ratterten von Sonnenaufgang bis zur Dämmerung, und aus der Schlosserwerkstatt konnte man ein Schleifen und ein wütendes Gehämmer hören, wenn Haye Nissen im verschmierten Kittel fluchend und verschwitzt die Strohpressen, Traktoren und Mähdrescher zusammenflickte. Sie möglichst schnell wieder zum Laufen brachte, wie ein Feldarzt die Verwundeten im Lazarett. Man hörte es von Carsten Leidig bis zur Kirche, wenn Haye Nissen seinen Amboss malträtierte oder den Winkelschleifer zum Kreischen brachte und im Halbstundentakt seine *nichtsnutzigen* Gesellen und die *dösigen* Lehrlinge aus der Werkstatt jagte, sie zum Kuckuck schickte, auf den Mond, in hoffnungslosen Fällen ohne Umwege *to'm Deubel!*

Auf dem neuen Dach von Peter Clausen hämmerten die Zimmerleute, rhythmisch wie Galeerentrommler, als wollten sie das Dorf auf Touren bringen. Hanni Thomsen saß im Gasthof Feddersen auf einmal ganz allein vor seinem Underberg, wenn er wie jeden Vormittag auf seinem alten Mofa angetuckert kam. Er sabbelte auf Ella ein, die nebenbei die Fenster putzte und die Bohnen schnitt. Er schäkerte mit Marret, die im Saal den Boden wischte oder bohnerte. »Na, Marret, hest du denn noch gor keen lüttje Brütigam?« Sie summte einfach weiter, hörte ihn ja nicht. »So'n schmucke Deern un het keen Kavalier, wo kann dat angahn?« Hanni Thomsen hatte seine feste Runde jeden Morgen, zwei Underberg bei Feddersens und dann zu Dora Koopmann, die ihre Augen schon verdrehte, wenn sie sein Mofa draußen röcheln hörte, und dann noch einmal, wenn er in den Laden humpelte und mit dem Kleingeld in der Hosentasche klimperte. Sie stemmte sich dann immer gleich aus ihrem Stuhl und schaukelte schon mal in Richtung Aufschnitt. Hanni Thomsen kam sehr lange hin mit Jagdwurstbrot und Underberg.

Die Landvermesser ließen ihre Jacken und die Gummistiefel morgens in den Zimmern, sie krempelten die Ärmel ihrer Hemden auf und gingen in Sandalen auf die Felder. Das meiste war geschafft, sie ließen sich ein bisschen Zeit und setzten Sonnenbrillen auf. Lagen in der Mittagsstunde unter Bäumen, rauchten Stuyvesant und lachten über Marret Feddersen, die sie mit ausgebeulten Taschen über einen Feldweg laufen sahen.

Zogen ihre Hemden aus und merkten gar nicht, dass sie selbst die ganze Zeit gesehen wurden, weil Marret lange reglos hinter Bäumen stehen konnte. Merkten viel zu spät, dass sie verbrannten. Sie kamen abends rot und fiebrig in die Gastwirtschaft zurück, und Ella schickte Marret in die Küche, um kalte Buttermilch zu holen für Kompressen. Den Tangotänzer hatte es besonders schlimm erwischt, das blonde Haar, die helle Haut. Er zog die Luft ein, als ihm Marret vorsichtig den kühlen weißen Lappen in den Nacken legte, lachte aber. »Achtung, kleines Fräulein.«

Sönke stellte abends seine Tische vor die Tür, es war zu warm, um in der Gaststube zu sitzen. Die Bauern, die direkt vom Dreschen kamen, hatten staubige Gesichter oder Stroh in ihren Haaren, Paule Bahnsen saß im Unterhemd, die Hosenträger baumelten zu beiden Seiten, die Zimmerleute hatten ihre schwarzen Westen ausgezogen und an die Stuhllehnen gehängt. Die rotgebrannten Ingenieure in ihren weißen Hemden sahen aus wie feingemachte Hummer, drei Fabelwesen zwischen Brinkebüller Männern. Marret brachte Bier und drehte Pirouetten, das Serviertablett in ihrer Hand, sie knallte Gläser auf die Tische, summte, schnippte Schaum, sah nichts und niemanden.

Nur einen musste Marret Feddersen wohl doch gesehen haben, als er zwinkerte.

Und dann noch einmal ein paar Tage später, als er am Tresen stand mit den Kollegen. Es war ihr letzter Abend hier in diesem Kaff, die letzte Nacht im Gasthof Feddersen, sie hatten schon gepackt, es war ein Sonnabend.

Tanzball mit Kapelle im großen Brinkebüller Saal. Alle Fenster auf, es war sehr heiß, die Leute feierten wie Überlebende, sie hatten eine Sintflut hinter sich. Die Schlipse weg, die Hemden aufgeknöpft, allein *Die Barracudas* auf der Bühne trugen stoisch ihre weißen Jacken und lockerten auch nicht die schmalen Schlipse. Sie blieben lässig, machten hier nur ihre Arbeit, eine Band, die sich als Tanzkapelle tarnte, ernsthafte Musiker und keine Unterhaltungskünstler. Noch brauchten sie das Geld, und Sönke zahlte gut. Sie versuchten nicht zu zucken, wenn er sie *Musikanten* nannte.

Die Barracudas ließen Marret immer ein paar Stücke singen, weil Sönke Feddersen es wollte, *dat kann se wenigstens.* Am Anfang ein paar neue Schlager, um die Paare auf die Tanzfläche zu kriegen, sie konnte das tatsächlich. *Schuld war nur der Bossa Nova* sang Marret dann im kurzen, ärmellosen Kleid, ein Tuch mit weißen Punkten in den Haaren, und *Schöner fremder Mann.* Zu später Stunde, kurz vor Mitternacht, noch etwas Langsames, Verträumtes für den Engtanz. *Mit siebzehn hat man noch Träume.*

Die Landvermesser saßen rauchend an der Theke, sie machten Witze über Dörte Dethlefsen und ihre dicken kurzen Beine, riskierten unauffällig ein paar Blicke auf die Hübscheren im Saal, sie waren aber nicht so dumm, die Mädchen aus dem Dorf zum Tanzen aufzufordern. Man sah ja, dass die Brinkebüller Kavaliere nur auf einen Anlass warteten. Was gab es Schöneres als eine Schlägerei im vollen Saal, sie prügelten sich immer gern mit Fremden. Stellten sich mit aufgerollten Ärmeln neben die drei Fabelwesen, legten ihre Ellenbogen auf die Theke, grinsten, rauchten freihändig und nahmen ihre Zigaretten nur kurz aus dem Mund, um Sprit in sich hineinzukippen wie in einen Treckertank.

Marret hatte keinen Kavalier, auch keinen *lüttjen Brütigam,* nur Hauke Godbersen, den Mappenmann, der jeden Sonnabend für zwanzig Mark und freies Bier im Gasthof Brinkebüll die Kasse machte. Er stand, wenn Marret sang, am Bühnenrand, ganz vorne links, die Hände in den Hüften, wie ihr Leibwächter, ihr Aufpasser. Dass Feddersens das Lesezirkel-Abo trotz all der Zahnlücken und Brillen auf den Titelbildern nie gekündigt wurde, lag allein an Hauke Godbersen. Er hing auf seine grimmige, gereizte Art an Marret, nicht ganz wie ein verliebter *Brütigam,* mehr wie ein Artenschützer, der ein seltenes, bedrohtes Tier im Blick behielt. Es schien ihm ganz egal zu sein, was Marret davon hielt. Ein Vogelschützer fragte sich ja auch nicht, was ein Kauz wohl von ihm halten mochte. Er hielt die Stellung, fertig. Finsteres Gesicht, zwei Meter groß, die Haare immer Kraut und Rüben, stand er bei jedem Brinkebüller Ball am Bühnenrand, bis Marret fertig war mit ihren Liedern. Nickte einmal kurz, hob seinen Daumen, ging zurück an seine Kasse, fertig.

Und Marret Feddersen, die singen konnte, sah ihn gar nicht. Stern von Brinkebüll, nicht ganz normal, das Lächeln viel zu groß für einen Gasthof auf der Geest.

Sie musste aber einen anderen gesehen haben. Nachtblaue Seide, *kleines Fräulein.* Einen, der gut kalkulieren, messen und berechnen konnte. Passte alles: Mond und Sterne, Sommernacht, ein Mädchen, das Verstecke kannte und verschwinden konnte. *Schönes Fräulein.* Gar nichts Weltbewegendes, nur eine kleine, uralte Geschichte, aber Marret kannte sie noch nicht.

4
Wir wollen niemals auseinandergehn

Der Brinkebüller Saal vertrug das Tageslicht nicht mehr, er sah am Morgen abgetakelt und verkatert aus, er stank nach Schnaps und kaltem Rauch, die nackten Tische waren übersät mit Brandnarben und Wasserflecken, die schweren grünen Vorhänge in altem Küchendunst erstarrt. Auf den Fensterbänken verstaubten die Gummibäume und die schwertförmigen Sansevieria, *Schwiegermutterzungen,* nicht totzukriegen, auch wenn sie an den Rändern mittlerweile braun und eingerissen waren. Genügsame Gewächse aus den Sechzigern, die man woanders kaum noch fand. Alte Kneipenpflanzen, viel zu wenig Licht, zu selten umgetopft.

Sie hatten einiges mit ihm gemeinsam.

Er nahm die alte Messingkanne von der Fensterbank, holte Wasser aus der Küche und kippte einen großen Schluck in jeden Blumentopf. Dann wischte er mit einem feuchten Tuch die Blätter ab, bevor er sich an die verschlierten Scheiben machte. Die beiden Alten schafften es nicht mehr, jetzt putzte Dr. Ingwer Feddersen die Fenster, wenn er an den Wochenenden kam.

Er hob die Gummibäume von der Fensterbank und schob die alten Raffgardinen an die Seite, sie waren lange nicht gewaschen worden, aber Ella fiel es nicht mehr auf.

Die Tür zum Wohnzimmer war angelehnt, er hörte die Musik von ihrer DVD. Ein Tag im Leben einer Hundemutter, lange Einstellungen und Nahaufnahmen über klassischer Musik. *Hunde – unsere treuen Freunde,* Spieldauer eine Stunde. Viel länger würde er nicht brauchen für die Fenster und den Boden, und sie sah den Film sonst auch gern zweimal. Er konnte das Adagio von Mozarts Klarinettenkonzert hören und wusste, dass die Szene mit dem schlafenden Retrieverwelpen dran war. Ein kleiner Hund, in eine Menschenhand geschmiegt, Ella stand dann manchmal auf und streichelte den Bildschirm.

Der DVD-Tipp kam vom Pflegedienst, sie hatten noch zwei andere Filme aus der Reihe: *Unser schöner Garten* und *Ein Tag im Tierpark*. Sönke ließ sie jeden Tag im Wechsel laufen, dann hatte er ein bisschen Ruhe. Ella lief ihm sonst oft weg, sie war zu schnell für ihn, ging ohne den Rollator auf die Straße, einen Zettel in der Hand, weil sie zu Bäcker Boysen wollte und zu Dora Koopmanns Laden. Sie war in fließenden Gewässern unterwegs, wo Menschen, Zeiten, Orte durcheinandertrieben. Dass es im Dorf seit zwanzig Jahren nichts mehr einzukaufen gab, das mochte in der Welt der anderen so sein. In Ellas tauchten kleine Schwestern wieder auf und waren nie gestorben. Es gab die alte Schule plötzlich wieder, die Kühe auf der Koppel hinter ihrem Haus und einen jungen Mann, der Krischan hieß. Der Mühlenteich war nicht mehr zugeschüttet, die Meierei noch nicht geschlossen. Und Marret, siebzehn Jahre alt, sang immer noch im Brinkebüller Saal. In einem ärmellosen Kleid, wie Heidi Brühl.

Wir wollen niemals auseinandergehn.

Sönke zuckte mit den Achseln und tippte mit dem Finger an die Stirn, wenn seine Frau nach Toten suchte, von Unbekannten und Vergessenen erzählte und alte Schlagerlieder summte. Er war noch nicht an Ellas unsortierte Welt gewöhnt.

Manchmal hörte er die Tür nicht, wenn sie aus dem Haus ging, aber Nils und Anna Clausen, die gegenüber wohnten, hatten ihren Küchentisch am Fenster stehen. Wenn sie die Zeitung lasen, ihre Kreuzworträtsel lösten, zu Mittag aßen, Kaffee tranken, Karten spielten, hatten sie den Gasthof Feddersen im Blick. Sie sahen Ella mit dem Zettel in der Hand und kamen aus dem Haus, zogen sie schnell auf den Bürgersteig und hakten sich ein bisschen bei ihr unter. Sie gingen mit ihr eine Runde bis zum Ehrenmal oder zum Spritzenhaus, und manchmal setzten sie sich in das Wartehäuschen für den Bus. Ein paar Minuten auf der Bank, die vollgekritzelt worden war von Schulkindern und jugendlichen Mofafahrern, dann hatte Ella meistens schon vergessen, was sie wollte, und dann konnte sie nach Hause.

Die Autos fuhren schnell durch Brinkebüll, an Tempo 50 hielt sich niemand, fünfter Gang und durch. Ein Straßendorf, kein Grund zum Runterschalten, kein Ort, um anzuhalten. Nicht das Wahre für eine Zweiundneunzigjährige, die noch in einem anderen Jahrhundert unterwegs war, *op de Chaussee,* in einer blauen Kittelschürze. Schwimmend.

Kneifen konnte sie noch immer, und sie wusste auch noch immer, wo es wehtat. Am liebsten in die Oberarme, an der Innenseite, wo die Haut am weichsten war. Ingwer sah die blauen Flecken manchmal, wenn er Sönke morgens half beim Waschen. Er sah die Stellen an den Beinen auch. Kopfschütteln, Finger an die Stirn. Das war das Neueste, sie schlug mit ihrer Faust auf Sönkes Oberschenkel, sobald er ihr zu nahe rückte. Er musste auf dem Sofa einen halben Meter weg von ihr, dann ging es. Er schüttelte den Kopf, aber er ließ sich kneifen, boxen, schimpfte nicht einmal, wenn sie ihn in der Küche aus dem Weg stieß. Es war, als kämen ihm die Schläge seiner Frau nicht gänzlich ungelegen. Ingwer rieb dann Heparin auf seine blauen Flecken und fragte sich, ob zwischen diesen beiden Alten noch die eine oder andere Rechnung zu begleichen war. Sie hatten sich in siebzig Jahren Ehe nichts geschenkt, so viel war sicher.

Draußen zog es dunkel zu, später Vormittag, und der Novemberhimmel mauerte. Es sah nach Regen aus, wahrscheinlich lohnte sich das Fensterputzen gar nicht. Egal, er würde es jetzt durchziehen.

Er war in Übung, in der Kieler Wohnung putzte er sie auch. Vierzehn hohe Altbaufenster, wenn er gut war, schaffte er sie in zwei Stunden. Ragnhild hatte sie in sechsundzwanzig Jahren nie geputzt, zumindest konnte er sich nicht daran erinnern. Sie konnte sehr gut leben mit verschlierten Fensterscheiben. Sie ließ auch Spinnennetze an den stuckverzierten Decken hängen, und Wollmäuse durften sich ungebremst vermehren auf den breiten Pitchpinedielen. Ihr Lebensstil verlangte ein gewisses Maß an Unordnung und Staub. Vergammelte Noblesse, Verschlampung mit Niveau, wie immer man es nennen wollte. Dicke Flusen unter einem Lounge-Chair-Klassiker von 1956 – kein Nachbau, sondern ein verschrammtes Original. Nicht aufgearbeitet und nicht poliert, um Gottes willen.

Niemand konnte so nonchalant in eine Koi-Vase aus Fukagawa-Porzellan aschen oder Rotwein auf einen handgeknüpften alten Seidenteppich schwappen lassen wie Ragnhild Dieffenbach. Sie ließ Klamotten auf den Stühlen liegen und Zeitungsstapel auf dem Küchentisch, meistens machte sie am

Morgen nicht einmal ihr Bett. Manchmal, wenn sie in Gedanken war, saß sie noch so, wie man bei Dieffenbachs zu Tisch gesessen haben musste. Wenn sie es merkte, zog sie schnell den Zeigefinger aus dem Henkel ihrer Kaffeetasse, nahm sie in beide Hände, stellte ihre Ellenbogen auf den Tisch oder lehnte sich in ihrem Stuhl zurück und zog ein Knie an ihre Brust. Es sah dann immer noch so aus, als müsste sie sich dazu zwingen.

Er hatte irgendwann verstanden, dass sie sich ihre Verlotterung wie einen Muskel antrainieren musste. Sie turnte gegen die geerbten Leiden an, Verspannungen, Verbeugungen und steife Oberlippen, die bei den Dieffenbachs in der Familie lagen. Versuchte, ihren Habitus wie einen Haltungsschaden loszuwerden. Ragnhild Dieffenbach, Dipl.-Ing. Architektin, ein Name wie ein Altbau, aber wenn sie etwas hasste, war es dieses Rumgeschnörkel. Stuck und Gründerzeitfassaden, grauenhaft. Altbausanierung, Bauen im Bestand, das Allerletzte! Ihr Element war der Beton. Sichtbeton! Je narbiger und großporiger, desto besser. Kiel war ihre Stadt, Beton, so weit das Auge reichte.

Dass sie selbst in einer alten Kaufmannsvilla lebte, mit Geschnörkel, mietfrei, weil das Haus den Dieffenbachs gehörte, war aber kein Problem. *Ich kann das trennen.* Sie war ganz gut darin, die Dinge auseinanderzuhalten. Die schluffige WG-Bewohnerin war nicht mehr zu erkennen, wenn Architektin Dieffenbach Akquise machte. Sobald es darum ging, Ausschreibungen oder Aufträge an Land zu ziehen, schmiss sie sich in Jil Sander wie ein Ritter in die Rüstung, schnallte die Cartier-Uhr ihrer Großmutter ums Handgelenk und stieg fluchend in die hohen Schuhe. Ragnhild im Angriffsmodus, hochgesteckte Haare, dröhnendes Gelächter und ein Handschlag wie ein Mörder. Sie wusste, wie der große Auftritt ging, vom Diplomatenvater abgeguckt, an dem sie sich bis heute abarbeitete, sie nannte ihn den *Dreiteiler.* Wenn es wichtig wurde, teilte sie ihre Visitenkarten aus, die sie von einer Schweizer Firma machen ließ, aus Beton, Stück zwanzig Euro, meistens lohnte es sich. Und nachher gab sie sich im Irish Pub die Kante, trank Pints und grölte *Whiskey in the Jar* mit ihren Guinness-Veteranen. Dann stakste sie nach Hause, schmiss die hohen Schuhe unter ihr ungemachtes Bett, hängte die Jil-Sander-Rüstung in den Schrank und haute sich in ihrem alten Kranich-Kimono an den WG-Tisch.

Sie hielt die schönen Bogenfenster aus, sie tolerierte Stuckrosetten und die alten Fliesen mit den Jugendstilmotiven, es durfte nur nicht zu gediegen werden. Alte Pracht, die man gekonnt herunterkommen ließ, das war in Ordnung. Verdreckte Fenster – immer gern.

Und Claudius war auch nicht zu gebrauchen. Klar würde er die Fenster putzen, *gar kein Thema,* aber dann lief es jedes Mal auf einen Großeinsatz hinaus. Weil er das Ego eines Regenmachers hatte. Er passte nur in diese Wohngemeinschaft, weil er zwei Zimmer hatte – die beiden größten, die nach vorne gingen. Bei Claudius war alles eine Spur zu groß. Er putzte Fenster, wie andere Menschen Herzen transplantierten. Bis er bereit war für den großen Eingriff, war ein normaler Mensch mit vierzehn Altbaufenstern fertig. Als Erstes brauchte er zur Einstimmung die richtige Musik. Dann fing er an, sich das Equipment zu besorgen, seinen Fensterabzieher in Profiqualität und die Einweghandschuhe, die er im Großhandel für Arbeitsschutzbedarf gefunden hatte, antistatisch, mit angerauter Oberfläche. Er musste in den Keller, wo der Kanister mit Insektenentferner stand, dann in die Küche, um seine eigene Putzmischung anzurühren. Dann wieder in den Keller, um die Trittleiter zu holen. Dann wieder in die Küche, um das Ledertuch zu suchen, dann wieder in sein Zimmer wegen der Musik. Man wurde wahnsinnig. Er konnte nicht *normal,* er kaufte ein, wie andere Menschen Großwild jagten, er kochte wie ein Alchemist, es ging ihm jedes Mal um Gold.

Claudius war noch im Scheitern größer als der Rest: Andere fielen einmal durch das Staatsexamen, er hatte es zweimal geschafft, elf Semester Jura für die Tonne. Kleine Geister, schlichtere Gemüter hätten sich nach so einem Debakel einen Job gesucht, eine Lehre angefangen, vielleicht ein Abendstudium begonnen. Claudius war mit der alten Rennyacht seiner Eltern losgesegelt, drei Monate durch die Ägäis, erstmal den Kopf freikriegen, bisschen sacken lassen alles. Und dann gleich, zack! Erleuchtung! Sternschnuppen über den Kykladen, fliegende Fische und große Emotionen. Sehr große Emotionen! Er hatte die Sirenen singen hören, *ohne Scheiß.* Das Meer! Die Nacht! Der Mond! Die Götter hatten sich ihm offenbart – auf Augenhöhe höchstwahrscheinlich. Er war geboren, um zu segeln.

Claudius' Erleuchtung war in den Kanon der WG-Legenden eingegangen. Jeder Mensch, der mehr als eine halbe Stunde neben ihm am Kieler Küchentisch gesessen hatte, kannte die Geschichte. Ragnhild fing schon immer leise im Sirenenton zu heulen an, wenn Claudius das Wort »Ägäis« sagte, man wusste dann auch schon genau, was kommen würde, *ohne Scheiß,* weil er die Story immer gleich erzählte, jeder Punkt und jedes Komma saß an seinem Platz. Als Mitbewohner wünschte man sich manchmal eine Vorspultaste, aber Claudius war jedes Mal so hingerissen von den Schnuppen, so ergriffen von den großen Emotionen, man mochte ihm das nicht vermiesen.

Und immerhin, er zog es jetzt schon zwanzig Jahre durch: Profiskipper, Segellehrer, Bootsgutachter und Regattasegler. Held jeder Kieler Woche. Odysseus auf dem selbstgebauten Floß war gar nichts gegen Claudius auf seiner J-Class-Yacht von 1934. Poseidon in der Helly-Hansen-Jacke – nur als Fensterputzer war er eben eine Fehlbesetzung.

Die beiden Zimmer, die Claudius gehörten, waren mit einer Flügeltür verbunden. Meistens stand sie offen, wie alle Türen in der Wohnung meistens offenstanden, immer noch. Als stünden sie für die unausgesprochene Maxime dieser Wohngemeinschaft: Alles offenlassen! Fünf Zimmer, Küche, Bad, zwei Männer, eine Frau, nichts Halbes und nichts Ganzes. Die Zimmertüren waren wie die Flügel an der alten Windmühle von Brinkebüll, sie konnten Zeichen geben. Carsten Leidig hatte noch gewusst, wie man die Flügel stellen musste: Freudenschere, wenn ein Kind geboren wurde, Trauerschere bei Beerdigung, und als die Mühle nicht mehr in Betrieb war, standen ihre Flügel wie ein X, bis sie so morsch geworden waren, dass sie heruntermussten.

Ragnhilds Tür stand immer offen, auch nachts war sie nur angelehnt, wie eine Kinderzimmertür, die nicht geschlossen werden durfte, weil Ungeheuer aus den Schränken kommen konnten, wenn es zu still und dunkel wurde.

Claudius und Ingwer schlossen ihre Zimmertüren nachts, bevor sie schlafen gingen. Feierabendschere.

Aber vormittags, am frühen Abend, an den Wochenenden oder in der Mittagsstunde, war jede Zimmertür, die leise zugezogen wurde, ein Zeichen. Freudenschere oder Trauerschere, es kam ganz darauf an, auf welcher Seite dieser Tür man stand. Beziehungsweise lag. Zwei Männer, eine Frau, es ging nicht auf. Einer war immer der Dumme.

Die Brinkebüller Scheiben waren so verstaubt, dass Ingwer Feddersen nach jedem Fenster neues Wasser brauchte. Er ging mit seinem Eimer in die Küche und hörte aus dem Wohnzimmer ein Zwitschern. Ella knetete den Singvogel aus Plüsch, den er mit Sönke letztes Jahr im *Land & Freizeit*-Markt gefunden hatte, als sie nach Mausefallen suchten. Es hatte Grünfinken gegeben, Rotkehlchen und Singdrosseln, aber es musste unbedingt die Meise sein. Sönke hatte dann den ganzen Weg im Auto vor sich hingegrient. Jetzt zog er Ella schon seit Monaten mit ihrem Vogel auf, er machte jeden Tag denselben Witz. *Du hest je wull een Meis!* Zwei Alte kicherten, ein Plüschtier zwitscherte. Man wusste nicht, ob es zum Lachen oder Weinen war.

Die Frau, die in der blauen Kittelschürze Hundefilme guckte und mit dem Stofftier spielte, schien eine seltsame Kopie von Ella Feddersen zu sein, eine sehr gut gemachte Fälschung. Wie eine Puppe, die man einem Kind neu kaufen musste, weil es die richtige verloren hatte. Man tat dann so, als wäre es die alte, sie sah genauso aus. Aber die Frau, die Ellas Schürze trug und ihr Gesicht, schrieb mit dem Finger ihren Namen in die Staubschicht auf den Fensterscheiben, und meistens schrieb sie ihn verkehrt. *Ela* stand auf den Fenstern, *Ille,* einmal auch *Elesabet,* in krakeliger Kinderschrift. Diese Frau, die Sönke Feddersen in seine Oberarme kniff, auf seine Beine schlug und mit ihm über ihre Meise lachte, war eine Fremde. Sie wusste scheinbar nicht, dass Ella Feddersen, die richtige, ihn nie geschlagen und gekniffen hatte. Sie wusste auch nicht mehr, wie oft sie sich mit diesen Fenstern abgerackert hatte, vor den Festen, nach den Festen, weil ihre Scheiben immer stumpf und blind zu werden schienen von all dem Ausgeschwitzten, Ausgeschunkelten, das durch den Tanzsaal und die Gästestube strömte. Dem Dunst der Trinkenden und Tanzenden, den Rauchschwaden, den Schnapsfahnen.

Der Brinkebüller Atem, Gischt und Brandung eines ganzen Dorfes, schlug an diese Fenster, und das Treibgut hatte Ella Feddersen von ihren Böden kratzen müssen. Zu viele Füße auf dem bernsteinfarbenen Parkett, zu viel verschwappter Korn und Zigarettenasche. Und nach den großen Essen die zertretenen Kartoffeln, Bohnen, Petersilienbüschel, von polierten Schuhen durch den Saal gestampft und an den Eichendielen festgetanzt. Zu viele Kippen, durchgeweichte Bierglasmanschetten und immer diese rot glasierten Nüsse, die aus dem kleinen Tresenautomaten kullerten. Für einen Groschen eine Handvoll, aber immer rollten zwei oder drei daneben, fielen auf den Boden, wurden plattgetreten. Kullerten und fielen, wurden plattgetreten, wurden weggewischt. Heute störte Ella Feddersen der Dreck nicht mehr, sie malte nur noch Buchstaben in Staub und zwitscherte mit ihrer Meise.

Ingwer schaute kurz im Wohnzimmer vorbei, der Hund im Film bekam sein langes Fell gebürstet, und Ella kämmte mit den Fingern ihren Stoffvogel. Er ging zwei Türen weiter zum *Kontor,* wo Sönke Feddersen an seinem großen Eichenschreibtisch saß, er trug die Kopfhörer, die Ingwer ihm im Netz ersteigert hatte. Sein alter Plattenspieler lief, Braun Audio 308 Hi-Fi, in den Siebzigern der allerletzte Schrei, die beste Stereoanlage, die es im Dorf damals gegeben hatte. Für Sönke war sie das noch immer, er hatte das CD-Zeitalter einfach übersprungen, das hatte sich ja auch schon wieder fast erledigt mit den Dingern. Die Brinkebüller Jäger hängten sie jetzt in die Bäume, als Reflektoren, um die Rehe von der Straße wegzuhalten. So viel dazu. Sein Gerät lief immer noch, und seine Platten waren Klassiker. Oberkrainer, Egerländer, Polka, Marsch und Walzer, seit Jahrzehnten hörte er dieselben Stücke. Zeitlose, große Blasmusik. *Trompetenecho, Fuchsgraben-Polka, Schneewalzer, Radetzkymarsch* und *Preußens Gloria.* Andere hörten Bach ihr Leben lang, für Sönke war mit Ernst Mosch und Slavko Avsenik die Perfektion in der Musikkomposition erreicht. Und jedes Mal saß er vor Ehrfurcht stramm, die Augen blank, wenn er die Bläser des Musikkorps der Marine hörte.

Ingwer sah ihn mit den Kopfhörern auf seinem alten Lederstuhl, vollkommen reglos, nur die rechte Hand bewegte sich im Takt, er tippte mit den Fingerspitzen auf den Schreibtisch, auf dem Plattenteller drehte sich *Die große Marschparade.* Er saß da wie ein alter U-Boot-Funker, der immer weiter sendete. Ingwer sah den losen Kragen seines Hemdes, den krummen Rücken, der nicht wieder gerade wurde, das dünne Handgelenk. Den Ehering, der viel zu weit geworden war, er trug ihn jetzt am Mittelfinger. Er wurde immer kleiner, leiser, weniger, er hatte angefangen zu verschwinden. Letzte Takte, Decrescendo.

Ingwer stand noch eine Weile in der angelehnten Tür, er sah den alten Mann, der in der Marschmusik versunken war, und etwas Flüssiges schien plötzlich in ihm aufzusteigen, eine Flut, ein Schwall von hilflosem Gefühl. Er stand auf einmal bis zum Hals in Wehmut. Er wollte diesen alten Mann mitsamt dem Plattenspieler an sich reißen. So fühlten Eltern sich vielleicht, wenn sie nachts an den Betten ihrer Kinder standen. Wehrlos, aufgelöst, den Tränen nah. Als wäre er hier jetzt der Vater, der seinen Sohn im Schlaf betrachtete und bang auf seine Atemzüge lauschte. Als würde ihm zum ersten Mal bewusst, dass Sönke Feddersen, *de Kröger,* sterblich war.

Die Finger tippten etwas schneller, neuer Takt, der alte Funker sendete. Ingwer zog die Tür vorsichtig zu und ging zum Saal zurück. Als er beim dritten Fenster angekommen war, klingelte sein Telefon. Er sah die Kieler Nummer auf dem Display und schaltete das Handy aus.

Fünf Zimmer, drei Bewohner, es ging schon lange nicht mehr auf, egal, wie man es rechnete. Zwei Männer, eine Frau, nichts Halbes und nichts Ganzes. Wahrscheinlich waren sie die älteste WG der ganzen Stadt, die erste Kieler Wohngemeinschaft, die es barrierefrei von der Studenten- zur Senioren-WG schaffen würde.

Sie teilten immer noch das Sofa in der Küche, das *taz*-Abo und ihre Kaustby-Stühle von IKEA, die sie mittlerweile alle mit der gleichen Inbrunst hassten. Studentenstühle aus den Achtzigern mit Lehnen steil wie Leitern, nicht gemacht für Menschen um die fünfzig. Aber sie waren einfach nicht kaputtzukriegen. Sobald sie wackelten, zog Ingwer kurz die Schrauben nach, der Inbusschlüssel lag in der Besteckschublade, und dann standen sie wie neu. Immer wieder nahmen sie sich vor, die Dinger endlich loszuwerden, ihr letzter *Tötet Kaustby!*-Abend in der Küche lag noch gar nicht lang zurück.

Sie hatten bis zum Morgengrauen an der Kiste Veuve Clicquot getrunken, die Ragnhild von einer ihrer Charlottenburger Tanten zugeschickt bekommen hatte. Claudius' Idee war eine Art IKEA-Katharsis mit schweren Äxten, endlich Kleinholz machen aus der scheiß antikgebeizten Kiefer, das Ganze mit brutalem Rock aus aufgedrehten Boxen unterlegt. *Irgendetwas Aggressives, Rammstein-Artiges. Macht kaputt, was euch kaputtmacht!* Er hatte wirklich keine Ahnung von Musik. Sein Handyklingelton war immer noch *Biscaya* von James Last, dagegen war Neil Young schon Avantgarde.

Ragnhild fand, sie müssten eine Reise machen, mit den Stühlen im Gepäck nach Kaustby fahren, sie dort zu einem Scheiterhaufen stapeln und dann zu schwedischen Gesängen rituell verbrennen, in der Mittsommernacht am besten. Sie hatten Kaustby dann erst mal gegoogelt. Es lag gar nicht in Schweden, sondern in Finnland und hieß eigentlich Kaustinen. »Kannst mal sehen«, sagte Claudius, »da kannst du echt mal sehen.« Am Ende war es dann doch wieder mal bei Ingwers altem Plan geblieben: Erst mal stehenlassen. Ein bisschen warten, ein paar Jahre noch, dann würde sich sogar ein Kaustby-Stuhl in eine Rarität verwandelt haben – Ragnhilds Lounge Chair hatte es in sechzig Jahren schließlich auch zum Klassiker gebracht.

Wenn Ingwer Feddersen eins konnte, war es Warten. Länger ruhig an einem Ort verharren als die meisten anderen. Wer das nicht konnte, brauchte in der Ur- und Frühgeschichte gar nicht anzufangen. Aber sogar ihm war mittlerweile klar, dass sich in dieser festgefahrenen Wohngemeinschaft etwas ändern musste.

Die Dinge hatten sich verschoben, ganz allmählich, wie

Kontinente sich verschoben, er spürte, wie sie drifteten, er fühlte eine kalte Unterströmung, ein Beben und ein Grollen, das ihm neu war. Ein galliges Gefühl, das ihn ergriff, wenn er das alte braune Teenetz sah, das Claudius grundsätzlich nass und voll am Küchenbecken hängen ließ, bis er sich seine nächste Kanne Darjeeling Tumsong First Flush kochte. Das er dann tropfend einmal quer über den Küchenboden schlenkerte, um es über dem Mülleimer auszustülpen. Claudius brachte es seit zweieinhalb Jahrzehnten fertig, den Großteil seines feuchten Teekrauts in der Küche zu verteilen. Ingwer hatte es nie etwas ausgemacht. Er hatte es dann eben weggewischt, na und. Er war von Anfang an der einzige gewesen, der sich in dieser angestaubten Kieler Wohnung mal einen Eimer Wasser und den Lappen schnappte und ohne viel Tamtam das Bad, die Küche und die Fenster putzte. Er war ja auch der Einzige, der abends Nudeln kochte, mal eben schnell, nach Feierabend, wenn alle Hunger hatten und wieder keiner auf die Großwildjagd gegangen war. Der in der Küche stand und in Tomatensauce rührte, wenn Claudius, der Meeresgott, im Kieler Yachthafen noch hochkomplexe Takelage-Fragen klären musste oder die Weltformel lösen, und Ragnhild ihre Diplomatentochter-Macke pflegte, soziale Rückbildungsgymnastik machte, Füße auf dem geerbten Nussbaumtisch, die Zigarettenasche auf dem alten Seidenteppich und vor der Nase eine ihrer Psycho-Zeitschriften. Es war sehr lange her, dass sie ihm unbekümmert vorgekommen war und witzig. Er hatte früher etwas Weiches unter ihrer Kratzigkeit gefühlt, jetzt fand er es nicht mehr.

Das Beben und das Grollen kamen näher, er spürte es. Nach all den Jahren fing er an, sich selbst von außen zu betrachten, und das Bild, das er jetzt plötzlich sah, gefiel ihm gar nicht: Ingwer Feddersen, das Kneipentier. Der schlichte, gutmütige Friese aus dem Bauernkaff. Der angestaubte Gummibaum auf seiner Fensterbank. Er hatte in den letzten Monaten zu oft vor einer Zimmertür gestanden, die leise zugegangen war, vielleicht lag es auch daran.

Als er das letzte Fenster fertig hatte, machte er das Handy wieder an. Kollege Dahlmann auf der Mailbox, wie erwartet. Sauer, wie erwartet. *Kein Verständnis … nicht nachvollziehen … keine kluge Entscheidung … mich in Schwierigkeiten* … Dahlmann, der Klingenschmied, der seinen *Bronzezeit Erlebnispark* in diesem Jahr vergessen konnte, weil Ingwer Feddersen die Nerven hatte, sein Sabbatical tatsächlich anzutreten. Dahlmann würde seinen Folgeantrag für das DFG-Projekt selbst schreiben müssen, es war das erste Mal für ihn. Ingwer hatte ihm den Leitfaden für die Projektanträge schon mal zugemailt, er war sehr froh, dass dieser Kelch im nächsten Jahr an ihm vorübergehen würde. Man brauchte eine Ewigkeit dafür, vor allem brauchte man viel Fantasie: Ergebnisse und Hypothesen mussten akademisch aufgeplustert werden wie dünnes Haar mit Föhn und Schaum. Die Forschungsrelevanz betont, die kahlen Stellen in der Argumentation kaschiert, die Qualifikation der Mitarbeiter elegant frisiert. Das schlichte Ausgrabungsprojekt gewaltig aufgerüscht, sonst gab es keinen Cent an Fördermitteln. Drapieren, tarnen, mauscheln, blenden. Es war die Pest.

Zwei Neunzigjährige zu pflegen und einen abgewrackten Gasthof abzuwickeln schien ihm nicht halb so schlimm zu sein. Mit Ella am Rollator durch das Dorf spazieren, Sönke waschen, der sich das jetzt manchmal schon von ihm gefallen ließ – fluchend und am Handtuch zerrend, aber noch lieber als vom Pflegedienst.

Die beiden Alten waren auf den letzten Metern. Er wollte es jetzt gut zu Ende bringen, sie würden Vater-Mutter-Kind mit neu verteilten Rollen spielen. Ein paar Monate, vielleicht ein Jahr, es konnte nicht mehr lange dauern. Ingwer Feddersen, Studierer, Büchermilbe, würde ausnahmsweise etwas Nützliches, Normales tun. Putzen, kochen und am Tresen stehen, wenn Paule Bahnsen und die letzten alten Bauern, die noch kamen, Bier und Kümmerling bestellten. Die Stellung halten, bis Sönke Feddersen von Bord gegangen war, im Grunde ging es darum. Eine Schuld begleichen, darum auch.

Und wenn sie noch am Leben waren im August, dann würde er auch dieses Fest mit ihnen feiern, das Sönke unbedingt noch schaffen wollte, Gnadenhochzeit. Es ließ ihm jetzt schon keine Ruhe mehr, er sprach fast jeden Tag davon, er plante allen Ernstes eine Feier mit Musik und Tanz. Wer immer da dann tanzen und das Jubelpaar hochleben lassen sollte, die meisten lebten ja schon gar nicht mehr. Aber wenn es einen gab, der eine Gnadenhochzeit auch allein durchziehen würde, war es Sönke Feddersen. Zur Not als Witwer.

Ingwer fragte sich, wie gnädig diese siebzig Ehejahre wohl gewesen waren. Wie sie es miteinander ausgehalten hatten.

Er stand mit seinem Eimer und dem Lederlappen in der Hand, und ihm war schleierhaft, warum es für ihn immer gleich um alles gehen musste hier in Brinkebüll. Schuld und Gnade, Treue und Verrat, immer gleich die ganze Packung. Man wollte ein paar Fenster putzen, die es dringend nötig hatten, den Staub von alten Gummibäumen wischen, weiter nichts, normale Dinge tun und an normale Dinge denken. Ging nicht. Es rollte jedes Mal das große Fass heran. Als wäre dieser Kneipensaal ein Beichthaus oder Büßertempel.

Hundert Kilometer zwischen ihm und Kiel. Kein Ende, eine Pause. Ragnhild hatte ihn ungläubig angestarrt, sich die Diagnose aber immerhin verkniffen. Claudius, der Wind- und Regenmacher, hatte fast geheult. Dann hatte er gekocht, das ganze Wochenende, sieben Gänge, Seeschlacht von Trafalgar in der Wohngemeinschaftsküche. Großer Regenmacher, großer Freund. Es endete mit Aquavit auf Ragnhilds altem Seidenteppich, sie konnten nicht mehr sitzen auf den verdammten Kaustby-Stühlen, sie legten sich mit ihren steifen Rücken auf den Boden und tranken reihum aus der kalten Flasche. Erst schlief Ragnhild ein, dann fielen Claudius die Augen zu. Sie konnten beide ziemlich viel vertragen, waren aber keine Brinkebüller. Ingwer ging schließlich in die Küche, um das Schlachtfeld aufzuräumen. Er wurde fertig, als er das erste Stück der Sonne sah, die langsam wie ein alter Taucher aus der Kieler Förde stieg. Er ging auf den Balkon, das Spültuch über seiner Schulter, und rauchte eine letzte Zigarette vor dem Schlafengehen, dann deckte er in Ragnhilds Zimmer seine beiden Mitbewohner zu, die leise in den Seidenteppich schnarchten. Der letzte Mann an Bord war immer noch der Wirt.

Das Parkett im Saal war grau geworden, wundgetanzt. Ein alter Boden wie ein Dorfchronist, man hatte hundert Jahre Brinkebüll in dieses Holz gestampft, die ganzen Lebensläufe: Kinderfest und Konfirmandenfeier, Abtanzball, Verlobung, Hochzeit. Richtfest, Silberhochzeit, sechzigster Geburtstag.

Goldene Hochzeit, achtzigster Geburtstag. Ein paar letzte, wackelige Tänze am Seniorennachmittag. Beerdigungskaffee.

Er war immer dagewesen, Ingwer Feddersen, in Tanzmusik und Zigarettenrauch gebeizt, den Saal im Blick, die Theke zwischen sich und Brinkebüll. Immer da und nie dabei, im Grunde war es so geblieben. Egal, wohin er ging und was er tat, da schien noch immer eine Theke zwischen ihm und allen anderen zu sein.

5
The Times They Are a-changing'

Als nach den Landvermessern die Maschinen kamen, die Brinkebüll in ein modernes Dorf verwandeln sollten, tat Lehrer Steensen, was er immer tat, er suchte nach Versteinerungen. Man konnte ihn bei Wind und Wetter durch die Ackerfurchen schreiten sehen, Steensen auf den Feldern, als wäre er schon immer dagewesen und würde immer da sein, wie die Hünengräber, wie die Sander und die Findlinge.

Nur stakste er jetzt zeternd wie ein Rabenvogel über schwarze, aufgewühlte Erde, zwischen brüllenden Planierraupen und Baggern, die diese alte Geestlandschaft zu fressen schienen. Sie fingen an beim Westerende, stießen Wälle um und knickten Büsche, ließen Sandwege verschwinden. Rissen metertiefe Furchen in die Erde. Aufgeschreckte Hasen stoben aus den Knicks, die Rehe flohen in den kleinen Krüppelkiefernwald, und Steensen zog mit seinem Rucksack auf die umgepflügten Felder wie in einen Krieg. Niemals hatten Menschen hier so tief gegraben. Auf einmal gab der Boden frei, was seit Jahrtausenden nicht angerührt worden war: mehr Scherben, Pfeilspitzen, Faustkeile, Steinbeile, als Steensen je zuvor gesehen hatte. *Zeugnisse des Neolithikums!* Ausgerechnet hier, auf diesem Sandland, hatten Jäger irgendwann beschlossen, dass sie Bauern werden wollten, nicht mehr weiterziehen, sesshaft werden. *In unserer Brinkebüller Feldmark!*

Steensen suchte nach den grob behauenen, abgeschliffenen Steinen, sammelte sie ein, als bräuchte er sie alle, als müsste er ein steinzeitliches Heer bewaffnen. Zog seine Runden um die Bagger, Pflüge, Kräne, schien sie einzukreisen wie die Fehler seiner Schüler in den Arbeitsheften, zornig und verständnislos, er konnte so viel Dummheit nicht ertragen. Alles falsch! Von vorne bis hinten verkehrt! Was maßten die sich an, die da auf ihren dröhnenden Maschinen saßen? Die Flur bereinigen, als wäre sie verdreckt, als wäre sie ein Fehler oder eine Schuld! Die alten Felder, Bäche, Trampelpfade korrigieren und begradigen, Teerstraßen durch die alten Sander walzen, Findlinge beiseiteschieben, die seit der Saale-Eiszeit hier gelegen hatten. Schwedischer Granit! Man musste Gletscher sein, um das zu dürfen! Es stand ihnen nicht zu. Die Grobiane hobelten mit rohen Kräften über Altmoränenland und wussten gar nicht, was sie taten, keinerlei Verstand! Mit seinem Rucksack voll Versteinerungen stand er zwischen Tiefladern und schweren Walzen, Dorfschullehrer Steensen, Heimatforscher, Mitglied der Gesellschaft für Geschiebekunde, und schleuderte den baggernden Barbaren seinen wütenden Protest entgegen.

Das Spektakel sprach sich schnell herum im Dorf, *nu kumm bloß mol un kiek!* Ein paar der Brinkebüller Kinder zogen die Kapuzenjacken an und radelten zum Westerende. Fuhren langsam an dem aufgewühlten Feld vorbei und machten lange Hälse, nur mal gucken, wie sich Lehrer Steensen mit den Bauarbeitern anlegte. Sie taten so, als kämen sie ganz zufällig vorbei, hielten auch nicht an, sie waren ja nicht lebensmüde. Die Männer auf den Baumaschinen nahmen den Verrückten mit dem Rucksack nicht für voll, sie stiegen gar nicht ab von ihren Schleppern oder Baggern, nur ganz zuletzt, als sie das Brinkebüller Hünengrab einebnen wollten und er sich allen Ernstes vor die Baggerschaufel stellte, beide Fäuste in der Luft. Uwe Hansen, drittes Schuljahr, der am Feldrand seine wackeligen Fahrradrunden drehte, wurde losgeschickt, den Bürgermeister holen. Und Paule Bahnsen, gerade erst in seinem Amt bestätigt, kam anmarschiert und ließ den Baggerfahrer Kaffeepause machen, dann stand er lange mit gesenktem Kopf, die Hände an der Hosennaht, als ihm sein alter Lehrer die Leviten las.

Zuletzt pfiff er die Arbeiter zurück, das Hünengrab blieb stehen, und Steensen machte sich davon, marschierte über aufgewühlte Felder wieder Richtung Schulhaus. Stechschritt. Die Brinkebüller Schüler drehten bei und radelten zurück ins Dorf, es gab nichts mehr zu sehen. Ihnen schwante für den nächsten Tag nichts Gutes, denn Steensen war noch nie der Typ gewesen, der die Dinge auseinanderhielt. Morgen würde er mit Kreide werfen oder einen Aufsatz schreiben lassen. Alle Hausaufgabenhefte überprüfen. Den größten Schülern, wenn es ganz schlimm kam, die *Bürgschaft* abhören. *Ich lasse den Freund dir als Bürgen, ihn magst du, entrinn' ich, erwürgen* … Gnade dem, der nach der zweiten oder dritten Strophe steckenblieb, sie machten sich schon mal auf was gefasst.

Schon ihre Eltern hatten in den Heimatkundestunden Altmoränen zeichnen müssen und sich geduckt, wenn er mit Kreide warf und mit der flachen Hand an ihre Hinterköpfe schlug. Steensen konnte sich vor Wut vergessen, wenn er in leere, ratlose Gesichter sah, die dümmsten Kinder hatten es bei ihm am schwersten. Wer in der vierten Klasse immer noch kein Hochdeutsch konnte, *mir* und *mich* verwechselte oder im Aufsatz Sätze schrieb wie *Seine Bückse reißte,* bekam von ihm das Schulheft an den Kopf. Sein Gesicht verfärbte sich, wenn er in Rage kam, erst rot, dann kreideweiß, er schrie dann aber nicht, er schien seine Verwünschungen mit großer Kraft hervorpressen zu müssen, und dabei peitschte er dem *dummerhaftigen Stück Kind* das Heft im Rhythmus der Beschimpfung um die Ohren oder auf den Hinterkopf, ein Schlag auf jede Silbe. *DU-GRO-TE-DUS-SEL-BIST-SO-DÖ-SIG-DAT-DI-DE-HÖH-NER-BIE-TEN!!!*

Wenn Steensen sich vergaß, vergaß er auch, dass er im Klassenraum und auf dem Schulhof KEIN WORT PLATTDEUTSCH hören wollte. Er versuchte, seinen Schülern ihre Bauernsprache auszutreiben, er duldete kein Wort davon im Unterricht, sie musste ausgerottet werden wie ein Unkraut, wie die Pest. Selbst in den Pausen kämpfte Steensen mit dem Eifer eines Seuchendoktors gegen das Idiom der Tölpel und Zurückgebliebenen. Ein großes Hemmnis jeder Bildung, das hatten Pädagogen schon vor hundert Jahren klar erkannt, die Sprache war aber schwer totzukriegen. Wer sich von ihm erwischen ließ beim Plattdeutschsprechen auf dem Schulhof, bekam den Besen in die Hand gedrückt und durfte bis zum Klingeln Flur und Klassenräume fegen. So sehr er sich auch sonst verwehrte gegen Umwälzungen und Veränderungen – die alte Sprache musste weg.

Dass Steensen plattdeutsch fluchte, war nur eins von vielen rätselhaften Phänomenen im Brinkebüller Schulalltag. Es kam auch vor, dass er dem armen Kind, das er gerade noch mit seinem Heft gegeißelt hatte, schon in der nächsten Pause freundlich mit der Hand über den Scheitel fuhr und ihm den Rücken tätschelte wie einem braven Pferd, *na, min lüttje Dööskopp, du.* Er konnte gütig wie ein alter König sein, man wusste aber, dass die Sanftmut nie sehr lange anhielt. Der *lüttje Döös-kopp* hatte wenig später schon nichts mehr zu lachen, wenn Steensen sein zerknicktes Heft entdeckte. Dass er es selbst zerfleddert hatte, spielte keine Rolle. Strafarbeit und neues Heft!

Neben bodenloser Dummheit gab es ein paar andere Delikte, die ihn relativ verlässlich in den Zustand der besinnungslosen Raserei versetzten: Schmutz, Trägheit, Dreistigkeit. Wenn zwei oder mehr davon bei einem Kind zusammenkamen, war es aus, dann schraubte seine Wut sich hoch, bis er die *stinkefuulen, schnuddeligen* Schüler prügelte. Die Mädchen nicht, sie kniff er nur, zog an den Zöpfen, riss sie mal am Arm und rüttelte an ihren Schultern. Hin und wieder zog er ihnen seinen Zeigestock über die ausgestreckten Hände. Richtig schlug er nur die Jungen, aber nie mit einem Stock, Steensen haute immer mit den Händen. Wenn Tränen kamen, brüllte er *Ein deutscher Junge weint nicht!* und heulte selbst.

Steensen lehrte seine Schüler, dass sie immer mit dem Schlimmsten rechnen mussten.

Die Brinkebüller Kinder, Geestbewohner, stoisch, leidensfähig und robust, versuchten gar nicht erst, die komplizierte Psyche eines Lehrers zu verstehen. Sie nahmen ihn wie wechselhaftes Wetter hin. Wenn Sturm kam, zogen sie sich wärmer an, Kapuze auf und fertig. Es hatte keinen Sinn, nach dem *Warum* zu fragen, das taten sie zu Hause auch nicht. Sie wussten, dass es sinnlos war, sich über Lehrer Steensen zu beschweren, die Eltern wollten das Gejammer gar nicht hören. Es ging nach hinten los, wenn man es wagte, meistens gab es dann noch einen Nachschlag von den Vätern – nur für den Fall, dass man sich in der Schule schlecht benommen hatte. Die Brinkebüller Eltern nahmen es bei den Bestrafungen nicht so genau, sie gingen davon aus, dass jedes Kind gelegentlich ein bisschen was verdiente. Selbst wenn mal eines ein paar Ohrfeigen zu viel bekam, dann glich sich das beim nächsten Mal schon wieder aus. Man erwischte seine Gören schließlich längst nicht jedes Mal, wenn sie was ausgefressen hatten. Die Eltern hatten weder Zeit noch Lust, sich das Gejaule und Gepetze ihrer Kinder anzuhören, sie hatten andere Sorgen.

Steensen machte es genauso, er bestrafte nach Gefühl und Wellenschlag. Er hatte über vierzig Schüler, die in Schach gehalten werden mussten, neun Jahrgänge in einem Klassenzimmer, da durfte man nicht fackeln oder salomonisch werden wollen. Im Grunde traf es nie die Falschen, sie hatten alle was verdient.

Sich selbst schonte er auch nicht. Er schien die Kargheit von Nordfriesland mit der Härte eines Hungerkünstlers zu parieren. Was die trockene Geest konnte, das konnte er schon lange: Genügsam wie ein Torfmoos sein, weniger zum Leben brauchen als ein Heideschaf, viel weniger. Steensen schien nichts und niemanden zu brauchen, keine Frau und keinen Freund, kein warmes Essen, kein geheiztes Haus. In seiner Wohnung, die ans Klassenzimmer grenzte, war es immer kalt, im Winter trug er über seinem Anzug einen dicken Morgenmantel.

Er nahm nicht an Familienfeiern oder Bällen teil, er kam nur zu den Kinderfesten, stand beim Umzug durch das Dorf mit seiner Agfa Isola am Straßenrand und machte Fotos von den Kindern, die in Zweierreihe von der Schule bis zum Gasthof zogen. Die Königspaare trugen Schärpen, meistens waren sie verlegen und versuchten, unter ihren Blumenbögen einen möglichst großen Abstand zu wahren, nur die Kleinen aus dem ersten Schuljahr gingen Hand in Hand, marschierten aufgekratzt mit ihren weißen Kniestrümpfen im Takt der Kinderfestkapelle, die aus Pauke und Akkordeon bestand. Steensen knipste jedes Jahr so lange, bis ein Film voll war. Drei dieser Fotos kamen immer in die *Chronik unserer Brinkebüller Schule,* die anderen hob er auf und schenkte sie den Schulabgängern später mit dem Abschlusszeugnis. Jeder, der durch seine harte, rätselhafte Schule gehen musste, erhielt am Ende so ein Foto von sich selbst: ein Kind, das unter einem Blumenbogen ging. Auch der *Dööskopp* und das *nichtsnutzige Stück Kind* bekamen bei der Abschlussfeier dieses Bild in ihre *schnuddelige* Hand gedrückt – und einen handgeschriebenen Brief von *Deinem Lehrer Steensen.*

Beim Kinderfest saß er im Brinkebüller Saal am Ende eines langen Tisches, aß keinen Kuchen, trank aber eine Flasche Limonade und ragte ernst und hager zwischen feingemachten Kindern, die sich auf die Waffeln, Kuchen, Negerküsse stürzten und sich hinterher über die Tanzfläche schleuderten, bis irgendwann den Ersten übel wurde. Steensen tanzte nicht, er sang nur mit beim Abschlusslied. *Kein schöner Land,* er stimmte an und legte Wert darauf, dass alle sich im Saal im großen Kreis an ihren Händen hielten, stand aber selbst am Rand, die Hände auf dem Rücken, sang seinen letzten Ton und ging dann wortlos und allein nach Hause.

Er konnte nie ein Kind gewesen sein, ein Bruder oder Sohn. Er musste schon als Lehrer auf die Welt gekommen sein, in seinem dunklen Anzug und in seinen großen Schuhen, die wie angebrannte Brote aussahen. Auf den Feldern oder hinter seinem Pult im Klassenzimmer, in seiner ungeheizten Lehrerwohnung, selbst auf den Kinderfesten, mit seiner Brauseflasche in der Hand, wenn er durch einen bunten Strohhalm trank, blieb er ein Abgewandter, Weggerückter mit einem großen, klammen Grenzland um sich. Ein kalter Spiegel, der beschlug, wenn ihn ein warmer Atem traf. Wie Eisberge und große Schiffe schien Steensen Dinge unter sich zu bergen, die man nicht finden wollte, zumindest nicht in Brinkebüll. Man tauchte lieber nicht, man wollte gar nicht alles sehen, die Seepocken, den Rost, die Algen und die bleichen Muscheln. Man blieb lieber auf dem Trockenen, wo man hingehörte. Wo man ihn aus der Ferne durch die Ackerfurchen schreiten sah, Lehrer Steensen auf den Feldern, immer.

Außer ihm und Heini Wischer, Uwe Pauls und zwei, drei anderen *umnachteten Gestalten* hatte aber jeder Mensch in Brinkebüll begriffen, dass an der großen Flurbereinigung kein Weg vorbeiging. Dass man im Dorf nicht ewig nur so weiterpütschern konnte mit Melkeimern und Forken und Misthaufen im Hof. Mit alten Zwei-Zylinder-Hanomags über die Felder hoppeln, die rostigen Selbstbinder im Schlepptau und kein Stück weiter denken als bis zur nächsten Mittagsstunde. Keiner wollte mehr den Bauerntölpel spielen, Mist an den Hacken, immer auf der Stelle trampelnd, wiederkäuend wie das Vieh und mit der Schubkarre verwachsen.

Die Ingenieure vom Katasteramt hatten aus dem Dorf ein Rechenspiel gemacht, sie hatten alle Koppeln, Wege, Kuhlen ausgemessen, die Bodenwerte eingeschätzt und Flächen umsortiert. Es war auf dem Papier ganz einfach: Die vielen kleinen Felder, die wie Kraut und Rüben durcheinanderlagen, zu ein paar großen Flächen umlegen. Papier mochte geduldig sein, die Brinkebüller Bauern waren es nicht. Sie fingen an zu streiten, weil sie ihre Felder tauschen sollten. Alte Stücke Land, von Vätern hinterlassen, unter Brüdern aufgeteilt, es war, als sollten sie die Hemden tauschen, ihre Kinder oder ihre Frauen. »Twee junge Fruuns, denn kriegen jem min ole!«, schrie Kalli Martensen, am Anfang der Verhandlungen, als sie noch lachen konnten.

Ein bisschen später lachte keiner mehr.

Sie brauchten Monate, bis sie sich halbwegs einig waren. Blaue Luft im Gasthof Feddersen, die Köpfe rot und blank von Bier und Wut, die Streitereien hinterließen Spuren: ein ramponierter Tisch, zerbrochene Gläser, ein kaputter Stuhl, der Heini Wischers treffen sollte, ein abgerissener Jackenknopf und ein verstauchter Zeigefinger, als Sönke Feddersen dazwischenging. Nasenblut auf dem Parkett, weil Uwe Pauls mit Schuhen warf, wenn er mit Worten nicht mehr weiterkam.

Paule Bahnsen kriegte sich schwer wieder ein, wenn Heini Wischer oder Uwe Pauls den Mund aufmachten und darüber lamentierten, dass sie ihre schiefen Hauskoppeln nicht behalten durften. Sich beschwerten, weil sie glaubten, dass sie bei der Umverteilung schlechter weggekommen waren als die anderen. Weil sie, dumm und bange wie die Schafe, am liebsten mit den alten, kleinen Klitschen weitermachen wollten. *Wat de Buur nich kennt.*

Am Ende herrschte Ruhe, wenn auch keine Einigkeit. Bald würden sie die neuen Äcker pflügen und auf den großen Feldern ihre Saat ausbringen. Lange, schnurgerade Furchen.

Fremd sah die Landschaft aus, wie glattgehobelt, und in den ersten Monaten fuhr sogar Paule Bahnsen, wenn er in Gedanken war, noch manchmal zu den alten Feldern, die ihm jetzt nicht mehr gehörten.

Kaum ein Stein blieb in der Brinkebüller Feldmark auf dem alten, nur der Dorfschulmeister zog wie immer seine Kreise, Lehrer Steensen auf den Feldern, als wäre er schon immer dagewesen und würde immer da sein, wie das Hünengrab.

6
Kuckuck, Kuckuck, ruft's aus dem Wald

Im Dezember, kurz vor Weihnachten, lag Marret Feddersen im Stall, zwei angeknackste Rippen und Gehirnerschütterung, weil sie drei Meter tief vom Heuboden gefallen war. Die Luke zwischen Stall und Boden war gefährlich, das wusste jedes Kind auf jedem Hof, es kam nicht selten vor, dass jemand fiel, und manchmal ging es noch viel schlimmer aus. Man konnte sich dabei den Rücken brechen oder das Genick. Manche fielen auf den Kopf, wie Carsten Leidig, als er klein gewesen war, seit damals hatte er sie nicht mehr alle.

Marret sagte nichts, als Sönke wissen wollte, was sie auf dem Boden überhaupt zu suchen hatte. Sie schaute über seine Schulter schräg an ihm vorbei, als wäre da weit hinter ihm etwas zu sehen. Nach ein paar Tagen war sie wieder auf den Beinen, fütterte die Kälber und die Hühner, konnte fegen und Servietten falten, aber noch nicht bohnern und nicht melken, weil die Rippen erst verheilen mussten. Sie war sehr blass und Ella kochte Milchsuppe für sie, Marret aß sie auch, es kam nur alles wieder hoch. Ihr war noch schwindlig wegen der Gehirnerschütterung, also steckte Ella sie ins Bett und rieb ihr abends ihre Stirn mit Pfefferminzöl ein. Sie sah die Augenschatten, fühlte Schweiß auf ihrer Stirn.

»Dor is wat«, sagte Marret, »un dat geiht nich weg.« Sie starrte Ella an, als stünde ein Gespenst an ihrem Bett, und sagte es noch einmal, flüsterte: »Dat geiht nich weg!«

Ella holte Fieberzäpfchen.

Am nächsten Morgen war das Zimmer leer und Marret, die vom Dach des Kälberstalls gesprungen war, lag mit gebrochenen Füßen in den Beeten des Gemüsegartens, es hatte in der Nacht den ersten strengen Frost gegeben. Ella fand sie, sah zuerst nur das geblümte Nachthemd auf der hartgefrorenen Dezembererde, dann das ganze Bündel Mensch, es atmete. Sie musste schon seit einer Weile da gelegen haben, beide Arme über dem Gesicht, die Füße merkwürdig verdreht. Bei jedem Atemzug ein schwaches Fiepen. Ella stand ein paar Sekunden wie versteinert, Hände vor dem Mund, bis sie begriffen hatte, was sie sah. Man wusste gar nicht, was das Schlimmste war: die blaugefrorenen Arme, die kaputten Füße oder das, was unter Marrets Nachthemd jetzt gut zu erkennen war. Was nicht mehr wegging.

Sie lief ins Haus und holte Decken, holte Sönke, und sie trugen sie ins Haus. Marret schrie, als Ella ihre Füße halten wollte, schrie auch, als sie wieder losließ. Es war der dritte Sonntag im Advent, das ganze Dorf lag still, man hörte sie wahrscheinlich weit und breit. Anna Clausen kam von gegenüber angelaufen, in Pantoffeln, ohne Mantel, sah die Füße, *oh, du meine Güte,* lief und holte Kalli Martensen vom Sofa, der einen Kombi hatte. Sein Werkzeug musste raus, sie legten Stroh und Decken in den Laderaum, dann Marret. Sönke nahm den Schlüssel, setzte sich ans Steuer und war froh, als Kallis Opel ansprang und der Motor endlich Marrets Fiepen übertönte. Als wenn im Wald ein Tier verendete, er wollte das nicht hören. Er wollte auch nicht sehen, dass Ella neben ihm mit weißen Fingerknöcheln saß und stur nach vorne auf die Straße sah, es machte ihn noch wütender. Am besten Vollgas geben und dann an den nächsten Baum. Alle drei hinüber, Ende, aus. Es klappte bloß nicht immer, wie man wollte. Es konnte einem gehen wie Arno Rickertsen nach seiner Pleite mit der Bäckerei, er war noch extra auf die Autobahn gefahren und dann mit Vollgas an den Brückenpfeiler. Lebte immer noch, man sah ihn manchmal mit dem Rollstuhl durch die Gegend juckeln. Sönke nahm den Fuß vom Gas.

Sie fuhren Marret in die Stadt zum Krankenhaus, wo man sich erst um ihre Füße kümmerte, dann um das andere. Das nicht mehr wegging. Rippen brachen, Knochen splitterten, und das blieb heil. *Kindsbewegungen.* Sie hatten Marret was gegeben, das Gewimmer hatte aufgehört, sie lag jetzt mit zwei dicken Gipsverbänden auf dem Bett, die Augen zu, als hätte sie nichts mehr mit dem zu tun, was jetzt noch kam.

Er auch nicht.

Sönke Feddersen ließ Ella und den Arzt im Krankenzimmer stehen und ging über den langen Flur zum Treppenhaus, die Stufen hinunter wie ein Flüchtender, dann stieß er mit dem Fuß die schwere Glastür auf und landete im Windfang, der zum Garten führte, bei den rauchenden Patienten. Bleiche Männer saßen auf den Bänken, Operierte und Geschiente und Verbundene, die Zigarettenschachteln in den Bademanteltaschen hatten und ihren Rauch in den Dezemberhimmel bliesen. Er setzte sich dazu, zog eine plattgedrückte Packung Roth-Händle aus seiner Hosentasche und hatte Mühe, sich die Zigarette anzustecken, zweimal ging ihm das Streichholz aus, weil es zu windig war. Sein Banknachbar gab ihm ein Feuerzeug, ein Mann in seinem Alter, der jetzt grinsend auf die rote Zigarettenschachtel zeigte, er hatte kaum noch einen Zahn im Mund. »Sind je Lungentorpedos, wat du dor schmöökst«, sein Lachen ging in einen schweren Hustenanfall über. Er wusste offenbar, wovon er redete. Der Mann an seiner Seite lachte mit, er war noch jung, sein Kopf dick bandagiert und sein Gesicht geschwollen, grün und blau, als wäre er brutal geschlagen worden.

Sönke Feddersen saß schweigend neben diesen beiden Elenden, er war genauso krank wie sie, noch kränker, passte gut zu ihnen. Er war wie einer ohne Haut, zerfressen und verätzt von Scham, er löste sich gerade auf. Er inhalierte tief, sein leerer Magen krampfte, und der Schädel dröhnte, scheinbar wurde man sofort Patient, wenn man zu lang auf diesen Bänken saß. Er ließ die Kippe fallen, ging zum Parkplatz, setzte sich ins Auto und legte seinen Kopf aufs Lenkrad. Durch das Seitenfenster konnte er im Park die kahlen, alten Bäume sehen, sie schienen wie Geprügelte den harten Winden auszuweichen. Kopfwehwetter. Ellas Schal lag auf dem Sitz, er legte ihn um seinen Kopf und band die Enden dann so fest zusammen wie es ging. Es war das Einzige, was manchmal half.

Gegen das andere half nichts mehr. *Kindsbewegungen.*

Wenn Anna Clausen Marrets Bauch gesehen hatte, war es im Dorf bestimmt schon rum. *Hest al hört vun Marret Kröger?* Er drückte seine Fäuste an die Schläfen. Er konnte sie schon grinsen sehen, über seinem Tresen hängen, breitbeinig auf den Stammtischstühlen sitzen, er kannte jeden Spruch und jeden Witz, der kommen würde. Er hätte selbst gelacht, und wie. Man konnte sich auch wirklich nur bepissen über einen Hampelmann wie ihn. Mit vierzig Jahren Opa werden und noch nicht mal wissen, wo das Balg der Tochter herkommt. Er hätte sich kaputtgelacht. In großer Runde einen ausgegeben für das arme Schwein und schulterklopfend gratuliert zum Enkelkind. Ihm einen Klapperstorch auf seinen Bierdeckel gemalt. Auf dem Tenorhorn einen Trauermarsch geblasen für den vermissten, unbekannten Vater. Einen Feuerwehrkollegen zur *Nothochzeit* abkommandiert. Beförderung zum Hauptlöschmeister garantiert! Freiwillige vor!

Wat hem wi lacht. Jetzt eben über ihn. Und es könnte ja noch immer besser kommen, noch viel witziger: am besten Zwillinge, und beide so *halfbackt* wie Marret. *Ik lach mi doot.*

Ella kam, er sah sie mit gesenktem Kopf über den Parkplatz gehen, die Schultern hochgezogen und die Hände in den Manteltaschen. Sie trug die Haare immer noch wie früher, hochgesteckt, die meisten Brinkebüller Frauen hatten sie längst abgeschnitten. Er sah sie einen Augenblick lang so, wie sie ein Fremder sehen musste: Große Frau, sehr schlank, sie machte lange Schritte, wie ein Bauer, der ein Feld bestellen musste. Der Wind riss ihr die Strähnen aus dem Knoten, dickes, blondes Haar, noch immer. Der alte Hanni Thomsen machte jeden Morgen einen Diener, wenn er seinen Underberg bei ihr bestellte: *De schmuckste Fruu vun Brinkebüll!* Er brachte ihr im Sommer manchmal Blumen mit, die er in irgendeinem Garten abgerissen hatte. Die Leute amüsierten sich, wenn sie ihn mit geklauten Gladiolen auf dem Mofa sahen, Ella Feddersens Verehrer, seinen zerrupften Strauß in den Gepäckträger geklemmt. Hanni Thomsen war ein unrasierter Junggeselle, der seinen Hof und seinen Führerschein versoffen hatte, man nahm ihn gar nicht ernst. Es gab aber noch andere, die Ella leiden mochten. Sie sagten es nur nicht und kamen ohne Blumen.

Sönke zog den Schal noch fester, er würde aber nicht viel helfen. In seinem Schädel nahm das alte Bergwerk seine Arbeit auf, schon wieder. Schwere Hämmer, Spitzhacken, ein durchgedrehter Sprengmeister. Er legte seinen Kopf in beide Hände, schloss die Augen.

Ella sah ihn mit dem Schal um seinen Kopf, stieg ein und zog die Autotür so vorsichtig wie möglich zu, er zuckte trotzdem. Jemand schien ihm seinen Schädel jetzt von außen aufzumeißeln.

Sie saßen schweigend, Sönke konnte ihren Atem hören, er ließ die Augen zu und fragte schließlich: »Hest du dor wat vun wusst?«

Als keine Antwort kam, nahm er die Hände vom Gesicht und sah sie an.

Ella schien ihn gar nicht wahrzunehmen, sie blickte stur nach vorn, als könnte man durch die vereiste Windschutzscheibe irgendetwas sehen.

»Ik will dat weten, Ella. Hest du dor wat vun wusst?«

Sie schüttelte den Kopf, ganz kurz, als wäre es nicht wichtig. Als ginge es ihn sowieso nichts an.

»Un wer de Vadder is, dat weetst du uk nich.«

Sie zuckte mit den Achseln, schaute ihn nicht an. Schwere Sprengungen in seinem Kopf, er wusste nicht, ob es der Schmerz war oder seine Wut. Er wollte brüllen, Ellas Kopf in beide Hände nehmen und ihn an die Scheibe schlagen. Als hätte man mit Brüllen oder Schlagen dieses Schweigen brechen können. Es gab dagegen nichts, er wusste das. Sie würde ihn in Grund und Boden schweigen, diesmal auch.

Sönke lehnte sich zurück, versuchte, flach zu atmen, bei jedem Pulsschlag schien der Meißel tiefer in den Schädel einzudringen. Er hielt die Luft an, kniff die Augen zu, es gab jetzt nur den Schmerz und ihn. Vorsichtig atmen, nicht bewegen. Er saß so still, als müsste er ein Tier besänftigen, das sich schon bei der kleinsten Regung auf ihn stürzen würde. Nach einer Weile, die ihm ewig vorkam, wagte er es, seinen Kopf zu drehen und seine Augen aufzumachen. Ella hatte bisher keinen Ton gesagt, jetzt hörte er sie leise sprechen, aber nicht mit ihm, sie flüsterte. Dann sah er ihre Hände. Sie zählte an den Fingern etwas ab. Er verstand sofort, was sie da machte, und es gab ihm endgültig den Rest.

Er hatte auch gezählt. Gezählt und gezählt. Zuerst die Tage in Magnitogorsk, bis er bei 941 angekommen war. *Skoro domoj,* so viel Russisch hatten damals auch die Dümmsten irgendwann verstanden, »bald nach Hause« hieß das. Nur war »bald« im Südural ein dehnbarer Begriff gewesen, es konnte auch so viel wie »nie« bedeuten, wenn man vorher doch verhungerte, erfror, an Typhus starb. Für ihn war »bald« noch gerade rechtzeitig gewesen. Heimkehr im Dezember 47, einer von den blassen Hungerhaken, die schließlich doch noch aus den Zügen stolperten, obwohl schon kaum noch jemand rechnete mit ihnen. Großer Bahnhof, Bürgermeister und Posaunenchor, *Großer Gott, wir loben dich.* Zu Weihnachten nach Hause, 330 Mark Entschädigung. Und dann im Weg gestanden wie ein Gast, der sich nicht angemeldet hatte. Wie einer, der im Theater viel zu spät gekommen war. Der erste Akt vorbei, die Plätze alle schon besetzt, da kam noch einer, drängelte sich durch die Reihen, suchte umständlich nach seinem Sitz, verstellte anderen die Sicht zur Bühne. Verstand das Stück nicht mehr, weil er den Anfang gar nicht mitbekommen hatte.

Und dann, im Sommer, hatte er die Monate gezählt: Januar,

Februar, März, April, Mai, Juni, Juli. Im Dezember 1947 aus dem Zug gestiegen und am 11. Juli 1948 nachts um zwei die Hebamme geholt. Sieben. Er hatte wachgelegen, nächtelang, nochmal gezählt, mit seinen Fingern, wie ein Schüler, der das Rechnen übte. Und egal, wie oft er zählte, er war nie bis neun gekommen.

Ein Siebenmonatskind also, gut sechs Pfund schwer. *Marret schall se heten,* nach Ellas Schwester. Und Feddersen, wie er. Er hatte sich geschämt für das Stück Mensch, von Anfang an. Und so getan, als hörte er es nicht, wenn einer von den Halbbesoffenen am Stammtisch hinter seinem Rücken leise summte oder pfiff, ganz harmlos, eine kleine Melodie, ein Kinderlied, mehr nicht. *Kuckuck, Kuckuck, ruft's aus dem Wald.* Es hatte auch sein Gutes, zumindest hatte Marret ihre Macken nicht von ihm, all das Verdrehte und das Flackernde, er hatte nichts damit zu tun, er war normal. Er hätte sich für die verrückten Dinge, die sie sagte oder tat, gar nicht zu schämen brauchen, er hätte sich ganz einfach denken können, *is nich min un geiht mi gor nix an.* Sie hatten aber Vater-Mutter-Kind gespielt, die ganzen Jahre, und er hatte mitgespielt. Immer so getan als ob. Am Ende glaubte man es selbst.

Jetzt sah er Ella, die mit ihren Fingern zählte und sich fragte, wann und wo das Kind, das da nun kommen würde, wohl entstanden war. Er wusste nicht, wohin mit dieser Wut, die schon so alt wie Marret war, der Schmerz in seinem Kopf ließ ihm nicht einmal dafür Platz. Er zwang ihn in die Knie und machte ihn noch kleiner, Sönke Feddersen, die Witzfigur. Erst ein Kuckuckskind und jetzt ein Enkelkind mit einem unbekannten Vater. Das alte Spiel ging wieder los. Hier war der Hampelmann, der wieder hinter seiner Theke stehen würde wie an einem Pranger. Der dumme August, der vor Schmerzen nicht mal brüllen konnte.

Er konnte hören, dass Ella ihre Tasche öffnete, sie suchte irgendwas. Dann fühlte er, wie sie sich zu ihm beugte, wischte ihre Hand weg, als sie ihm den Schal abnahm. »Laat mi, Sönke«, und er ließ sie, öffnete die Augen nicht, als sie ihn bei den Schultern nahm und seinen Kopf in ihren Schoß zog. Ihm wurde übel, als er Ellas widerliches Pfefferminzöl roch, und er versuchte, durch den Mund zu atmen. Ihre Hände waren warm, als sie begann, ihm Stirn und Schläfen zu massieren, alles andere war kalt. Das Wasser lief ihm aus den zugedrückten Augen in die Ohren. »Sönke«, sagte sie. Es klang wie »Sünge«. So hatten seine Schwestern es gesagt und seine alten Freunde. »Sünge«, sagte Ella Feddersen, als wären sie Vertraute, als läge zwischen ihnen nicht ein Feld aus Schweigen, tiefe Gräben, Minen überall. Als wüssten sie die Dinge voneinander, die Eheleute wissen mussten. Er wusste nichts von ihr, so schien es ihm.

Sie waren, wenn sie miteinander tanzten, wie geschaffen füreinander. Als wäre sie für ihn gemacht und er für sie, von Anfang an. Am allerersten Abend schon, als sie mit ihren Schwestern in den Gasthof kam, ihr erster Ball, der Krieg schien noch weit weg zu sein. Ella Paulsen, Tochter eines Schusters, der zwei Dörfer weiter wohnte. Sönke kannte sie vom Sehen, manchmal brachten Feddersens die Schuhe zum Besohlen hin. Schuster waren arm wie Tagelöhner, trotzdem schlugen sich die Brinkebüller Kavaliere fast um dieses große, blonde Mädchen, das noch nicht mal sprechen mochte. Sönke Kröger war der Einzige, der sie zum Lachen bringen konnte. Sie hatten sich noch schnell verlobt, bevor er eingezogen worden war. Eine Sorge weniger für alle. Ein Esser weniger für Schuster Paulsen, zwei Hände mehr im Brinkebüller Gasthof, wo Sönkes Mutter nicht allein zurechtgekommen wäre. Acht Tage Fronturlaub für eine Kriegshochzeit, der Bräutigam in Uniform. Dann wieder los, dann tausend Tage Lager und als Knochenmann zurück. Was wusste man denn voneinander?

Es gab ein altes Spiel in Brinkebüll, die Regeln wurden nie geändert. Es ging wie Flüsterpost, und alle spielten mit, nur der, von dem die Rede war, blieb draußen. *Ik weet wat, wat du nich weetst.* Karl-Heinz Duncker wusste beispielsweise nicht, dass er im ganzen Dorf nur *Kakadudu* hieß, weil er so stotterte, und Dietrich Eggers hatte keine Ahnung, dass sie ihn *Bückdich Eggers* nannten. Er war angeblich *vun de anner Partei.* Man sah sein Auto hin und wieder kurz vor Dänemark, auf einem Parkplatz bei der Jägerklause, mehr musste man auch gar nicht wissen. Sein weicher Händedruck, sein Gang, *denn weetst du glieks Bescheed.* Heinrich Wolbersen hieß *Haumi Wolbersen,* weil seine Frau ihn ab und zu vermöbelte, zumindest sagte Paule Bahnsen das, der gegenüber wohnte. Man hatte seinen Namen sehr schnell weg in Brinkebüll und wurde ihn dann nie mehr los. Das Dorf vergaß nichts. Sönke fragte sich, wie wohl sein Name war, wie sie ihn nannten, wenn er es nicht hörte. *Ik weet wat, wat du nich weetst.* Man wusste nie, wie viel die anderen wussten.

Er war zumindest nicht der Einzige im Dorf. Es gab in Brinkebüll noch andere Kinder, die zu früh geboren worden waren und nicht zu ihren Vätern passten. Die ihrem Nachbarn wie aus dem Gesicht geschnitten waren oder den Kindern einer anderen Familie wie Geschwister glichen, *wo kann dat angahn*. Man sah dann zu, dass sie nicht bei Familienfeiern oder Kinderfesten beieinander saßen – und auch nicht gerade auf derselben Bank, wenn in der Brinkebüller Schule einmal jedes Jahr der Fotograf kam.

Die Ähnlichkeit nahm mit der Zeit noch zu, es wurde manchmal unheimlich. Am Anfang ließ sich noch vertuschen, wenn es ein Malheur gegeben hatte zwischen Bauernsohn und Magd, einen Fehltritt zwischen jungen Leuten, die nicht wussten, was sie taten. Es musste für die Schwangere nur schnell genug ein anderer gefunden werden, ein Ahnungsloser, Dummer oder Gutmütiger, der sie heiratete. Und wenn das Kind ein bisschen nach der Mutter kam, dann hatte man für eine Weile Ruhe. Früher oder später kam die Wahrheit aber doch ans Licht, die Blutsverwandtschaft schrieb sich Jahr für Jahr ein wenig deutlicher in die Gesichter. Herrmann Will und Broder Jensen waren sich so ähnlich mittlerweile, dass man zuckte, wenn man sie zusammen sah. Sie sahen aus wie Brüder, Herrmann war ja auch nur sechzehn Jahre älter. Eine Jugendsünde, Ewigkeiten her, es war schon nicht mehr wahr. Broder lief jetzt schon seit über vierzig Jahren mit Herrmann Wills Gesicht durch Brinkebüll und sah es gar nicht. Und Herrmann schien genauso blind zu sein, aber er tat vielleicht nur so. Ella passte bei den Festen auf, dass sie im Saal so weit wie möglich auseinandersaßen. Niemals an denselben Tisch, auf keinen Fall.

Sönke hatte sich schon oft gefragt, was wohl der alte Jensen all die Jahre gedacht oder gesehen haben mochte, Fiete Jensen, der den Kuckuck ausgebrütet hatte. Ob er auch nachts im Bett gelegen hatte und die Monate gezählt, als seine Frau so bald nach ihrer Hochzeit schon ein Kind bekam. Scheinbar konnte man beschließen, etwas nicht zu wissen, und dann wusste man es wirklich nicht. Man konnte wohl sogar erblinden, Jahr um Jahr ein bisschen mehr, bis man es wirklich nicht mehr sah, das Offensichtliche, das alle anderen zusammenzucken ließ.

Man konnte sich das Wichtigste zusammenreimen aus ein paar hingelallten halben Sätzen, am Stammtisch oder nachts nach einem Fest, wenn man schon selbst besoffen war. Und sich am nächsten Tag entscheiden, was man davon behalten wollte und was nicht.

Es war sehr kalt im Auto, Sönke Feddersen trug keinen Mantel, und er konnte sich vor Schmerz und Kälte kaum noch rühren, er hing hier auf den Sitzen wie der letzte Heuler. Wie ein Kleinkind, das sich von der Mutter auf die Wunde pusten ließ. Er hatte schon ganz andere Temperaturen ausgehalten und ganz andere Schmerzen. Das hier war gar nichts. Er schob Ellas Hände weg von sich und richtete sich auf in seinem Sitz, dann langte er nach hinten in den Laderaum, wo Marrets Decken lagen, eine legte er sich um die Schulter. Nahm Ellas Schal und band ihn wieder um den Kopf, so stramm er konnte. Das Bergwerk war noch immer in Betrieb, bei jeder Sprengung zuckte er zusammen, aber das war gar nichts. Er zog die Starterklappe, schaltete die Zündung ein. Ella fand den Eiskratzer im Handschuhfach, stieg aus und machte jedenfalls die Fahrerseite und die Heckscheibe frei, bevor sie Richtung Straße fuhren, das Eis der Parkplatzpfützen brach unter den Reifen. Es dämmerte, der Wind schien langsam abzuflauen.

»De Dokter seggt, dat Kind kummt um de Ostertiet«, sagte Ella, als sie aus der Stadt heraus waren.

Sönke wischte mit dem Ende seiner Decke ein Stück Windschutzscheibe frei, sie war beschlagen. »Denn weer dat wull de Haas«, sagte er. »Mein Name ist Hase, ich weiß von nichts.« Fuhr nach Brinkebüll, wo sie bestimmt schon alles wussten und schon einen neuen Namen für ihn hatten.

7
Achy Breaky Heart

Der große Büffelschädel, der neuerdings an einer Wand des Brinkebüller Tanzsaals hing, gab Gasthof Feddersen ästhetisch endgültig den Rest. Am rechten Horn des Schädels hing ein Spinnennetz, und Ingwer war schon drauf und dran, das Staubtuch und die Trittleiter zu holen, um es wegzumachen. *Putzperle Feddersen!* Er pfiff sich gerade noch zurück. Ein Staubtuch hätte sowieso nichts mehr genützt, es konnte nicht mehr schlimmer werden. Die Hässlichkeit des Raumes hatte ihre maximale Sättigung erreicht, es kam auf ein paar Spinnennetze nicht mehr an. Ein Kunstharzbüffelschädel, der an eine rauchvergilbte Dorfkaschemmenwand gedübelt worden war, er durfte nicht zu lange hinsehen, es machte ihn so fertig. Man musste kein Schöngeist sein, um im Brinkebüller Gasthof auf den Hund zu kommen. Es reichte, wenn man eine Zeit lang etwas anderes gesehen hatte, einen Dorfplatz unter südfranzösischen Platanen, ein paar Brücken in Venedig, die Arkaden an der Alster, irgendeine Art von menschgemachter Schönheit. Es reichte schon der Stuck in einer Kieler Altbauwohnung, ein bisschen Jugendstil an der Fassade, ein Schwan und eine Lilie auf einer Fliese an der Küchenwand. Er war der Hässlichkeit des Brinkebüller Saals nicht mehr gewachsen. Sie schien in ihn hineinzusickern wie ein Gift, er fühlte sich schon selbst verschrammt und abgetakelt, so fahl wie die verblichene Tapete, selbst seine Haare schienen hier die Farbe zu verändern. Grau waren sie schon lange, aber dieses Stumpfe, Staubige schien neu zu sein.

Er sah im großen Spiegel, der im Flur hing, einen bärtigen, entfärbten Mann in ausgeblichenen Jeans. Lang und hager, graues Hemd, das alles war noch nicht so schlimm. Was ihn erschreckte, war sein Blick. Aus dem Spiegel schien ihn einer dieser friesischen Gelehrten anzusehen, die er von Ölgemälden oder alten Schwarz-Weiß-Fotografien kannte. Norddeutsche Melancholiker, die in den Wintermonaten in Chroniken versanken, Jahrzehnte über Mundartwörterbüchern brüteten, Gedichte über schwere Nebel, welkes Laub und Heidekraut verfassten, Novellen über Wiedergänger. Er sah im Spiegel seine hohe Stirn, die lange Nase, diesen trüben, weltenmüden Blick, der irgendwie nach innen sackte, er erkannte schon das typische Gesicht des Schattengrüblers. *Brauende Nebel geisten umher, schwarz ist das Kraut und der Himmel so leer* – er sah schon aus wie Storm! Der Norden machte das mit einem, all die Stürme, all das Düstere, man wurde hier zum Heimatdichter oder Trinker, wenn man nicht zu den Robusteren gehörte.

Er musste zum Friseur. Er sollte über seinen Bart nachdenken. Neue Sachen kaufen, andere Schuhe, Ragnhild hatte recht. Sie hätte seinen Kleidungsstil nicht unbedingt als *fossiliert* bezeichnen müssen, aber wer bei Klartext zuckte, durfte nicht mit Ragnhild Dieffenbach zusammenleben.

Er legte in der Mittagsstunde seine alte *Harvest*-Platte auf und saß auf Sönkes Lederstuhl, als beide Alten schliefen, lehnte sich zurück und hörte das beruhigende Gewimmer von Neil Young, der kein Problem mit seinen *fossilierten* Karohemden hatte. *Are you ready for the country?* Er öffnete das Fenster, rauchte einen seiner Joints, die er für harte Zeiten in der alten Kuchendose bunkerte, Speisekammer, oberstes Regal. Den Rauch blies er nach draußen, in den Brinkebüller Himmel, der schon wieder alles tat, um Heimatdichter oder Trinker zu erschaffen. Er würde sich jetzt mal entspannen und die Dinge ganz in Ruhe überdenken, eines nach dem anderen. Sich von Ragnhilds Biestigkeit nicht runterziehen lassen – und schon gar nicht von dem lächerlichen Büffelschädel. Das Ding war so daneben, dass es fast schon wieder gut war.

Es war natürlich Heiko Ketelsen gewesen, der dieses Monstrum angeschleppt und an die Wand gedübelt hatte. Der Mann im Fransenledermantel, den sie in Brinkebüll nur noch *de Sheriff* nannten. Ingwer kannte ihn noch aus der Zeit vor seiner Cowboymacke, Heiko Ketelsen, der in der Schule neben ihm gesessen hatte. Er trainierte jetzt die Brinkebüller Line-Dance-Gruppe, die sich jeden Donnerstag im Gasthof Feddersen zum Üben traf. Es gab sie seit vier Jahren; und sie waren wohl ganz gut. Zumindest traten Heikos *Brinkebüll Buffalos* jetzt schon im ganzen Landkreis auf, bei Hafenfesten, Wildganstagen oder Krabbenwochen. Ihr nächstes großes Ziel hieß *Line Dance Star Awards* in Kalkar, drei Tage Festival und Workshops bei den internationalen *Top Instructors,* aber dafür mussten sie noch besser werden. Sheriff Ketelsen kam jeden Donnerstag schon eine Stunde früher, um sich einzustimmen und ein bisschen Countryatmosphäre in den Gasthof Feddersen zu bringen. Er legte US-Flaggen über alle Tische, pinnte ein paar Rodeoplakate an die Wände und hängte noch zwei große Poster rechts und links der Bühne auf: einen Weißkopfseeadler und einen Wolf, den Mond anheulend.

Heiko hatte Sönke Feddersen so lang bequatscht, bis er den Büffelschädel neben die Trophäen hängen durfte, die die Brinkebüller Jägerschaft im Laufe der Jahrzehnte abgeliefert hatte. Es gab an Sönkes *Wall of Fame* noch Platz genug, es war jetzt auch schon lange kein Geweih dazugekommen. Im Grunde war die Jägerschaft am Ende, und Sönke wusste auch genau, warum: zu viele Frauen! Die Jägerinnen hatten bei der letzten Vorstandswahl die meisten Posten unter sich verteilt. Was dabei rauskam, konnte man ja sehen: Statt Abschüsse zu machen und bei der Treibjagd eine gute Strecke hinzulegen, wurde neuerdings nur noch gehegt, gepflegt, gefüttert. Das Revier verkam zu einem Streichelzoo. Und wenn die Damen doch mal schossen, trafen sie ja nicht. Die letzte Jahreshauptversammlung war nicht mehr im Gasthof Feddersen gewesen, die Jägerschaft kam jetzt im Dorfgemeinschaftshaus zusammen. Sie konnten Sönke alle mal den Buckel runterrutschen.

Auf Heikos Büffeltruppe war viel mehr Verlass. Sie wussten das Parkett in seinem Saal zu schätzen, sie hatten ihm sogar die Ehrenmitgliedschaft verliehen. Er hatte nichts dagegen, einen Kunstharzbüffelschädel neben seine Rehbockköpfe und den ausgestopften Goldfasan zu hängen.

Heiko Ketelsen stand vor dem Büffel, beide Daumen in die Gürtelschnalle mit dem Mustangkopf gehakt, zufrieden in den Westernstiefeln wippend. »Nu segg mol, Ingwer, sieht de echt ut. Oder wat? As wenn dor nu een echte Büffelkopp hangt. Oder nich?«

Ingwer zapfte ihm ein Bier, er sagte lieber nichts dazu. Man musste schon die Welt mit Heikos Augen sehen, um irgendeine Ähnlichkeit mit einem echten Büffel festzustellen. Der

Plastikschädel war genauso schlimm wie seine nachgemachten Cowboystiefel, Pythonlederoptik, außer *Sheriff* Ketelsen sah niemand echtes Schlangenleder. Heiko war in seinem eigenen Western unterwegs, wahrscheinlich lief in seinem Kopf ein Morricone-Soundtrack – oder *Shiloh Ranch,* in Endlosschleife. Er cruiste durch die Brinkebüller Geest in seinem alten Ford F 150 Pick-up und sah Prärie und Wüstensand. Er hängte einen Büffelschädel in den Gasthof Feddersen und sah einen Saloon.

Von seinem Outfit abgesehen, schien er sich nicht sehr verändert zu haben. Ingwer hatte ihn die letzten dreißig Jahre kaum gesehen, jetzt kam er durch den Saal gestiefelt, legte seine Ellenbogen auf den Tresen und fing nahtlos wieder an wie früher. »Na, Kümmerling, wat seggst du?« Als wären sie erst letzte Nacht zum Angeln an den Mergelschacht gefahren. Als hätte Sönke Feddersen sie gerade erst mit den drei Kümmerlingkartons erwischt, die sie für ihre Budenparty aus dem Kühlraum klauen wollten.

Ingwer stellte ihm das Bierglas und den Aschenbecher hin, dann nahm er ihm den Cowboyhut vom Kopf und setzte ihn sich probehalber auf. »Steiht di«, sagte Sheriff Ketelsen, »koop di uk een un denn danzt du bi uns mit.«

Ingwer gab ihm seinen Hut zurück. Er hatte nicht gewusst, dass Heiko kahl geworden war, weil er ihn ewig nicht mehr ohne seinen Cowboyhut gesehen hatte. Er konnte sich nicht mehr erinnern, wann es angefangen hatte, seit wann sein Schulfreund schon *de Sheriff* war.

Sie hatten auf dem Schulhof manchmal Marterpfahl gespielt, die Cowboys gegen die Apachen, Grundschuljungs mit selbstgeschnitzten Pfeilen, Weidenbögen, Schießeisen aus

Holz, nur Kai und Henning hatten schon die ersten Colts gehabt mit Platzpatronen. Eine Zeit lang hatten sie mal jeden Nachmittag versucht, mit ihren Lassos Kälber einzufangen, bis irgendwann eins umgefallen war, erschöpft, die Zunge aus dem Hals, und Hennings Vater sie mit seiner Forke von der Koppel jagte.

Bei Boysens Pony klappte es dann besser, es ließ sich ohne viel Tamtam das Lasso überwerfen und ein bisschen durch die Gegend ziehen, man tat dann so, als wäre es ein wilder Mustang, den man gerade eingefangen hatte. Das Pony war sehr dick und ziemlich klein, es sah ganz harmlos aus und nicht besonders wild, das täuschte aber. Man musste nur mal sehen, was es mit Gönke Boysen machte! Es biss und keilte aus, wenn sie nur mit dem Sattelzeug in seine Nähe kam. Pumpte seinen Bauch so auf, dass sich der Sattelgurt nur noch im letzten Loch einhaken ließ, und hielt die Luft so lange an, bis Gönke oben saß. Dann fing es an zu buckeln wie beim Rodeo und preschte über Boysens Koppel, dass der Sand der Maulwurfshügel nur so stob. Ließ die Luft ab, bis der Gurt so locker saß, dass Gönke, wenn sie nicht schon vorher unten war, mit ihrem Sattel seitwärts runterrutschte. Manchmal hing sie noch ein paar Sekunden mit dem Kopf nach unten, Füße in den Steigbügeln verheddert, bis sie endlich in den Disteln landete.

Das Boysen-Pony war gemeingefährlich, keiner von den Cowboys und Apachen hatte Lust, das Biest zu reiten. Man fing es mit dem Lasso ein und zerrte es ein bisschen übers Feld, Kai drückte ihm den alten rostigen Kartoffelstampfer auf die Hinterhand, den sie beim Cowboyspielen immer bei sich hatten, Brandzeichen für den wilden Mustang, und das war's, dann ließen sie es wieder frei. Sie dachten nicht im Traum daran, die Bestie zu reiten.

Nur Heiko Ketelsen, der Kleinste, Schmächtigste von allen, war bekloppt genug gewesen, das zu tun, an einem heißen Sommertag, als alle anderen nur noch Richtung Freibad wollten. Das Pony hatte schon die Lassonummer hinter sich, es war zum Koppelrand getrottet und stand dösend unter einer Silberpappel, als Heiko ohne Warnung Anlauf nahm und sich mit Kampfgeschrei auf seinen Rücken warf, die Hände in die Mähne krallte und die Hacken in die dicken Flanken rammte. Es war so klar, dass die Aktion mit Blut und Schmerzen enden würde. Man fragte sich, warum er solche Sachen immer machte. Heiko schien es regelmäßig darauf anzulegen, sich den spiddeligen Körper wundzuschlagen, grün und blau und blutig, als könnte er sich dadurch impfen gegen andere Schmerzen oder schlimmere Verletzungen. Oder zeigen, was er alles aushielt. Das Pony hatte ihn nach fünfzig Metern in den Stacheldraht katapultiert. Heiko war wie ein gemarterter Indianer auf sie zugetorkelt, den ganzen Kopf voll Blut, und hatte nur gegrinst.

Die Narben auf der Stirn und an der Augenbraue sah man heute noch. Es waren nicht die einzigen, er hatte eine Menge abgekriegt, wie alle Ketelsens. Was Heiko sich nicht selbst antat, das tat sein Vater, Folkert Ketelsen, der seine Söhne prügelte wie Vieh.

Ingwer musste jetzt oft daran denken, wenn er Sönke wusch und blaue Flecken sah an seinen Armen oder Beinen. Er sah dann wieder Heikos Rücken vor sich, seine Arme, seinen Nacken und sein blaugeschlagenes Gesicht, ein Auge zugeschwollen, manchmal sogar beide. Bevor aus ihm *de Sheriff* wurde, war sein Name *Jaulnich*. Folkert Ketelsen schlug seine Söhne jeden Tag, er brauchte dafür keinen Anlass. Schlug sie aus dem Weg oder die Treppe runter, prügelte sie durch das Haus und durch den Stall, und wenn kein Sohn im Weg stand, den er prügeln konnte, schlug er auf das Vieh ein. Die Brinkebüller hörten jeden Tag die Tiere brüllen, und dann wussten sie, dass Folkert Ketelsen im Stall war. Solange seine Tiere brüllten, waren nicht die Kinder dran und nicht die Frau.

Heiko war der Kleinste, jünger als die beiden Brüder, und der Einzige, der niemals weinte. Ihn konnte man so lange schlagen, wie man wollte, er brüllte nie. Er ließ die anderen Kinder, wenn sie Turnen hatten in der Schule, seine blauen Flecken und die Striemen sehen, er zeigte sie wie Tapferkeitsmedaillen: *Hier, mit de Bullenstock. Nich jault. Hier, mit de Pietsch. Nich jault. Hier, mit de Lederreem. Nich jault. Hier, mit de Fuust. Nich jault.* Lehrer Steensen hatte manchmal Arnikatinktur geholt, dann musste *Jaulnich* Ketelsen das Hemd ausziehen, und seine Blutergüsse oder Striemen wurden eingerieben. Heiko stand dann wie ein Krieger vor dem Lehrer, grinsend.

Kein Mensch im Dorf war je auf die Idee gekommen, dass man ihm hätte helfen sollen gegen diesen Vater. Man war sich einig über Folkert Ketelsen, er taugte nichts, man schimpfte über *dat Stück Mist*. Hatte Mitleid mit den Kindern, steckte ihnen manchmal Schokolade zu, ein Kuchenstück, gab ihnen auf dem Kinderfest mal eine Brause aus. Und ließ sie nach dem Fest nach Hause gehen zu Peitsche, Bullenstock und Lederriemen. Man mischte sich nicht ein, weil Folkert Ketelsen ein Brinkebüller war, *Dörpsminsch* mit einem alten Hof, immer hier gewesen, Vater, Großvater und Urgroßvater schon. Ingwer fragte sich, was man als Brinkebüller wohl verbrechen musste, bevor man ausgeschlossen wurde. Nicht mehr gegrüßt im Dorf, nicht eingeladen zu den Festen, nicht mehr bedient in Dora Koopmanns Laden. Ihm fiel nichts ein.

Einen Sommer, vielleicht zwei, viel länger konnte ihre Cowboy- und Apachenphase nicht gedauert haben. Die ganzen Marterpfahl- und Lassospiele wurden dann auf einmal peinlich. Kai schämte sich noch immer, wenn man ihn auf den Kartoffelstampfer ansprach, er war fast unter seinen Tisch gesackt, als Henning ihm zu seinem vierzigsten Geburtstag eine Rede hielt und plötzlich dieses alte Ding aus seiner Tasche zog. Brandeisen für die Brinkebüller Mustangs! Kais Söhne hatten sich vor Lachen gar nicht wieder eingekriegt.

Heiko war wohl aus dem Wilden Westen nie zurückgekehrt, er spielte seine Rolle einfach weiter. Jetzt schob er Ingwer das leere Bierglas zu und drückte seine Marlboro im Aschenbecher aus, dann holte er aus seinem Pick-up die mobile Verstärkeranlage und rollte sie in den Saal. Er legte die CD mit *Line Dance Classics* ein und stellte sich auf die Tanzfläche, zog seinen Hut tief ins Gesicht, senkte den Kopf, hakte beide Daumen in die Gürtelschnalle und wippte mit der Spitze seines rechten Westernstiefels ein paar Takte mit, dann setzte er sich langsam in Bewegung. *Don't tell my heart, my achy breaky heart …*

Er brauchte das am Anfang immer, diese paar Minuten ganz für sich mit der Musik im leeren Saal.

Ingwer, der am Tresen stand, versuchte, ihn nicht anzustarren. Er spülte ein paar Gläser nach, die schlierig im Regal gestanden hatten, weil Sönke das Polieren nicht mehr auf die Reihe kriegte. Von den paar Gästen, die noch regelmäßig in den Brinkebüller Gasthof kamen, bestellten schon die meisten Flaschenbier, sie mochten aus den schmuddeligen Gläsern nicht mehr trinken. *Laat man, Sönke, du, ik drink dat ut de Buddel.* Ingwer sah, wie Heiko seine Line-Dance-Schritte machte, konzentriert, mit ruhigen, fließenden Bewegungen. Hacke, Spitze, vorne kreuzen, Hacke, Spitze, hinten kreuzen, halbe Drehung, leichter Hüftschwung, mit der Hand kurz an den Stetson tippen… Sheriff Ketelsen im Flow.

Um zehn vor acht kam Sönke Feddersen, um seinen Platz am Tresen einzunehmen. Es war kein guter Tag, er stützte sich auf den Rollator. Beim Waschen vorhin hatte er geächzt, weil alles weh tat, alles steif war, alles tatterig, alt und klapperig, *de ganze Schiet to nix to bruken!*

»Du kannst uk achtern blieben«, sagte Ingwer, »denn regel ik dat hier.«

Sönke tat, als hätte er ihn nicht gehört. Er wischte einmal mit dem Lappen über seinen Tresen, dann nahm er sich ein Schnapsglas, zapfte aus dem Flaschenhalter einen Korn und kippte ihn wie Hustensaft. Den zweiten zügig hinterher.

Die Line-Dance-Gruppe trudelte allmählich ein, die meisten Tänzer trugen Karohemden und darüber ihre schwarzen Fransenwesten, auf dem Rücken das Vereinsemblem. Ingwer sah, dass Gönke Boysens Schwester Gunda auch dabei war. Und die Frau von Henning. Antje, Anja oder Anke, es war peinlich, dass er sich das absolut nicht merken konnte, dabei hatten sie die Hochzeit damals hier im Saal gefeiert, Ingwer hatte Tresendienst gemacht. Zwanzig Jahre her, noch länger. Er erinnerte sich vage an ein Brautkleid, das wie aufgeblasen ausgesehen hatte, Puffärmel so groß wie Luftballons, und an das Wadenraten später nach dem Ehrentanz. Antje, Anja oder Anke musste mit verbundenen Augen eine Reihe nackter Männerbeine abtasten, um die Wade ihres Bräutigams zu finden. Großer Knaller damals auf den Hochzeitsfeiern, Stimmung garantiert.

Sönke hatte diese Spiele wie die Pest gehasst, er hatte sie ja alle tausendmal gesehen. Jedes Wochenende Wadenraten oder Strumpfbandversteigerung, Feuerwehrkameraden in Tutus und Schüttelreimgesang zur Melodie von *Wo de Nordseewellen trecken an de Strand,* als Gastwirt drehte man da irgendwann auch durch. Immer, wenn es mit dem Hosenbeinaufkrempeln losging, war Sönke in die Küche abgerauscht und hatte sich mit seiner Zigarette an den Tisch gesetzt. Ella und den Küchenfrauen zugesehen, wie sie den Abwasch machten oder schon im Zwanzigliterkochtopf den Kaffee aufsetzten. Wenn er aus dem Saal das Klatschen und den Abschlusstusch der Tanzkapelle hörte, ging er wieder rein.

Hennings Hochzeit musste damals eins der letzten großen Feste hier im Saal gewesen sein. Kein Wadenraten mehr im Gasthof Feddersen und keine Männer in Tutus, jetzt kamen einmal in der Woche Cowboys.

Die meisten *Brinkebüll Buffalos* kannte Ingwer nur vom Sehen, der größte Teil war jünger als ihr Sheriff, Mitte dreißig, Anfang vierzig. Zugezogene wahrscheinlich, die in der Brinkebüller Neubausiedlung wohnten, in der umgebauten Meierei, der Schule oder einem von den alten Bauernhäusern, die man günstig kaufen konnte, weil die friesische Geest nicht unbedingt zu den Toplagen auf dem Immobilienmarkt zählte. Hier bekam man für sein Geld noch was. Oft hing noch ein Stall an diesen Häusern und ein bisschen Land für ein paar Ponys, Esel oder Schafe. Auf dem Resthof von Klaus Sievers züchtete ein Pärchen aus dem Ruhrgebiet seit ein paar Monaten Alpakas, keiner wusste, was sie damit wollten.

Die neuen Dorfbewohner sah man meistens nur am Abend oder Wochenende, weil sie Pendler waren, die zum Arbeiten nach Husum, Niebüll oder Flensburg fuhren. Manche grüßten gar nicht, wenn man ihnen auf der Dorfstraße begegnete. Die alten Brinkebüller gaben ihnen ein, zwei Chancen, ehe sie ihr Urteil fällten. Sie sortierten alle neuen Dorfbewohner, und es gab genau zwei Sorten: *Seggt moin* und *Seggt keen moin.* Grüßen war der Lackmustest. Wer grußlos durch das Dorf spazierte, nicht die Hand hob, wenn er mit dem Rad vorbeifuhr, in der Feldmark schweigend hinter seinem Hund hertrottete, der machte sich in Brinkebüll zum Aussätzigen, er konnte sich auch gleich den Siechenmantel eines Leprakranken überwerfen. Man hielt sich fern von solchen Leuten, man merkte sich von ihnen gar nicht erst die Namen. *Seggt keen moin,* die Sorte war erledigt.

In der Line-Dance-Gruppe gab es nur die andere Sorte, Sheriff Heiko hatte seine Büffelherde ganz gut eingenordet. Noch bevor sie ihren Trainer und die Mittänzer begrüßten, kamen sie zum Tresen, sagten *moin* zu Sönke Feddersen, die meisten gaben ihm die Hand. Bestellten schon mal was zu trinken. Zwei, drei Biere, sonst nur Wasser, Saft und Cola. Die *Brinkebüll Buffalos* teilten offenbar das Los des Jagdvereins, die Männer waren deutlich in der Unterzahl, es gab mit Heiko Ketelsen nur vier. Sie gingen ziemlich unter in dem guten Dutzend Frauen.

»Stabile Fruunslüüd«, raunte Sönke Feddersen, »wo de henpäärn, dor wasst keen Gras mehr.« Er hatte den Rollator so gestellt, dass er den ganzen Saal im Auge hatte. Jetzt saß er wie ein Linienrichter auf dem Ding und sah sich aufmerksam die Aufwärmübungen der Gruppe an, die sich noch etwas steif zu *Achy Breaky Heart* über das Parkett bewegte.

»Erst mal reinkommen in die Musik«, rief Heiko, »muss nicht gleich am Anfang alles klappen!«

Der Name seiner Line-Dance-Gruppe war ganz gut gewählt, fand Ingwer, der Fokus schien bei dieser Art von Tanz nicht unbedingt auf Eleganz und Schwerelosigkeit zu liegen.

»Stomp side right!«, rief Heiko Ketelsen, »und stomp side left!«

Die Westernstiefel rumsten auf das alte Brinkebüller Tanzparkett, und Ingwer sah, dass Sönke Feddersen die Arme vor der Brust verschränkte und seine Stirn in Falten legte. Scheinbar hatte er vergessen, dass sein Boden schon ganz andere Dinge ausgehalten hatte. Wilde Polonaisen über Tische und Stühle, die große Trampelei bei La-Bostella-Tänzen auf den Kinderfesten früher und vor allem das Gehopse auf den Pfennigabsätzen beim Letkiss. Man sah heute noch die Dellen im Parkett, bei Tageslicht, wenn Sonne durch die Fenster fiel.

Ingwer schob ein neues Kornglas zu ihm rüber. Zack, weg damit, dann lehnte Sönke sich ganz leicht zu ihm herüber, grinste dabei freundlich in den Saal und sagte leise: »Kiek di mol dat grote Heupeerd an dor achtern.« Über neunzig Jahre alt, so klapperig, dass er nicht mehr stehen konnte, und er tat es immer noch. Solange Ingwer sich zurückerinnern konnte, hatte Sönke Feddersen bei jedem Fest am Tresen neben ihm gestanden, Bier und Schnaps gezapft und Muck gemischt, den Gästen freundlich zugenickt und gleichzeitig, so leise, dass es außer Ingwer niemand hören konnte, seine Kommentare zu den Frauen abgegeben. *Wat bloß een Maschin … Een Kopp as een Kartüffel … Hest al mol so'n Mors sehen?… Beene as een Dackel …* Man hörte irgendwann gar nicht mehr hin, er schien es eigentlich auch eher zu sich selbst zu sagen. Ingwer hatte sich gewundert, dass er niemals etwas Schmeichelhaftes sagte, dass ihm keine von den ganzen Frauen jemals zu gefallen schien. Bis er irgendwann kapierte, dass das Sönke Feddersens Methode war: nur von den Dicken, Unansehnlichen zu reden – und zu schweigen von den Frauen, die er leiden mochte. Er sah die Hübschen sehr genau, auch heute noch, man brauchte nur mal seinem Blick zu folgen. Schaute sich in Ruhe Gunda Boysen an und schwieg. Er hatte früher auch bei ihrer Mutter schon geschwiegen. Dreiundneunzig Jahre alt, es hörte wohl nie auf.

Jetzt hatten sich die Buffalos ein bisschen warmgetanzt, sie kamen an die Theke, tranken einen Schluck, die ersten Karohemdenärmel wurden aufgekrempelt. Heiko rauchte nur schnell eine halbe Marlboro, dann ging er auf die Tanzfläche zurück, stellte sich in die Mitte, ließ kurz seine Schultern kreisen, schüttelte die Beine aus und schnipste mit den Fingern. »So, Leute, geht weiter! *Open Heart Cowboy* will ich heute mit euch machen. Ist nicht ganz einfach, sag ich gleich, das kriegt ihr aber hin. Wir machen das ganz sutje erstmal vor, mein Präriehase und ich. Moni, wo bist du?«

Ingwer sah, wie eine korpulente Frau mit rot gefärbtem Pferdeschwanz ihr Colaglas absetzte und zu Heiko ging. Sie küssten sich kurz auf den Mund, dann nahmen sie ihre Tanzposition ein.

»Heikos lüttje Fründin«, grinste Sönke, »dat Heupeerd.«

Moni überragte Heiko Ketelsen um einen halben Kopf, sie

trug die gleichen Cowboystiefel und das gleiche T-Shirt mit Koyotenaufdruck. Heiko legte die CD ein, und sie standen konzentriert nebeneinander, die Cowboyhüte wippten kurz im Takt, dann ging es los.

»Rocking chair right!«, rief Heiko, während er den rechten Fuß nach vorn bewegte, das Gewicht dann auf den linken Fuß verlagerte und mit dem rechten einen Schritt nach hinten machte. »Lock step forward right!«, er kreuzte seinen linken Fuß hinter dem rechten, setzte den rechten Fuß wieder nach vorn. »And hold!«

Während Sheriff Ketelsen und seine *lüttje Fründin* sich scheinbar mühelos durch ihre komplizierte Line-Dance-Choreographie kickten, tippten, kreuzten, drehten, kam von den anderen Buffalos ein ehrfurchtsvolles Raunen. Ingwer lehnte hinter seinem Tresen und sah gebannt zu Heiko Ketelsen, der sich vor seinen Augen zu verwandeln schien. Schritt für Schritt verschwand der dünne Junge mit dem Grinsen und den Narben auf der Stirn. Das hier war nicht mehr der Heiko, den er aus den Grundschulzeiten kannte. Der Lehrer Steensen in die Raserei getrieben hatte, *so dumm, dat di de Höhner bieten!* Er hatte fast jeden Tag das Schreibheft um die Ohren und die Lesefibel auf den Hinterkopf gekriegt, er war in jeder Rechenstunde durchgerüttelt worden. Steensen hatte jahrelang an ihm herumgerissen, als wäre er ein Obstbaum, dem man seine Früchte mit Gewalt herunterschütteln musste. Da wuchs nur nichts bei ihm, es gab da wirklich nichts zu ernten. Die Schule nach der achten Klasse abgebrochen, zwei Lehren angefangen, zweimal rausgeschmissen worden in der Probezeit, *dat het keen Zweck mit em.* Beim Tanzen nie ein Mädchen abgekriegt, natürlich nicht. Er war ein hoffnungsloser Fall, das hatten alle so gesehen und keinen Hehl daraus gemacht.

Aber es kümmerte ihn nicht. Das war das Seltsame an Heiko Ketelsen. Er hielt es alles aus. Gewöhnte sich daran, dass sich sein Scheitern spiegelte in den Gesichtern aller anderen. Er sah ja, dass sie, wenn sie mit ihm sprachen, mit den Augen rollten, ihre Köpfe schüttelten, die Stirnen runzelten und müde mit den Händen wedelten, als wollten sie ein lästiges Insekt verscheuchen. Er sah das alles, und es schien ihn gar nichts anzugehen, es drang nicht zu ihm durch. Man konnte Heiko nicht verletzen. Er schien ein Mensch zu sein, der unverwundbar war, sogar die Schläge seines Vaters prallten an ihm ab. Er lachte, wenn der Alte prügelte, er schrie vor Lachen, wenn der Stock zerbrach, wenn Folkert Ketelsen sich so verausgabt hatte, dass ihm der Riemen aus den Händen rutschte. Heiko Ketelsens Talent war das Ertragen.

Solange Ingwer denken konnte, hatte er ansonsten nie etwas gekonnt, beherrscht, geschweige denn gemeistert.

Jetzt sah er ihn in seinen Westernstiefeln tanzen, Moni neben sich, von Brinkebüller Buffalos bewundert. Es kam ihm vor, als würde er zum Zeugen einer Wunderheilung. Als stünde hier, im alten Saal, ein Lahmer plötzlich auf und konnte gehen und in Zungen reden. »Grapevine Right with Scuff!« Heiko Ketelsen sprach Englisch, es war ein Wunder.

Selbst seine Cowboykluft sah gar nicht so daneben aus, sie schien wie eine Uniform zu sein, die ihm etwas Ernsthaftes verlieh, fast etwas Amtliches. Hier war ein Mann, der wusste, was er tat. Es war das erste Mal, dass Ingwer eine Spur von Lässigkeit und Souveränität an ihm entdeckte. Eine Inselbegabung für Line Dance, besser als nichts! Aus den wenigen Optionen, die er hatte, machte Heiko offenbar das Beste. Es war wohl gar nicht schlecht, wenn man die Welt mit seinen Augen sah. Man sah einen Präriehasen zum Beispiel, wo andere nur *dat grote Heupeerd* sahen. Und einen echten Büffelschädel im Saloon von Brinkebüll.

Ingwer fühlte sich noch immer leicht bekifft, er fing schon an, den Line-Dance-Abend zu genießen, dann sagte Heiko Ketelsen den letzten Tanz an: »So, Freunde der Prärie, zum Abschluss was Gemütliches, wir machen jetzt noch einmal *Harvest Moon*.«

Ingwer dachte erst, er hätte sich verhört, aber unverkennbar wimmerte Neil Young jetzt durch den Brinkebüller Saal, die Büffelherde stampfte dazu über das Parkett, die Fransen an den schwarzen Westen wippten. *Come a little bit closer, hear what I have to say.*

Ingwer sammelte die Gläser und die Colaflaschen ein. Sah durch das Fenster einen vollen Mond und hätte ihn ganz gerne angeheult.

8
Schneewalzer

Der Winter nach den Baumaschinen kam nach Brinkebüll, als wäre er ein Heiler. Er legte Schnee wie einen Mullverband auf das zerwühlte, tiefgepflügte Land, er deckte die entbaumten Felder zu und ließ das Regenwasser in den Furchen, die die Bagger aufgerissen hatten, frieren. Streute Puder auf die Kerben, die die Flurbereinigung geschlagen hatte. Wie kalter Schorf verschloss das Eis die Schrammen in der Erde.

Wind von Westen blies den Schnee zu Dünen an den Straßenrändern, an den Häuserwänden, auf dem Schulhof, wo die Kinder sich mit Lehrer Steensen fast drei Tage lang an einem Iglu abarbeiteten, nachdem sie eine Doppelstunde Heimatkunde für die Bauplanzeichnung aufgewendet hatten. Spiralbauweise, durchaus anspruchsvoll, Steensen nutzte immer gern Gelegenheiten, seinen Schülern ein paar praktische Lektionen mitzugeben. *Non scholae, sed vitae,* viele dieser Bauernlümmel würden Maurer werden, Zimmermänner, Tischler, und was nützte es, wenn sie die Bürgschaft paukten? Steensen machte sich nichts vor: Hier rein, da raus. Er war schon froh, wenn sie beim Schulabschluss das Schleswig-Holstein-Lied beherrschten, und selbst da war nach der zweiten Strophe bei den meisten Schluss.

Die Bauarbeiten fingen damit an, dass sie mit einer Schnur im Schulhof einen Kreis markierten, zwei Meter Durchmesser. Dann stampften sie den Pulverschnee mit ihren Füßen fest und stachen mit dem Spaten Blöcke aus dem harten Schnee, die dann noch abgerundet werden mussten. Steensen, der sich selbst ein bisschen in die Angelegenheit hineingesteigert hatte, wuchtete die Klötze aufeinander, stampfte wie die Schüler, stach und schaufelte mit ihnen, und am Ende schloss er noch mit Schnee die letzten schmalen Ritzen. Er merkte gar nicht, dass er sich die Nase, die beständig tropfte, mit dem Mantelärmel wischte *wie ein Wilder!* und nicht mit dem Taschentuch *wie ein normaler Mensch!* Die Schüler merkten es sehr wohl und machten es dann ebenso, nicht lange allerdings. Man hatte augenblicklich eine Lehrerfaust im Nacken. *Nimm das Taschentuch! Wir sind nicht bei den Wilden!* Als schließlich eine tadellose und solide konstruierte arktische Behausung auf dem gefegten Schulhof stand, nahm Steensen mit der Agfa Isola ein Foto für die Chronik auf. Und Paule Bahnsen, Bürgermeister, extra zur Besichtigung gekommen, knipste später auch noch eins von Steensen. Der Dorfschullehrer, stolz wie Amundsen, vor seinem Iglu in der Brinkebüller Arktis.

Es schneite eine Woche lang, dann zog der Himmel auf, der Westwind legte sich, als wäre er es plötzlich leid, Schnee vor sich herzutreiben, Haus- und Stalldächer zu schleifen, Geestgesichter abzufeilen. Brinkebüll lag still, das ganze Dorf wie ausgepolstert. Es sah verändert aus, verkleidet, und es klang auch anders. Das Gebell der Hunde auf den Höfen und das Kreischen, Lachen, Rufen, das vom Hünengrab herüberkam, wo Kinder sich für ihre Schlitten eine Schanze bauten, das Kettenrasseln aus den Ställen, wenn es Zeit zum Melken war, sogar die Ambossschläge aus der Landmaschinenwerkstatt hatten einen ungewohnten Klang.

Als hätte jemand für das Dorf ein neues Stück geschrieben, und jetzt probten alle. *Brinkebüll im Schnee,* so hieß das Stück, es war eine Romanze.

Die Krähen hörten sich das schweigend an, sie hockten reglos in den Ulmen, scheinbar saßen sie bequem auf ihren dick verschneiten Ästen. Die alten Leute schworen Stein und Bein, die Winter ihrer Kindheit wären alle so gewesen. Meineide, weil sie längst vergessen hatten, dass fast alle Geestdezember ihres Lebens windig, grau und nass gewesen waren. Stille, blaue Tage im Dezember waren selten, alle Jubeljahre einmal konnte man in dieser Jahreszeit die sturmversteiften Schultern sinken lassen, langsam aus der Deckung kommen, Kopf nach oben, und den Rücken gerade machen.

Anfangs blendete das Licht, die Augen mussten sich gewöhnen an die Wintersonne, die den Schnee zum Gleißen brachte. Eisblumen an den Fenstern, Reetdächer unter dickem Schnee, jedes Haus im Dorf sah plötzlich aus wie Bäcker Boysens Knusperhaus, das jetzt im Fenster seines Ladens stand, zweistöckig, Eiszapfen aus Zuckerguss, ein Meisterwerk, wie jedes Jahr. Erich Boysens Fähigkeiten als Konditor waren nur zur Weihnachtszeit gefragt, die Kundschaft legte sonst sehr wenig Wert auf Kreativität und Raffinesse. Sie kaufte Schwarzbrot, Graubrot, Weißbrot und Rosinenbrot. Hin und wieder süßes Kaffeebrot und ein paar heiße Wecken, manchmal Blätterteigpasteten für Besuch, die musste sie dann aber vorbestellen. Keine Brinkebüller Frau, die zwei gesunde Hände hatte, kaufte jemals Boysens marzipanverzierte Torten, seinen Bienenstich, seine Fürst-Pückler-Schnitten mit drei Sorten Buttercreme. Falls doch, dann durfte sie sich nicht erwischen lassen. Gekauften Kuchen auf den Tisch zu stellen, *Bäckerkoken!,* wenn zum Kaffee Nachbarinnen, Schwägerinnen, Tanten eingeladen waren, kam einer hauswirtschaftlichen Bankrotterklärung gleich. Dann konnte man auch gleich ein krauses, schnuddeliges Tischtuch auflegen. Oder Staub und tote Fliegen in den Ecken liegen lassen. Erich Boysens feine Torten, seine Sahne- und Konditorstücke wurden nur von Junggesellen, alten Witwen und Gebrechlichen gewürdigt, alle anderen kauften höchstens mal ein paar Berliner zu Silvester – und zu Weihnachten ihr *Kintjentüüch* natürlich, tütenweise. Andere Menschen aßen Spekulatius und Lebkuchen, die Brinkebüller brachen sich die Zähne lieber ab an ihrem *Kintjentüüch,* das wie ein alter Bimsstein schmeckte. Es war die schlimmste Zumutung, die es für einen Bäcker geben konnte: steinharte Plätzchen, nichts als Wasser, Zucker, Mehl und Butter, bisschen Hirschhornsalz und immer nur dieselben alten Formen: Adam, Eva, Schwein, Kuh, Schaf, Pferd, Hahn, Fisch, Segelschiff und Mühle. Boysens Vater hatte früher auch schon in der Backstube geflucht, wenn er mit seinen alten Ausstechformen rumhantieren musste. Keiner wusste, was das sollte, alle kauften es und legten es den Kindern auf die bunten Weihnachtsteller. Erich Boysen wollte gar nicht wissen, wie viel davon dann nach den Feiertagen weggeschmissen wurde, wahrscheinlich mästete halb Brinkebüll die Schweine mit dem Zeug.

Er überließ das *Kintjentüüch* den Lehrlingen, das schaffte jeder Dussel schon im ersten Jahr. Zum Verzieren – wenn man es so nennen wollte – kamen immer ein paar Kinder aus dem Dorf, die dann die Bimssteine mit roter Lebensmittelfarbe anpinselten. Sie durften zur Belohnung so viel Marzipan und Kuchen essen, wie sie wollten. Hinterher war alles voll mit roter Farbe, und die Backstube sah aus, als hätte man ein Schwein geschlachtet. Es nützte aber nichts, es musste alle Jahre wieder sein.

Das große Knusperhaus mit Eiszapfen aus Zuckerguss war Meister Boysens Ehrenrettung, die Wiedergutmachung für all das Schwarzbrot und das *Kintjentüüch,* genau wie seine Marzipankunstwerke, die er an späten Nachmittagen ganz allein in seiner stillen, aufgeräumten Backstube entwarf und formte, gleich nach Totensonntag fing er immer damit an. Er machte Pferde, Kälber, Schweine, Deutz- und Hanomag-Traktoren, VW-Käfer, mal die Brinkebüller Kirche, mal das Spritzenhaus der Feuerwehr und mal die Meierei, so klein wie eine Streichholzschachtel. Die Arbeitsstunden durfte man nicht rechnen, darum ging es ja auch nicht. Es ging darum, dass Erich Boysen mehr war als ein Schwarzbrotbäcker. Zur Weihnachtszeit war er Konditor, Zuckerbäcker, *meist so'n beten Künstler,* sagte Greta Boysen halb verlegen und halb stolz, wenn ihre Kunden dann im Laden standen und die Werke ihres Mannes zwischen *Kintjentüüch* und Blätterteigpasteten stehen sahen. In den ersten Jahren war ihr seine Knusperhaus- und Marzipanmarotte unheimlich gewesen, man wusste nicht, ob so was wieder wegging. Manchmal wurden solche Dinge mit der Zeit noch schlimmer, und am Ende stand man da, kein Brot mehr im Regal und einen Mann, der nur noch Zuckerzapfen drehte und an seinen Marzipanfiguren knetete. Es war bei Erich aber anders, Greta wusste mittlerweile, dass sie sich keine Sorgen machen musste. Die Künstlerphase ihres Mannes dauerte von Totensonntag bis Silvester, dann lief alles wieder ganz normal.

In diesem Jahr war Bäckermeister Boysen nicht der Einzige, der sich zur Weihnachtszeit veränderte, ganz Brinkebüll war anders. Für ein paar Tage schien es so, als hätte es die Baumaschinen nie gegeben, die Rangeleien um die neuen Felder, die Angst vor dem, was nach der Flurbereinigung wohl kommen mochte, die Trauer um die alten Stücke Land. Es flogen keine Stühle durch den Gasthof Feddersen, auch keine Schuhe mehr. Stattdessen: Brinkebüll im Schnee. Eskimos im Schulhof, Reetdächer unter Zuckerguss und eine Meierei aus Marzipan in Bäcker Boysens Schaufenster.

Die Tage blieben blau und still unter dem strengen Frost, und Heini Wischer holte nach dem Morgenmelken eines seiner Pferde aus dem Stall und ließ es auf der Hauskoppel ein bisschen traben. Es galoppierte nie, es war nur stark, nie schnell gewesen, und jetzt war es auch schon alt. Es musste sich erst an den Schnee gewöhnen, auch ans Traben, weil die Pferde nicht mehr oft nach draußen kamen. Meistens standen sie im Stall, Heini machte jetzt das meiste mit dem Hanomag. Er stand am Gatter, rauchte, und das Pferd kam auf ihn zu, sah ihn eine Weile an, dann senkte es den Kopf und schnupperte am Schnee. Es schnaubte, atmete tief aus und blieb dann bei ihm stehen wie ein gutmütiger Kollege, der zur Arbeit kam. Schleswiger Kaltblut, treu. »Denn kumm man.« Heini Wischer gab ihm ein Stück Zucker aus der Jackentasche. Dann spannte er das Pferd vor seine alte Schlittenkutsche, die seit Jahren eingestaubt und rostig in der Scheune stand. Ging ins Haus und holte seine Mutter. Trug sie, weil ihre Beine nicht mehr wollten, von der Haustür bis zur Kutsche, setzte sie vorsichtig ab, legte eine Decke über ihre Knie und fuhr dann mit der alten Käthe Wischer bimmelnd auf die

Dorfchaussee. Erst saß sie ernst und schweigend neben ihm, die Hände unter ihrer Decke. Dann winkte Dora Koopmann, stand an ihrer Ladentür und knickste wie für hohe Herrschaften, »moin, Käthe, wat sittst du dor fein!«

Zahnloses Lächeln unter ihrem Wollkopftuch, ein Winken mit der krummen Hand, und Käthe war auf einmal wieder fünfzehn, auf dem Weg zu ihrer Konfirmation. Heini kannte die Geschichte auswendig, das alte Lied, er summte es schon mit: In diesem Schlitten durch den tiefen Schnee zur Kirche, auf diesem Weg und unter diesen Bäumen, die im Frühjahr fallen würden, weil die Brinkebüller eine breite Straße brauchten. In dieser Kurve bei der Mühle mit dem Schlitten weggerutscht und alle in den Graben, »un dat gute Tüüch ganz natt vun Schnee!« Und dann in den nassen Kleidern konfirmiert und dann so krank geworden, fast gestorben, und der Herr Pastor schon am Krankenbett, das Vaterunser und zuletzt, die Eltern und Geschwister weinten schon, den Konfirmandenspruch von Käthe aufgesagt: *Gedenke an den Herrn in allen deinen Wegen, so wird er dich recht führen.* Die Augen aufgeschlagen und dann, am übernächsten Tag, kein Fieber mehr.

»Dat weer een Wunner.« Siebzig Jahre her. »Een Wunner weer dat.«

Die Mühlenflügel drehten sich nicht mehr, der Kirchturm war von einem Sturm zerstört und wieder aufgemauert worden. Das Pferd, das vor dem Schlitten trottete, hieß nicht mehr August, sondern Justus. Ansonsten hatte sich seit Käthe Wischers Auferstehung nicht sehr viel verändert. Nur dass kein Mensch mehr Kutsche fuhr, das auch.

Lehrer Steensen ließ die Schüler von den Bänken aufstehen und ans Fenster gehen, als das Gespann vorbeigebimmelt kam, er lief dann schnell mit seinem Fotoapparat heraus und machte noch ein Bild von ihnen, Käthe Wischer und Sohn Heinrich in der alten Schlittenkutsche. Für die Chronik.

Der Brinkebüller Mergelschacht fror zu, zum ersten Mal seit vielen Jahren, ein paar Kinder wagten sich aufs Eis, vergaßen alles, was die Eltern ihnen tagelang gepredigt hatten. Vergaßen auch *Das Büblein auf dem Eise,* das Lehrer Steensen extra noch mit ihnen durchgenommen hatte. Hier rein, da raus, sie schlichen in der Mittagsstunde hin. *Ich will es einmal wagen,* und es trug. Am Nachmittag kam Haye Nissen mit dem Schmiedehammer, schlug ein paarmal kräftig auf das Eis und horchte, ob es richtig dröhnte. Es klang gesund, es war auch dick genug, elf Zentimeter, Haye Nissen gab es frei.

Erst kamen nur die Kinder und die großen Jungen mit den Hockeyschlägern, brachten Besen mit und fegten Schnee vom Eis. Nach ein, zwei Tagen suchten auch ein paar Erwachsene die alten, stumpfen Schlittschuhe heraus und ließen sie von Haye Nissen in der Landmaschinenwerkstatt schleifen. Er schliff zuletzt noch seine eigenen und kam dann auch zum Eis. Sie drehten erst mal ein paar große, steifbeinige Runden, ein Handwerksmeister und ein Meierist, ein Kaufmann und zwei Bauern, mussten mit den Armen rudern, fielen trotzdem hin. Sie fuhren ineinander, weil sie nicht mehr richtig wussten, wie das Bremsen ging. Die Jungen lachten über diesen Trupp von alten Herren, die in museumsreifen Schlittschuhen über das Eis stolperten, Jakob Meierist hatte seine noch mit Weckringen befestigt, die er sich über seine Schuhe stülpte. Ein bisschen später lachte keiner mehr, die Jungen wurden weggerempelt, umgeholzt, mit morschen Hockeyschlägern aus dem Weg geräumt. Die alten Herren machten auf dem Eis keine Gefangenen, sie schubsten, drängelten, sie droschen gnadenlos mit ihren Schlägern, wie die Fünfzehnjährigen, sie fühlten sich auch so. Der Winter machte es mit ihnen. Ließ sie Dinge tun, die man als Junge tat.

Kalli Martensen bekam von Paule Bahnsen einen Schneeball an den Kopf, als sie am Sonntag nach dem Frühschoppen im Gasthof Feddersen zu ihren Autos gingen. Der nächste Schneeball kam von Sönke Feddersen, und er verfehlte Paule Bahnsen nur ganz knapp. Die Stammtischrunde löste sich gerade auf, es war halb eins, zu Hause warteten die Frauen mit dem Mittagessen. Es nützte aber nichts, sie mussten das hier erst mal regeln. Paule Bahnsen, groß und breit, nahm Sönke in den Schwitzkasten und seifte sein Gesicht mit Schnee ein. »Kumm, Kröger, eenmol richtig waschen!«, dann stopfte er ihm händeweise Schnee unter das Hemd, und auf dem Parkplatz flogen schon von allen Seiten die Geschosse. Keine Schonung für die Sonntagshemden und die guten Hosen, sie bewarfen sich mit Schnee und suchten Deckung zwischen den geparkten Autos. Ehemänner, junge Väter, alte Junggesellen, alle halbstark. Es war der Winter, auch der Schnaps.

Pastor Ahlers hörte das Gejohle und Geschrei bis in sein Arbeitszimmer. Er war nicht glücklich über diese Ruhestörung im Advent. Es klang, als wenn sie eines ihrer wüsten Feste feierten, am Ende gab es meistens Prügeleien. Früher oder später gingen sie dann mit den Fäusten aufeinander los, bis einer einen Zahn ausspuckte oder aus der Nase blutete, und dann war Schluss. Der Schläger half dem Angeschlagenen auf, und alle tranken friedlich weiter. Man mischte sich als Pastor nicht in solche Dinge ein, man staunte leise über Gottes bunten Tierpark, maßte sich kein Urteil an. Es gab doch aber Grenzen. Remmidemmi im Advent! Ahlers sagte seiner Frau Bescheid, dann zog er Hut und Mantel an und wanderte in Richtung Gastwirtschaft. Oft half es schon, mit ernstem Blick vorbeizugehen, man musste gar nichts sagen, nur streng gucken und ein bisschen lauter denken: *Sich im Gottesdienst nicht blicken lassen – aber dann betrunken vor der Kneipe randalieren! Am letzten Sonntag im Advent!* Pastor Ahlers war geübt im lauten Denken, aber diesmal half es nicht. Er sah den Schneeball noch, der auf ihn zugeflogen kam, war aber viel zu überrascht, um sich noch rechtzeitig zu ducken. Thies Hamke hatte gut gezielt, Volltreffer, er erschrak dann selbst, als er den Pastor auf der Straße sitzen sah, im Schnee, entgeistert seinem schwarzen Hut nachblickend, der in den Straßengraben segelte. Wie ein ertappter Konfirmand ließ Hamke seine Hände sinken, lief zu Ahlers, half ihm auf und klopfte ihm den Schnee von Hut und Mantel. Sie luden ihn dann ein zu einem Grog im Gasthof Feddersen, Thies Hamke sollte zahlen.

Als Sönke sie an seinen Tischen sitzen sah, die Hände rotgefroren, Matsch an ihren Schuhen, aufgekratzt von ihrer Schneeballschlacht, stellte er fest, dass dies der Zeitpunkt war, auf den er eine Woche lang gewartet hatte. Es war schon höchste Zeit. Er rollte seine Ärmel hoch, ging hinter seinen Tresen, stellte Groggläser auf ein Tablett. Dann rief er, etwas lauter als geplant und etwas heiserer: »Nu will ik erst mol een utgeven op min Enkelkind!« Kontrollierte Sprengung. Er zündete die Bombe selbst. Er wollte nicht Karnickel sein, im Zickzack durch das Dorf getrieben, auch nicht das arme Schwein. Schmiss ihnen die Geschichte vor die Füße, Flucht nach vorn, sie sollten ihn nicht damit überrumpeln.

»To Ostern krieg ik hier een lüttje Kröger!« Er brüllte fast und lief, bevor die anderen etwas sagen konnten, in die Küche, um das Wasser aufzusetzen für den Grog. Lehnte sich kurz an den Herd, die Hände auf den Knien, und atmete ein paarmal ein und aus. Dann ging er in die Gaststube zurück, bereit für seine Ladung Teer und Federn.

Und sie kam auch: Rippenstoßen, schadenfrohes Schulterklopfen und Gelächter, hämische Gratulationen. Witze, die er alle kannte. Mitlachen war das Einzige, was man noch machen konnte. *Lach mi doot.* Noch lauter als die anderen! *Ik lach mi weg.* Die schlimmsten Sprüche riss er noch schnell selbst, bevor es jemand anders tat. »Nu söök ik noch een Schwiegersöhn! Tiet löpt! Freiwillige vor!« So laut, dass seine Stimme sich fast überschlug.

Aus den Augenwinkeln sah er Pastor Ahlers, der in seinem Grogglas rührte, lange. Dann schweigend trank, dann wieder rührte, trank und rührte, ohne einmal aufzusehen von seinem Glas. Als es leer war, schob er langsam seinen Stuhl zurück, dann stand er auf und hob zum Abschied kurz die Hand. Sönke folgte ihm bis an die Garderobe, half ihm in den Mantel, reichte ihm den Hut. Ahlers sah ihn an, hielt seinen Blick, er war sehr weitsichtig, die Brille machte seine Augen größer. Er sah immer so aus, als wäre er erstaunt. Man hörte durch die Tür das dröhnende Gelächter aus der Gaststube. Pastor Ahlers drückte Sönke Feddersen die Hand, sehr fest, wie er es sonntags nach den Gottesdiensten tat, wenn er das kleine Grüppchen Kirchgänger verabschiedete. Die Hand von Sönke Feddersen war nie dabei gewesen, jetzt hielt er sie, hielt auch den Blick noch lange, nickte langsam, sagte aber nichts, er dachte einfach etwas lauter. Dann ließ er Sönkes Hand auf einmal los und drehte sich zur Tür, murmelte »Gesegnete Weihnachten«, bevor er in den stillen Sonntagnachmittag hinaustrat.

Der Schankraum war von Zigarettenrauch vernebelt, aus der Musikbox schluchzte Freddy Quinn, und Hanni Thomsen stand daneben, schwankte wie auf hoher See und sang aus vollem Halse mit, *ich mach mir Sorgen, Sorgen um dich*. Er weinte immer, wenn er an die Stelle mit der Mutter kam. Sönke leerte ein paar Aschenbecher aus und sammelte die Gläser von den Tischen, stellte neue hin, warf eine Schachtel Streichhölzer zu Haye Nissen, der sich schon wieder eine Zigarette aus der Packung klopfte, dabei lagen schon zwei angerauchte neben ihm im Aschenbecher. Er posaunte ständig neue Namen in den Raum, schlug Carsten Leidig vor als Schwiegersohn, »jüst so plemplem as Marret!«, oder Hanni Thomsen, »grote Kavalier! Mit Mofa! Un singen kann he uk noch!«

Sönke hörte nicht mehr hin, er ging zu Erich Boysen, der schon schlafend auf dem Stuhl hing, hob die Prinz-Heinrich-Mütze auf, die ihm vom Kopf gefallen war, und setzte sie ihm wieder auf, verkehrt herum, was Erich nicht bemerken würde. Aber Greta würde es schon aus dem Küchenfenster sehen, wenn er nach Hause kam, dann wusste sie schon gleich Bescheid. Sie konnte sich immer so ärgern, wenn ihr Mann am Sonntag *hackeduun* vom Frühschoppen gestolpert kam, sie ließ ihn manchmal gar nicht rein. Er ging dann hinten in die Backstube und klappte seinen Knettisch hoch, darunter war die große Wanne für das Mehl, da schlief man auch ganz gut.

Die Tür zur Gaststube ging langsam auf, ein kleiner Junge streckte seinen Kopf herein, kam zögernd näher, bis er seinen Vater sah.

»Na, wer kummt dor denn«, rief Thies Hamke, rückte seinen Stuhl zurück und breitete die Arme aus.

Der Junge lief schnell zu ihm, kletterte auf seinen Schoß und flüsterte ihm etwas in sein Ohr.

»Oha«, sagte Thies Hamke grinsend, »Mama het al schimpt. Denn schall ik wull nödig tohuus kamen, wa?«

Der Kleine nickte, Thies nahm ihm seine Pudelmütze ab, und Sönke holte aus der Kiste unter seinem Tresen eine kleine Flasche Brause, hielt sie hoch und sagte: »Na, Marten, kannst du een Gedicht opseggen? Denn giff ik di een ut.«

Der Kleine sah ihn an, verlegen, große Zahnlücke, er lehnte sich an seinen Vater, flüsterte ihm wieder etwas zu.

»Gedicht is schlecht«, sagte Thies Hamke, »dörf he uk wat singen?«

Sönke wiegte seinen Kopf. »Wat kann he denn?«

Der Junge zeigte zur Musikbox, wo Freddy Quinn gerade seinen letzten Ton gesungen hatte, »dat kann ik.« Er sah fragend seinen Vater an, Thies Hamke nickte.

»Denn laat mol hören«, sagte Sönke und stellte seine Brauseflasche erst mal auf die Theke.

Der Junge kletterte vom Schoß und stellte sich dicht neben seinen Vater, hielt sich mit einer Hand an seinem Ärmel fest, dann fing er vorsichtig zu singen an.

Junge, komm bald wieder, sang Marten Hamke, viereinhalb, ein bisschen wackelig, und guckte dabei konzentriert auf seine Füße, traf aber alle Töne, kannte alle Strophen. Er lispelte sich tapfer durch die Stelle mit den Sorgen, dann auch noch durch die Stelle mit der Mutter. Hanni Thomsen lag schon mit den Armen auf dem Tisch und weinte. *Nie wieder hinaus,* sang Hamkes Jüngster leise, sah erleichtert seinen Vater an und flüchtete schnell wieder auf den Schoß. Thies Hamke fuhr ihm mit der Hand durchs Haar, das dicht und weiß war wie ein Lammfell.

Sönke Feddersen gab ihm die Brause, »feine Jung«.

Er hatte einen guten Zeitpunkt abgepasst, es hätte nicht viel besser laufen können. Die meisten, die hier jetzt noch saßen, waren amtlich abgefüllt. Sie würden gleich nach Hause schwanken, noch ein bisschen im verkochten Sonntagsessen stochern und dann schnarchend auf dem Sofa liegen, bis es Zeit zum Melken war, anschließend gleich ins Bett. Sie würden morgen nicht mehr sehr viel wissen von den Frühschoppengesprächen, Pastor Ahlers ausgenommen.

Drei Tage noch bis Weihnachten und Brinkebüll in Schnee gepackt, er hoffte, dass der klare Frost bis zu den Feiertagen halten würde. Und dass der Bauch von Marret in diesen stillen, blauen Tagen irgendwie verschwinden möge. Aus ihren Köpfen, aus den Dorfgesprächen weggeblendet, unter Schnee verborgen. Der Winter half vielleicht. Ein bisschen kalten Schorf für Sönke Feddersen, der blutete, und einen Mullverband um seine rohe Haut, bevor sie einen neuen Namen für ihn hatten. Den er dann tragen würde wie ein Muttermal, an einer Stelle, die er selbst nicht sehen konnte, irgendwo am Rücken. Noch aber nicht.

Es war schon fast halb drei, als der Adventsfrühschoppen endete, die Letzten hatten Mühe aufzustehen, sie lösten sich nur schwer von ihren Tischen, schrappten mit den Stühlen über Sönkes Eichenboden. Haye Nissen riss noch ein Adventsgesteck vom Tisch und merkte es nicht einmal. Sönke weckte Erich Boysen mit dem nassen Küchentuch, und Haye Nissen nahm ihn mit, lag auf dem Weg, sie schoben Arm in

Arm die Dorfchaussee entlang. Die Straße war nicht breit genug, sie würden eine Weile unterwegs sein. Sönke glaubte nicht, dass Greta ihren Mann in diesem Zustand nehmen würde, er würde wohl unter dem Knettisch liegen müssen.

Er sammelte die Gläser ein und spülte sie. Es war plötzlich so still, er ging zur Wurlitzer, warf eine Mark ein, und dann hörte er noch einmal Freddy Quinn.

Marret war noch nicht zurück, sie würden sie vor Neujahr nicht entlassen aus dem Krankenhaus. Ihre Füße heilten langsam, komplizierte Brüche, und das andere musste man beobachten. Herztöne, Kindsbewegungen, er war sehr froh, dass sie noch eine Weile weg sein würde.

Was Ella dachte, sagte sie ihm nicht, sie war noch schweigsamer als sonst. Er fragte sie auch nicht. Es fiel in einem Gasthof gar nicht auf, wenn Eheleute wenig miteinander sprachen, sie merkten es nicht einmal selbst, man war ja nie allein. Und man bekam sich manchmal tagelang kaum zu Gesicht. Er blieb immer so lange wach, bis irgendwann der letzte Gast nach Hause stolperte, und Ella stand früh auf und ging mit Marret in den Stall. Noch früher jetzt, weil sie alleine melken musste. Nach großen Festen fand sie ihn manchmal schlafend auf der Eckbank in der Küche, gestrandet mit den üblichen Verdächtigen, die nach dem Feiern nie nach Hause finden konnten: Junggesellen, harte Trinker, Ehemänner, die zu Hause nichts zu lachen hatten. So was gab es auch. Er leerte noch die Aschenbecher, wischte alle Tische ab, dann legte er sich auf die Küchenbank.

Der stille Frost hielt an bis Heiligabend. Am Nachmittag, als schon die Sonne sank und auf dem Mergelschacht kein Kind mehr war, ging Ella Feddersen die Dorfchaussee entlang,

Schlittschuhe über ihrer Schulter, bog dann ab in Richtung Westerende. Sie traf auf den verschneiten Wegen niemanden, in manchen Stuben wurden schon die Kerzen angezündet, und aus der Kirche hörte man, ein bisschen heiser und verstimmt, die Orgel und das Singen der Gemeinde. *Es ist ein Ros entsprungen.* Ahlers musste heute nicht vor leeren Bänken predigen, zu Weihnachten war Brinkebüll ein bisschen frommer. Die kahlen Bäume standen schwarz wie Scherenschnitte vor dem Abendhimmel, Eiszapfen hingen an den schneebedeckten Dächern. Das Dorf stand still, wie feingemacht, als stünde es Modell für einen Maler oder Fotografen. Das alte Brinkebüll, ein Bild zum Andenken.

In ihrem langen grünen Mantel, ohne Mütze, ohne Schal, ging Ella Feddersen zum Mergelschacht, sie setzte sich auf eine alte Kiste, die die Kinder sich als Bank hierhergeschoben hatten, zog sich dic Schlittschuhstiefel an und fuhr dann vorsichtig die kleine Böschung hinunter. Lief immer geradeaus, bis sie zur Mitte kam, vom Ufer weit entfernt, bis nur noch ihre Silhouette zu erkennen war. Eine große, aufrechte Gestalt, die jetzt begann, in weiten Bögen übers Eis zu gleiten. Ruhig und sicher zog sie ihre Kreise, in der Dämmerung sah es wie ein Schweben aus, sie drehte sich zu einer Melodie, die nur sie selber hörte. Es war sehr still im Dorf, ein Hofhund bellte tief und monoton, er schien zu wissen, dass es zwecklos war, es würde niemand kommen, um ihn loszubinden. Er bellte trotzdem weiter. Ein schmaler Mond am Himmel, nur ein Silberdraht.

Sie sah den Wanderer, als sie kurz stehenblieb, um ihre Stiefel nachzuschnüren. Eine hagere Gestalt mit beiden Händen in den Manteltaschen, sie wusste gleich, dass er es war.

Er hatte wohl schon eine Weile dort gestanden. Tat, was er immer tat, an jedem Tag, zu jeder Jahreszeit. Ging durch die Feldmark, drehte seine Runden um das Dorf, den Blick gesenkt, auch wenn er auf verschneiten Koppeln gar nichts finden konnte. Steensen auf den Feldern, unverrückbarer als seine Findlinge, die von den Baumaschinen weggeschoben worden waren. Jetzt stand er regungslos am Rand des Mergelschachts, er hatte ihre Kufen auf dem Eis gehört. Gleich gewusst, dass sie es war. Sie standen still, weiß atmend, bis er seine Hand hob und sie oben ließ, ein paar Sekunden lang. Dann drehte er sich um und ging mit schnellen Schritten weiter, seinen Blick gesenkt.

Sönke war schon bei den Kühen, als sie kam, sie zog sich um und ging dann in den Stall. Sie waren eingespielt beim Melken, die paar Stücke Vieh, sie brauchten dafür keine Stunde. Dann setzten sie sich an den Küchentisch und aßen Suppe, aufgewärmt, von Wischers Silberhochzeit übrig. Kein Weihnachtsbaum, auch kein Geschenk und keine frommen Lieder, lange schon nicht mehr. Sie taten so, als wäre es ein Tag wie jeder andere, er war aber zu still. Es war der eine Tag im Jahr, an dem die Gastwirtschaft geschlossen hatte, und jetzt war nicht mal Marret da. Sie wussten nicht mehr, wie das ging, zu zweit an einem Tisch. Sie wussten nicht, wohin mit sich, sie konnten ja nicht sprechen.

»Laat uns man een Stück danzen«, sagte er, als sie die Teller spülen wollte, und sie schoben in der Gaststube die Tische aus dem Weg. Dann ging er zur Musikbox, warf ein Markstück ein und wählte Schneewalzer. »Mi dünkt, dat passt.«

Sie waren gute Walzertänzer, immer schon gewesen. Bei jedem Fest, wenn sie zum Ehrentanz gebeten wurden, sah man es, *een schmucke Poor.* Sie wussten es sogar, sie spürten es dann selbst. Nur dann. Als wäre die Musik ihre Gebrauchsanweisung füreinander, die ihnen sagte, was sie machen mussten: an den Händen fassen, sich beim Drehen halten, in den Armen wiegen, die Gesichter aneinanderlegen. Auch mal lächeln. In die Augen sehen ab und zu. Sie schienen die Musik zu brauchen, um ein Paar zu sein, sie war ein Seil, das sie zusammenhielt. Langsamer Walzer hielt am besten.

Sönke ging noch einmal zur Musikbox, wählte Heidi Brühl. *Wir wollen niemals auseinandergehn, wir wollen immer zueinander stehn* … Sie tanzten, hielten sich so wie ein Paar und waren trotzdem froh, als wenig später Hanni Thomsen an die Fensterscheibe klopfte. Halb betrunken und so einsam, dass er Heiligabend mit dem Mofa in die Kneipe fahren musste, weil er es allein nicht aushielt.

9
Love is a Stranger

Kaltes Wasser, keine Seife. Einfach mit dem Kopf unter den Hahn, ein paar Sekunden laufen lassen und mit beiden Händen kräftig das Gesicht abreiben, auch den Nacken. Wasser aus, dann alles mit dem harten Handtuch trockenschrubben. Er machte es noch immer so wie früher unter seiner Wasserpumpe, als stünde er mit nacktem Oberkörper auf dem Hof. Seit fünfzig Jahren wusch sich Sönke Feddersen jetzt schon im Badezimmer, und noch immer tat er so, als gäbe es kein warmes Wasser. Ein- oder zweimal in der Woche überwand er sich sogar zum Duschen, aber warmes Wasser brauchte er auch dafür nicht. Er duschte kalt, er war kein Heuler.

Der Boden vor dem Waschbecken sah immer aus, als hätte sich ein nasser Hund geschüttelt. Jeden Morgen setzte er das Badezimmer unter Wasser, weil er sich wusch, als ob er unter einer Pumpe stünde, *as sik dat hört,* er schlurfte in Pantoffeln durch die Pfütze, durch den Flur zum Schlafzimmer zurück, und jeden Morgen wischte Ingwer ihm dann hinterher. Half ihm in die Ärmel seines Hemdes, durfte selten bei den Knöpfen helfen, manchmal bei den Strümpfen, holte ihm noch Hose und Pullover aus dem Schrank, bevor er in die Küche ging und Frühstück machte.

Ella saß dann meistens schon am Tisch, gewaschen und gekämmt vom Pflegedienst, der jeden Morgen kam, Tatiana oder Helga. Ella konnte sie nicht auseinanderhalten, nannte sie *de Deern* und manchmal *Marret,* je nach Tagesform. Während Ingwer Brot schnitt, Kaffee aufgoss, Butter aus dem Kühlschrank holte, Eier kochte, grub Ella beide Hände in die Schüssel mit den angewärmten Reiskörnern, die auf ihrem Schoß stand. Tipp von Helga, eine gute Übung für die steifen Rheumafinger, und Ella war beschäftigt, musste nicht mit leeren Händen sitzen. Es ging ihr besser, wenn sie irgendetwas kneten, rühren, schälen, bürsten konnte. Spülen war am besten. Ingwer hatte unzerbrechliches Geschirr gekauft, sie aßen jetzt von Tellern aus stabilem Plastik, tranken ihren Kaffee aus Emaillebechern. Nur für Sönke stellte er noch jeden Morgen die geblümte Tasse und die Untertasse auf den Tisch, weil er sich weigerte, aus einem Blechbecher zu trinken, *as bi de Kommiss!* Ingwer brachte sie dann nach dem Frühstück kurz in Sicherheit, und Ella konnte ihren Abwasch machen, ohne dass es Scherben gab. Er band ihr die Schürze um, ließ Wasser in die Spüle, schob ihr den Stuhl ans Becken, und dann machte sie sich an die Arbeit. Schöpfte eine Zeit lang warmes Seifenwasser von dem einen Becher in den anderen. Rührte mit der Spülbürste im Becken, große Achten, formte mit den Händen Seifenschaum zu Klößen oder Schiffen, die sie schwimmen ließ. Drückte Wasser aus dem Schwamm und ließ es regnen über Schaumschiffen und havarierten Tellern, immer wieder, große Sintflut.

Nach dem Abwasch stand die Küche unter Wasser, Ingwer wischte es dann auf und spülte fertig, wenn sie ihren Hundefilm sah. Er fühlte sich hier manchmal wie im Kindergarten, alles nassgekleckert und zwei Bockige am Küchentisch, die jeden Morgen irgendwas zu meckern hatten, Kaffee viel zu stark, zu dünn, zu heiß, zu kalt, Honig viel zu fest, zu flüssig.

Viel zu süß, das war das Neueste, plötzlich war der Honig viel zu süß! Derselbe Rapshonig jahrein, jahraus, *as Knüppel op de Kopp,* auf einmal. *Hä!* Und Ella krächzte es dann nach, *as Knüppel op de Kopp!* Ganz großer Spaß. Ein schleifendes, geröcheltes Gelächter.

Manchmal war er so genervt, dass er sich seinen Kaffeebecher schnappte und erst mal draußen eine rauchte. Es ging dann auch schnell wieder, meistens musste er selbst lachen hinterher. Er fühlte sich ganz gut hier mit den beiden Alten, besser als die letzten Monate in Kiel. Es lief. Falls es mit der Karriere als Erschrecker in der Geisterbahn nichts werden sollte, könnte er nach seinem Sabbatjahr auch immer noch zum Altenpfleger umschulen. Er stellte sich kurz das Gesicht von Dahlmann vor, sein klemmiges, nervöses Grinsen. Dahlmann, Klingenschmied. Im Fell am Amboss, dankeschön. Dann dreimal lieber seine schwer erziehbaren Senioren daran hindern, ihre Küche und ihr Bad zu fluten. Es machte ihm tatsächlich nicht viel aus, die ganze Wischerei, das Kochen, Waschen, Einkaufen, das Hüten dieser beiden Alten und das Hüten ihres abgeschrammten Gasthofs, kein Problem.

Das andere auch nicht. Ella umzuziehen, wenn sie sich an der Spüle nassgepütschert hatte, ihr Haar zu waschen, das wie eine Handvoll Daunen war, sie zur Toilette zu begleiten, alles halb so schlimm. Er hatte keine Angst vor alten Körpern, nie gehabt. Er hatte Moorleichen studiert, ihr Haar berührt, die schwarze Haut, er wusste, wie ein Mensch aussah, wenn er zweitausend Jahre unter Torf gelegen hatte. Nichts daran hatte ihn geschreckt.

Es war zwar schwieriger, die zu berühren, die noch lebten, Greise, die zerfielen, Wundgelegene und Sterbende, aber selbst das war ihm nie richtig schwergefallen. Nach zwanzig Monaten Zivildienst im Seniorenheim schon gar nicht mehr. Man durfte sie nicht merken lassen, was man dachte. Was man fühlte. Was man roch. Dass man an manchen Tagen aus dem Zimmer rennen wollte, wenn man die ausgezehrten Körper sah. Wie kleine Knochenbündel, die in alten Reisetaschen lagen. Dass man sich manchmal übergeben wollte, wenn man die Windeln oder Unterlagen wechseln musste. Es war das Erste, was er als Zivildienstleistender gelernt hatte: So flach und lautlos durch den Mund zu atmen, dass die Patienten davon gar nichts mitbekamen. Chefpfleger Peter hatte ihm das beigebracht, *Katheter-Peter,* Dienstältester auf der Station. Er hatte sich die Namen der Patienten nie gemerkt, er nannte sie nur *Mudder* oder *Vadder,* duzte jeden, auch die Angehörigen, sogar den Oberarzt. Wenn er die alten Leute mit Katheterschläuchen und Kanülen quälen musste, saß er hinterher an ihrem Bett und teilte sich mit ihnen eine Zigarette oder einen Schluck aus seinem Flachmann, wie nach einer Schlacht. Er lüftete dann schnell mal durch, bevor Visite kam. Für Peter waren alle Zivis *Schwestern,* langhaarige *Schnullis,* die er sich nach und nach zurechtbog, bis sie passten. Als Erstes lernten sie von ihm Benimm: Anklopfen, bevor man in die Krankenzimmer ging, und immer laut und freundlich grüßen. Morgens immer schön das Fieberthermometer mit der Hand vorwärmen, nach dem Waschen einen Spritzer Kölnisch Wasser für die Damen, für die Herren ein paar Tropfen Irisch Moos. Und über allen Regeln stand das oberste Gebot: Du sollst nicht dein Gesicht verziehen! Egal, wie schlimm es aussah unter einer Decke, egal, wie abgenervt man war von dem verwirrten Dauerklingeln einer Neunzigjährigen. Egal, wie schlimm es manchmal roch bei den Inkontinenzpatienten. Freundlich atmen durch den Mund und dann das Fenster öffnen – und zwar NICHT wie ein Erstickender in einem Katastrophenfilm! Ganz ruhig, wie im Vorübergehen. Und wenn die *Schnullis* würgen mussten, rissen sie sich *bitteschön* zusammen bis zum Flur.

In diesem letzten Punkt war *Schwester* Feddersen den anderen Zivis weit voraus gewesen. Wer regelmäßig die Toiletten eines gut besuchten Landgasthofs gesäubert hatte, war, was Gerüche anging, nicht mehr zu beeindrucken. Es gab nichts Schlimmeres als einen Säuferschiss.

In anderen Punkten war er ahnungsloser als die anderen, er hatte erst nach Monaten kapiert, warum sich alle Zivis um die Nachtschicht mit Katheter-Peter rissen. Nach dem Abendessen ging Chefpfleger Peter immer kurz durch alle Krankenzimmer, gab seinen alten Leuten *einen kleinen Gruß vom Sandmann,* wünschte ihnen schöne Träume. Trank dann in der Küche einen Kaffee mit dem Zivi, und sobald es ruhig war auf Station, ließ er die Schnulli-Schwester übernehmen, während er nach unten fuhr, zum überdachten Innenhof, wo er in Blumenkästen Gras anbaute. Nachtschicht war Erntezeit, und alle sechs bis sieben Wochen konnten die Zivildienstleistenden im Schwesternzimmer alles lernen, was es über Hanfverarbeitung zu wissen gab. Bevor die Frühschicht kam, wurde gut durchgelüftet, Peter ging dann kurz zum Parkplatz und verstaute zwei Katheterzubehörkartons in seinem Kofferraum, in einem waren seine Blüten und im anderen die Stängel. Man lernte eine Menge in der Nachtschicht, und Chefpfleger Peter wusste Diskretion zu schätzen. Schnulli-Schwestern konnten kiffen, bis der Arzt kam.

Er hatte lange nicht mehr an die Zivizeit gedacht, sie schien ihm so weit weg zu sein, er konnte sich nur schwach erinnern an die zwanzig Monate im Flensburger Seniorenheim. Er wollte es auch nicht. Ein altes, ätzendes Gemisch aus Schuld und Scham kam wieder hoch, sobald er sich erinnerte. Es brannte schon in ihm, seit er ein Junge war, wie Jod, das man auf eine wunde Stelle tat, es heilte aber nicht, es brannte nur. Er hatte sich daran gewöhnt, die Stellen, die empfindlich waren, abzudecken, einzuwickeln. Sie waren da, er ließ das Jod aber nicht ran. An Sönkes *Hä!* zum Beispiel, ausgespuckt, als hätte er auf etwas Widerwärtiges, Verdorbenes gebissen. *Hä! Op de hoge School!* An den Kartoffelroder und an Gönke Boysen neben ihm, an seine langen Haare, an den Parka und das Palästinensertuch, an das *Spiegel*-Abo. An Neil Young – und an die Doors, das *Light my Fire*-Intro auf der Brinkebüller Kirchenorgel. An die Brokdorf-Demos, an die Abifeier und an die Gewissensprüfung. An die zweite, weil er bei der ersten durchgefallen war. An das Kiffen mit Katheter-Peter. An das Einführungsseminar der Ur- und Frühgeschichtler. An Sönkes *Gruß an Kiel,* den er ihm jeden Sonntagabend hinterhergeblasen hatte. Tenorhornsolo vor der Kneipentür, weil der Herr Feddersen, der feine Herr mit Abitur, nach seinem Wochenende wieder losfuhr zu den anderen *Studierern.*

Angefangen hatte es viel früher, mit den Haaren, schon im dritten oder vierten Schuljahr. Als er wieder auf den Schemel sollte vor dem Stall und es auf einmal nicht mehr wollte. Nicht mehr diesen Haarschnitt, den in Brinkebüll fast alle Männer trugen, weil Sönke Feddersen nur diesen einen konnte. *Ural-Façon,* gelernt und bis zur Perfektion geübt im Kriegsgefangenenlager von Magnitogorsk. Bevor man extra in die Stadt fuhr zum Friseur, ließ man sich schnell von Sönke Kröger auf dem Schemel einen Messerschnitt verpassen, man konnte dann ja gleich noch einen trinken. Den Männern machte es nichts aus, mit einem ausrasierten Nacken durch das Dorf zu gehen, die Haare kurz wie ein Gefangener, man sah sie ohnehin nur selten ohne ihre Mützen. Halb so wichtig. Hauptsache, nicht zu lang. Aber keiner von den Jungen lief so rum, geschoren wie ein Häftling, nicht mal Heiko Ketelsen, dem seine Mutter manchmal seine Haare mit der Nagelschere schnitt, wenn sie die andere in der Unordnung nicht finden konnte.

Aufgestanden, weggerannt, es war sein erster Akt von Fahnenflucht gewesen, der erste Fall von Hochverrat an Sönke Feddersen. Er hatte eine Woche nicht mit ihm gesprochen. Durch ihn hindurchgesehen, wie Marret, nur mit Absicht. Sehr empfindlich, diese Stelle, Ingwer hatte sie gut eingepackt, damit das ätzende Gemisch aus Schuld und Scham nicht daran fressen konnte. Fast vergessen.

An schlechten Tagen schaffte Sönke es jetzt nicht mehr mit der kalten Pumpen-Wäsche, sein Rücken war zu steif, er kam nicht mit dem Kopf unter den Hahn. Am Morgen nach dem Line-Dance-Training schob er sich mit dem Rollator in die Küche, noch im Schlafanzug, als Ingwer schon das Brot schnitt, viel zu dick vermutlich. Oder viel zu dünn, man wusste nie.

»Kumm mol un help mi.« Er bekam den Wasserhahn im Bad nicht auf, er fluchte. »Wat vun Dussel hett de fastdreiht?«

Ingwer ging mit ihm ins Badezimmer, drehte ihm das Wasser auf und sah, dass Sönkes Beine zitterten. Er stützte sich mit beiden Händen auf das Becken, ächzte leise.

Ingwer arretierte den Rollator. Dann drehte er das Wasser wieder ab. »Sett di mol hen«, sagte er. Ging zum Flurschrank, holte Waschlappen, zwei frische Handtücher, dann ließ er Wasser in das Becken, prüfte mit der Hand die Temperatur. Als er es warm genug fand, tauchte er den Waschlappen ins Becken. »So. Ogen to.«

Sönke schloss die Augen, kniff sie fest zusammen, während Ingwer ihm mit warmem Wasser und Lavendelseife das Gesicht wusch. Dann den Nacken, dann den Hals. Er verzog ein paarmal seinen Mund und runzelte die Stirn, wahrscheinlich passte ihm das alles nicht, das warme Wasser, Ellas Seife. Er zog den Kopf aber nicht weg, er saß stocksteif auf dem Rollator, seine Augen blieben zu.

»Nu wasch ik noch din Kopp«, sagte Ingwer, bevor er ihm den Hinterkopf abseifte, der fast kahl war. Sönkes Schädel unter seinen Händen.

»Nu noch din Ohren.«

Es war sehr still, man hörte nur das Wasser und das Atmen eines alten Mannes. Ingwer nahm ein Handtuch von der Heizung, um ihn abzutrocknen. Sönke zerrte es ihm aus der Hand. »Dat kann ik wull jüst noch alleen.«

Ingwer spülte den Waschlappen aus, nahm neue Seife, wartete, bis Sönke mit dem Handtuch fertig war. »So, kann dat wiedergahn?« Er wollte ihm das Oberteil seines Pyjamas ausziehen, kam aber nicht weit, weil Sönke seinen Ellenbogen ausfuhr. Er zitterte, es war kein guter Tag für ihn. Er knöpfte sich den Schlafanzug alleine auf, die Hände flatterten, es würde dauern.

Ingwer ging kurz in die Küche, um zu sehen, was Ella machte. Sie schmierte sich schon mal ein Honigbrot, nur ohne Brot. Bestrich den Teller, Butter war schon drauf, jetzt kam der Honig, eine Weile würde sie wohl noch beschäftigt sein.

Als er ins Bad zurückkam, hockte Sönke schon mit freiem Oberkörper vor dem Becken. Wasser lief, der Waschlappen lag auf dem Boden, und er schöpfte sich mit beiden Händen kaltes Wasser über seine Schultern, er versuchte es zumindest. Ließ sie sinken, als er Ingwer kommen sah, es wurde heute nichts. Zu tatterig.

Sie machten weiter, wie sie angefangen hatten. »Nu wasch ik din Rügg.« Bei der Körperpflege den Patienten immer einbeziehen! Jeden Arbeitsschritt ankündigen! »Nu wasch ik din Buuk.« Er machte es, wie von Katheter-Peter damals eingeimpft. Nicht merken lassen, was man dachte. Dass einem elend war vor Scham. Dass man vor Mitleid heulen wollte. »Nu wasch ik di dat annere.« Als wäre das in Ordnung, ganz normal. Ein nackter alter Mann, der Pflege brauchte, das war alles. *Ganzkörperwäsche am Waschbecken. Große Grundpflege. Versorgung eines Menschen, der vorübergehend oder dauerhaft nicht seine alltäglichen Grundverrichtungen bewältigen kann.*

Ingwer lief der Schweiß den Rücken runter, er fühlte, wie das Hemd an seinen Schultern klebte. Das Wasser plätscherte im Becken, wenn er das Tuch auswrang, ihm war, als hörte er den Seifenschaum, das Platzen kleiner Blasen.

Sönke Feddersen saß steif auf dem Rollator, Augen zu, er atmete sehr flach und schnell, ein alter Hase, der in einem Graben saß. Riss das Handtuch an sich, als sie fertig waren, trocknete sich ab, so weit er kam, und schob ins Schlafzimmer, wo er sich helfen lassen musste mit der Unterwäsche, mit den Knöpfen, Strümpfen, mit der Hose, alles ohne Worte.

Dann ging er in die Küche, während Ingwer kurz den Badezimmerboden wischte. Ella malte jetzt mit ihrem Zeigefinger auf dem Honigteller, Sönke sah ihr zu und schüttelte den Kopf, hielt Ingwer seine Tasse hin und ließ sich Kaffee geben. Dann nahm er eine Scheibe Brot und hielt sie hoch. »Wat vun Dussel schnitt das Brot so scheef? Kiek di dat bloß mol an.«

Er wedelte mit der schief geschnittenen Brotscheibe, und Ella sah von ihrem Honigteller auf. Ein breites Grinsen plötzlich. »Beten scheef hett Gott leef.« Keuchendes Gelächter, stereo.

Ingwer nahm sich seinen Becher und die Zigaretten, ging nach draußen, vor die Hintertür, und trank im Windfang langsam seinen Kaffee, inhalierte tief beim Rauchen, Kopf im Nacken. Dichtes Treiben am Dezemberhimmel, Wolken, die wie Packeis waren. Trinkerhimmel, Heimatdichterhimmel. Seine Finger wurden kalt, egal. Er wollte sich jetzt nicht die Moritat vom schiefen Brot anhören, heute nicht. Die große Schauerballade vom Brotschneider in Magnitogorsk, in der Titelrolle Sönke Feddersen, es war der Soundtrack seines Lebens. Das alte Messer lag in einer Holzschatulle auf dem Schreibtisch im Kontor, wahrscheinlich nahm er es noch immer jeden Tag heraus, auch wenn schon lange keiner mehr den Messerschnitt *Ural-Façon* verlangte. Und er seit siebzig Jahren schon nicht mehr das Brot damit zerschneiden musste, 600 Gramm für jeden, kein Gramm mehr und kein Gramm weniger. Sönke Feddersen, gewählter Brotschneider in der Baracke 64, Vertrauensmann mit ruhiger Hand und Augenmaß. Zwei Meter Abstand, wenn das Brot geschnitten wurde. Ein Mensch, der hungert, wird ein Tier. Ein Mann, der halb verhungert aus dem Lager kommt, nervt siebzig Jahre später noch den Enkel. Ingwer hatte dieses Schauerstück zu oft gehört, gefühlte tausend Mal, wenn Sönke Kröger vor dem Stall den alten Brinkebüllern seinen Lagerschnitt verpasste. Und jedes Mal, wenn eine Scheibe Brot ein bisschen schief geschnitten war, kam früher oder später dieser Satz. *Dor harrn se mi för doothaut domols.* Ingwer hatte ihn dermaßen satt, dass er das Brot beim Bäcker schneiden ließ, mit der Maschine, zack, zack, zack, gerade Scheiben und exakt gleich groß. Er war nur gestern zu spät dran gewesen, kurz vor Ladenschluss noch Brot gekauft, als die Maschine schon gereinigt wurde. Großer Fehler. Beim nächsten Mal am besten gleich ein Toastbrot kaufen. Er drückte seine Kippe aus und ging wieder ins Haus.

Am Küchentisch saß Sönke mit dem Tageblatt und las Geburtsanzeigen vor, Ella drückte ihre Meise und sah aus, als hörte sie ihm zu. Sie wunderten sich immer über all die neumodischen Namen, »Zoe Clausen!«, sagte Sönke, »is dat nu een Jung oder een Deern? Jérôme Vollersen!«

Die Todesanzeigen sparte er sich immer für zuletzt. »Man sieht die Sonne langsam untergehen«, las Sönke, »und erschrickt doch, wenn es plötzlich dunkel wird.«

Ellas Meise zwitscherte. »Ach, dat is Dora Koopmann«, sagte er. »Is se nu uk al doot.« Noch ein Gast weniger auf ihrer Gnadenhochzeit. »Ward immer billiger, dat Fest.«

Er ließ die Zeitung auf dem Küchentisch und schlurfte ins Kontor zu seinem Plattenspieler. Grundgepflegt, gewaschen, fertig mit der Welt.

Sie versuchten es beim nächsten Mal unter der Dusche, Sönke setzte sich auf Ellas Hocker, den man höherstellen konnte. Schloss die Augen, als das Wasser über seinen Kopf lief, kniff sie zu, solange Ingwer an ihm rumhantierte. Tat, als wäre er nicht da. Im Radio lief Welle Nord, sie spielten Lieder, die man kannte, Ingwer jedenfalls, er hatte Ellas Küchenradio ins Bad gestellt, weil er die Seifenblasen nicht mehr hören wollte, Sönkes Atem, auch nicht seinen eigenen. Er sah den alten Mann, der nackt und starr auf seinem Hocker vor ihm saß, und kam sich vor wie jemand, der ein Tier zu zähmen hatte. Ein Fluchttier, das sich langsam an die Menschenhand gewöhnen musste. Vielleicht war es auch umgekehrt, vielleicht war auch er selbst das Tier. Er war genauso starr vor Angst, genauso auf dem Sprung wie dieser alte Mann auf seinem Plastikhocker. Und er war auch nicht mehr an eine Menschenhand gewöhnt, schon ziemlich lange nicht mehr.

Ingwer spürte Sönkes Schädelknochen, seine Schulterblätter und die Rückenwirbel, jeden einzelnen, nur Haut darüber. Er sah die Flusslandschaft auf seinen Beinen, die blauen Venen, die sich über seine Waden schlängelten. Die breite Narbe an der Flanke, die bleiche Haut an seinem Bauch. Das andere sah er auch, es lag wie ausrangiert in Sönkes Schoß, wie rostige Gerätschaften in einem Dorfmuseum. Er sah die Füße, die er schon als Kind so gruselig gefunden hatte, vier Zehen waren kürzer, keine Nägel mehr, im Lager abgefroren, einer links, drei rechts. Er seifte ihm die Schultern ein, den Rücken, und im Radio sang Annie Lennox. *Love is a stranger in an open car.* Nicht merken lassen, was man dachte.

Dass man sich fragte, schon die ganze Zeit, wann dieser Mann, den man gerade wusch, zuletzt berührt, gehalten worden war. Es war schon kaum noch vorstellbar: ein Arm um diese Schultern, eine Hand an dieser Wange. Ein Kuss auf diesen Mund, nicht auszudenken. Sönke Feddersen sah aus, als dürfte man das nicht mehr tun. Als würde er, wenn man ihn plötzlich streichelte, zu Staub zerfallen. Unantastbar, unberührbar, Ingwer fragte sich, ob es das Alter war, ob sich ein Körper, der so alt war, schon zurückzog von den Lebenden. Ob da nur noch ein Teil des Menschen saß, der Sönke Feddersen gewesen war. Er wusste, dass ihn Ella kniff und boxte, man konnte es an seinen blauen Flecken sehen. Vielleicht war das sogar noch besser als gar keine Berührung. Streicheln tat sie ihn wohl nicht, zumindest hatte Ingwer es noch nie gesehen. Sie hatten keine Katze, keinen Hund. Kein Pferd mehr, keine Kuh, nichts Warmes, Atmendes, an das man sich sonst jedenfalls kurz lehnen konnte. Mal mit der Hand ein weiches Fell berühren. Ella hatte ihre Meise, immerhin. Sönke hatte nichts mehr. Kaltes Wasser, hartes Handtuch, fertig. Kein Heuler sein.

Und selbst, Herr Dr. Feddersen? Wo war das Warme, Atmende in seinem Leben? Und wann zum letzten Mal berührt? *Love, love, love is a dangerous drug.* Sein Liebesleben war berauschend wie ein Spieleabend im Seniorenheim. Wenn überhaupt. Beziehungsstatus ungeklärt, nichts Halbes und nichts Ganzes. Zwei Männer, eine Frau, ein krakeliges Dreieck, unsortiertes Wohngemeinschaftsleben. Sie zogen es jetzt schon seit zweieinhalb Jahrzehnten durch. Es schien auch lange Zeit das Richtige zu sein für ihn, das Ungefähre, Schwebende und nicht ganz Ernstgemeinte zwischen Ragnhild, Claudius und ihm, das nie in Worte gefasst worden war. Sie hatten keine Regeln formuliert und nichts begradigt, alles einfach wachsen lassen, es gab nur ein paar Trampelpfade.

Bloß kein symbiotisches Geklette, bloß nicht die Zweier-Kiste lebenslänglich! *Wer nur einen liebt, liebt keinen,* sie hatten alle ihren Erich Fromm gelesen. Sie hatten alle drei nie etwas wissen wollen von Eigenheim und Ehe und von der ganzen Brüterei. Auch er nicht, das Kapuzenkind aus dem Kartoffelroder, in einem Gasthof aufgewachsen, gerade er nicht! Er hatte all die Paare tanzen sehen, die nach den Regeln lebten, mit Land und Vieh und Kindern aneinander festgeschmiedet. Schneewalzer, stumm getanzt, nach fünfundzwanzig oder fünfzig Jahren Ehe, mit steifen Schritten durchgezogen, hinter sich gebracht und abgehakt, so wie das ganze Leben miteinander – durchgezogen, hinter sich gebracht und abgehakt. Jubelpaare, die sich bei ihren Festen nicht mehr in die Augen schauen wollten, die nach dem letzten Takt sofort die Hände sinken ließen. Männer, die mit abgeriegelten Gesichtern an ihrer Silberbraut vorbeigesehen hatten, beim Tanzen in den Saal gestarrt, als suchten sie nach einem Notausgang. Frauen, die verlegen auf den Boden blickten, steif in ihren feierlichen Kleidern, rot glänzend unter ihren Festigerfrisuren und in den Armen ihrer Männer fehl am Platz, seit vielen Jahren schon, vielleicht schon immer. Paare, die sich lange nicht mehr freiwillig berührten, nur auf den Festen noch, bei ihren Ehrentänzen und umringt von ihren Gästen, die in die Hände klatschten und so taten, als tanzten dort tatsächlich zwei aus Liebe miteinander. Er war der Junge, der am Tresen stand, er hatte sie gesehen: Hochzeitstänze, die man seinem schlimmsten Feind nicht wünschte. Er war gewarnt, er wollte dieses Leben nicht. Aber jetzt stand er hier und duschte einen alten Mann und wusste nicht mehr, was er wollte.

Er stellte fest, dass Ragnhild ihm tatsächlich fehlte. Nicht dieses schroffe Biest, das sie oft war, aber der andere Teil von ihr, der Morgenteil. Sie wurde immer nur sehr langsam wach, sie schien mit jedem neuen Tag zu fremdeln, tastete sich mühsam in den Morgen, als müsste sie durch eine dunkle Höhle kriechen, um ans Licht zu kommen. Barfuß stolperte sie in die Küche in ihrem alten Seidenkimono, und Ingwer, der mit der Zeitung in der Küche saß und warten konnte wie ein Fallensteller, schob seinen Stuhl ein Stück zurück und drückte ihr die Kaffeetasse in die Hand. Zog sie vorsichtig auf seinen Schoß. Oft lasen sie dann nur ein bisschen in der *taz* und tranken schweigend aus derselben Tasse. Sie sprachen nie in diesen Morgenstunden, aber manchmal ließen sie die Tasse und die Zeitung auf dem Küchentisch und schoben sich dann langsam über ihren langen Flur. Schlossen leise eine Zimmertür. Er liebte diesen Seidenkimono, die Kraniche, die zwischen Pflaumenblüten schwebten. Vögel des Glücks. Es passierte nicht mehr oft.

Die Ragnhild dieser stillen Morgen fehlte ihm. Die andere machte ihn verrückt. Sie wurde lauter, ruppiger, zumindest kam es ihm so vor. Ihr Dauerhass auf die Familie Dieffenbach, ihr Wüten über die blasierte Sippe, die sich für wichtig hielt, weil eine Straße mal nach ihr benannt worden war, »Sackgasse! Dieffenbachs am Ende! Ha!« Ihre Rage gegen die Berufskollegen, wenn sie ihre Liebe zum Beton nicht teilten, gegen Denkmalschützer und Restauratoren, gegen Stukkateure und Vergolder. Die Einzigen, die Ragnhild wirklich noch zu mögen schien, waren ihre beiden alten Tanten und ein paar Freundinnen, die ihr sehr ähnlich waren. *Dragoner* hätte Sönke diese Sorte Frau genannt. Wenn sie mit Ragnhild in der Küche saßen, ergriff man besser schnell die Flucht. Was ihn und Claudius betraf: Sie schienen langsam Teil des Inventars zu werden, zwei alte Wohngemeinschaftsmöbel, die hin- und hergeschoben wurden, die man nach all den Jahren kaum noch sah.

Was ihn am meisten nervte, war ihr Hang zum Psychologischen, es wurde immer schlimmer. Ihr Interesse an Gemütskrankheiten und Verwerfungen der Seele nahm manchmal Züge an, die ihn verstörten, sie konnte in Syndromen und Symptomen schwelgen wie andere Menschen in Rezepten oder Reisefotos. Sie verstieg sich immer mehr in Diagnosen. Kognitive Dissonanzen, Neurosen und Psychosen, Zwänge, Depressionen oder Bindungsängste, das ganze Leben eine Anamnese. Sie schien das weite Feld von Regungen und Ängsten, Schwächen, Sehnsüchten und Lebenslügen mit einem Spaten abzustechen, sie legte Felder an, sie schaffte Übersicht. Als dürfte es nichts Vages, Überraschendes und Unerklärliches mehr geben. Alles Fühlbare war längst gefühlt, entdeckt, beschrieben worden und benannt. Ragnhild kannte jeden klinischen Begriff und jedes Krankheitsbild. Sie würde früher oder später auch das namenlose, schiefe Dreieck ihrer Wohngemeinschaft auf die Psychoformel bringen – und irgendwann wahrscheinlich auch die stillen, schönen Kranichflüge. Ein Wunder, dass sie es noch nicht getan hatte.

Ragnhild glaubte, alles über ihn zu wissen, über Ingwer Feddersen, mit dem sie jetzt schon zweieinhalb Jahrzehnte lang nichts Halbes und nichts Ganzes hatte. Er war sehr froh, dass sie das wahre Ausmaß seiner Abgründe nicht kannte. Er wollte gar nicht wissen, was das für ein Syndrom sein könnte, wenn einer sich mit langsam wachsender Verzweiflung nach Besitzergreifung sehnte. Wie sie es nennen würde, wenn man das Gegenteil von Bindungsangst verspürte.

Er war es leid, auf Kraniche zu warten, der Fallensteller

mit dem Netz zu sein. Er wollte selbst ergriffen werden, von einem starken Tier in seinen Bau geschleppt, es sollte seine Pranke auf ihn legen. Ingwer Feddersen, fast fünfzig, Fensterputzer, promovierter Steinesammler, Gastwirt, Altenpfleger, wünschte sich auf einmal einen Menschen, der ihn haben wollte. Er sehnte sich nach einer nicht zu lauten, nicht zu schnellen Frau, die Dinge sagen könnte wie *mein Mann,* ganz ohne Ironie und ohne, dass es peinlich klänge.

Er war nicht stolz darauf. Ein Fall fürs Handschuhfach, wie die Neil-Young-CD, schnell Klappe zu. Ihm war schon klar, wonach es aussah: Ein schwerer Fall von Midlife-Crisis, Andropause, Klimakterium virile, Ragnhild hätte ihm das alles aus dem Stand erklären können.

Ein weinerlicher alter Sack, das auch, mit allem zu spät dran. Vermutlich war die Sorte Frau, von der er plötzlich träumte, schon seit dreißig Jahren ausgestorben, mindestens. Schon fossiliert. Es war wohl nicht die beste Strategie gewesen, die Dinge immer abzuwarten, sich wie ein Findling einfach durch die Zeit schieben zu lassen. Ihm dämmerte allmählich, dass er sich bewegen musste, wenn er nicht auch so enden wollte: unberührbar und vor Einsamkeit schon halb gestorben. Er hätte nicht mal einen, der ihn waschen würde.

Wie fand ein Mann in seinem Alter eine Frau? Er musste sich damit beschäftigen, es ging nicht einfach so. Es würde keine angeflogen kommen und ihm plötzlich vor die Füße fallen. Man konnte lange warten auf den Funkenflug im Supermarkt oder den Blitzschlag an der Ampel. Er glaubte nicht an Liebe auf den ersten Blick, und falls doch, dann wäre er dafür zu langsam. Bis er den Blitzschlag merkte, war es grün. Er hatte sich mal Parship angeschaut, aber das war nicht seine

Welt, ihn störte dieses Zuchtbuchartige daran, als paarte man sich nur, um sich zu optimieren. Und sonst? Auf eine dieser Ü40-Partys gehen und *Powerfrauen* dabei zusehen, wie sie auf *I will survive* abgingen? Er musste das nicht haben. Dann lieber Fallensteller bleiben.

Sönke hatte, als das Wasser lief, die ganze Zeit geschwiegen. Jetzt machte er die Augen auf, sah Ingwer an und sagte heiser: »Min Leevdag heff ik mi mit koole Water wuschen.« Schloss seine Augen wieder.

Ingwer nahm das Handtuch, das er auf der Heizung vorgewärmt hatte, und legte es um Sönkes Schulter. »Un weer dat nu so schlimm, mit warme Water?«, fragte er.

»Hä!« Leise, ausgespuckt.

10
Am 30. Mai ist der Weltuntergang

Der Schnee war weggetaut bis auf ein paar verwehte Reste in den Gräben, und auf dem Mergelschacht trieb nur noch dünnes Eis, wie Glas, als Marret Feddersen nach Hause kam, die Füße eingegipst bis zu den Knien. Man musste sie in einem Rollstuhl schieben und die Treppe rauf- und runtertragen, Sönke holte sie am Morgen aus dem Bett und brachte sie am Abend wieder hoch.

Tagsüber stellte Ella ihren Rollstuhl an den Küchentisch, und Marret schälte, schnitt Gemüse, pellte Zwiebeln, hackte Petersilie. Meistens ging es eine Weile gut, sie fing nur irgendwann zu summen an und schnitzte mit dem Messer Muster in Kartoffeln oder Rüben, rollte dünne Möhrenschalen auf zu Rosen oder Schnecken, flocht aus Petersilienbüscheln Kränze. Sie war dann weg, sah und hörte nichts mehr. Es wäre Zeit gewesen zu verschwinden, in den Kleiderschrank zu kriechen, über Feldwege zu laufen bis zum Kiefernwald, um auf dem alten Hochsitz ihre halben Zigaretten aufzurauchen. Nur konnte Marret nicht verschwinden mit den zwei kaputten Füßen und dem Bauch, in dem ein Tier zu flattern schien, ein großer Falter, der mit seinen Flügeln schlug.

»Nich mehr springen, Marret«, sagte Ella, wenn Sönke sie am Abend in ihr Zimmer hochgetragen hatte, wenn sie gewaschen war, im Bett lag, Ella die Gardinen zugezogen hatte. »Nich mehr springen. Dat geiht dor nich vun weg.« Sie sagte es ihr jeden Abend, weil man nie wissen konnte, ob sie hörte, ob sie irgendwas verstand. Ella ließ die Tür zu ihrem Zimmer angelehnt, und nachts, bevor sie schlafen ging, sah sie noch einmal nach, ob Marrets Fenster fest verschlossen war. Ob sie im Bett lag, nicht in Richtung Fensterbank gekrochen war. Man wollte morgens nicht ein Bündel Mensch in seinen Beeten finden, nicht noch einmal.

Als Marrets Röcke, Hosen, Blusen und Pullover nicht mehr passten, gab Ella ihr die eigenen, bis Ina Hamke kam mit einer Tasche Umstandskleider. »Ik heff dacht, ob Marret de wull bruken kunn.«

Bei Hamkes war kein Nachwuchs mehr in Sicht, ihr Jüngster war jetzt fünf und würde schon bald eingeschult. Marten mit dem weißen Lockenkopf, das eine Kind in Brinkebüll, das nie von Dora Koopmann angemeckert wurde, egal, wie oft es seine Hände an die blankpolierte Thekenscheibe legte. »Nu sing man mol een Stück för Tante Dora!« Einmal Freddy Quinn und Marten Hamke durfte alles. Dauerlutscher oder Eis? Sie gab ihm beides. »Wat bist du bloß een lüttje Liebe!« Und dann fuhr sie mit der Hand durch seine dicken, wuscheligen Haare. Jeder tat das, wenn er Marten sah, man konnte gar nicht anders, wie bei Lämmern. Hamkes Jüngster war das meistgekraulte Kind im ganzen Dorf.

Marret nahm die Umstandskleider mit nach oben in ihr Zimmer, legte sie dort ausgebreitet auf ihr Bett. Rot-weiß kariert, zitronengelb und himmelblau, sie hatten runde Kragen, Schleifen, kleine Knöpfe. Ina Hamke hatte sie wohl selbst genäht, der Schnitt war immer gleich, sie sahen aus wie große Puppenkleider, wie Kostüme für ein Spiel, das lustig war, ganz harmlos. Marret stopfte sie in ihren Kleiderschrank, ganz unten in die Ecke, wo die spitzen weißen Schuhe standen, die sie seit dem Sommer nicht getragen hatte. Zog weiter Ellas Sachen an, und als die nicht mehr passten, stakste sie auf ihren Krücken an den Kleiderschrank von Sönke Feddersen und nahm sich seine Hosen, Hemden und Pullover. Nicht die guten, nur die alten Sachen, die er draußen trug, im Stall und auf den Feldern. »Laat ehr«, sagte Ella, als er ihr die Sachen aus den Händen nehmen wollte, »dat is nu uk egal«. Er ließ sie dann. Warum nicht auch noch ausgebeulte Männerhosen und verschlissene Hemden tragen. *Schietegal.*

Als Anfang Februar im Krankenhaus die Gipsverbände abgenommen wurden, zog Ella Feddersen die Luft ein, schlug die Hände vor den Mund, weil sie auf diesen Anblick nicht gefasst gewesen war. Marrets Füße waren ganz vergilbt, vertrocknet, wie die toten Tiere, Kröten oder nackten Vögel, die man im Sommer manchmal an den Wegesrändern fand. Sie standen beide etwas schief, zumindest schien es Ella so. Besser hatte man die Knochentrümmer wohl nicht mehr zusammensetzen können.

Marret schien nur froh zu sein, dass sie den Gips los war, sie fing zu Hause gleich zu üben an. Erst hörte man im ganzen Haus das Tock, Tock, Tock der Krücken, am frühen Morgen ging es los bis nach dem Abendbrot, wenn sie erschöpft die Treppe hoch- und in ihr Zimmer humpelte. Dann fing sie an, es ohne Stützen zu probieren. Am Anfang war es mehr ein Hangeln als ein Gehen, sie hielt sich an den Stühlen, Tischen, Blumenhockern fest, am Tresen, an den Schränken, schwankte durch das Haus, als wäre sie auf hoher See. Saß zwischendurch schwer atmend auf der Küchenbank, »maak nich so dull«, mahnte Ella, »maak doch en beten sinniger.«

Aber ob man Marret etwas sagte oder nicht, sie machte weiter, bis der Schweiß ihr auf der Stirn stand. Später ging sie in den Saal zum Üben, tastete sich barfuß über das Parkett, freihändig, erst noch vorsichtig und langsam wie auf dünnem Eis, bis sie es schließlich schaffte, richtig aufzutreten. Die Füße sahen nicht mehr aus wie tote Tiere, und Marret tanzte manchmal ein paar Schritte, ging schon alles wieder. Aber die Knöchel schwollen an und taten weh, sobald sie länger lief, es lag vielleicht auch an dem Bauch, ihr Körper wurde viel zu schwer für das Paar Füße. Sie zog sich dicke Strümpfe an, von Sönke, und darüber Ellas Klapperlatschen, die von allen Schuhen noch am besten passten. Man konnte Marret Feddersen von Weitem hören, wenn sie in ihren weißen Latschen angeklappert kam. Die Zeit des lautlosen Verschwindens schien vorbei zu sein.

Es wurde März und Ella sah, wie ihre Tochter sich die Hände in die Seiten stemmte, sah ihr Hohlkreuz und den schweren Gang, der nicht von ihren Füßen und den Klapperlatschen kam. Hielt ihre Fäuste fest, als Marret anfing, sich auf ihren Bauch zu schlagen. Voller Wut zurückzuschlagen gegen das, was da von innen stieß und trat und immer stärker wurde. *Dat schall dor weg! Ik will dat nich mehr hem!*

Sie weinte immer noch wie Kinder weinten, Augen zu, den Mund weit aufgerissen, mit lautem Klageton, der ganze Körper bebte. Tränen quollen, tropften auf das alte Hemd von Sönke Feddersen, das jetzt schon spannte über ihrem Bauch. Sie wischte sich die Nase mit dem Ärmel ab, und Ella fuhr ihr mit dem Küchenlappen über das Gesicht. Löste Marrets Spange, strich das aufgelöste Haar ein bisschen glatt und steckte es dann wieder fest. Fuhr ihr noch mal mit dem Küchenlappen über das Gesicht. Wusste nicht, was sie ihr sagen sollte. Was sagte man denn einem Kind, wenn es ein Kind bekam? Ella sah die Spange mit den Kirschen, Marrets schmale Handgelenke, und sie wollte Grießbrei für sie kochen. Wollte sagen *is bald wedder gut.* Und musste ihr so dringend etwas anderes sagen. Allerhöchste Zeit. Sie konnte es nur nicht.

Es war wie singen, schwimmen, tanzen. Manche Menschen lernten diese Dinge nicht, sie brummten oder trafen nie die Töne, strampelten im Wasser, konnten gerade mal den Kopf ein bisschen oben halten, schoben hölzern über das Parkett und traten anderen auf die Füße. Ella ging es mit dem Sprechen so, sie hatte kein Talent dafür. Sie sprach das Nötigste, mehr nicht, und meistens reichte das, weil man in einem Gasthof nicht viel sagen musste. Die Leute redeten genug, sobald sie feierten und tranken, selbst wenn sie schweigend tanzten, gab es die Musik, und wenn es doch mal still war, wenn kein Gast da war und niemand, der zum Haareschneiden kam, kein Mappenmann und kein Getränkelieferant und keine Marret, die im leeren Saal aus vollem Halse Schlagerlieder sang, dann holte Sönke sein Tenorhorn aus dem Koffer oder drehte schnell das Radio an, warf eine Mark in die Musikbox. Notfalls brummelte er eines seiner Russenlieder. Sönke Feddersen ertrug die Stille nicht, nur wenn sein Kopfweh kam, verstummte er, dann hatte er ein Bergwerk in sich, laut genug. Sie waren wie zwei Pole: er der lauteste und sie der stillste Mensch in Brinkebüll, es glich sich aus. Sönke hörte gar nicht, was an seinen Kneipentischen, an der Theke, auf dem Saal geredet wurde. Und wenn doch, vergaß er es. Er trank ja mit, am nächsten Tag war dann auch vieles wieder weg. Vergessen, nie gesagt, zumindest nie gehört.

Sie hörte alles. Alle hingelallten Wahrheiten, wer wen mit wem betrogen hatte, wer Schulden nicht bezahlen konnte, wer schlug und wer geschlagen wurde. Wer die alten Eltern schlecht behandelte, bei wem die Mäuse über Küchentisch und Stühle liefen, wer bei Dora Koopmann Zigaretten klaute. Wer ein Kind anfasste. Wer die Tiere quälte. Oder sonst was machte mit dem Vieh. Hörte auch das hasserfüllte Zischen eines Paares, wenn es nach dem Ehrentanz an seinen Platz zurückging. Das leise Raunen draußen, neben ihrem Küchenfenster, wo zwei miteinander standen, die das eigentlich nicht durften. Ella hörte selbst das unterdrückte Weinen hinter den Toilettentüren, auch bei den Männern manchmal. Sie kannte dieses Dorf von seiner Unterseite, wusste Dinge, die der Pastor gar nicht wissen durfte und die Polizei auch besser nicht.

Nach den Festen fand sie Spuren. Kleine Sachen, die sie aufhob, wie Manschettenknöpfe oder Broschen, Geldbörsen und Strümpfe, Feuerzeuge, Fingerringe, Schlüssel, Kämme, Taschentücher. Lippenstifte. Manchmal Unterwäsche, die kam aber weg, gleich in den Ofen, Luke zu. Ella Feddersen fand die verlorenen Sachen überall, im Stall, im Kühlraum, in der kleinen Ecke unterhalb der Treppe, in der Besenkammer zwischen Hintertür und Küche, und sie sagte nie etwas davon, selbst wenn sie einen Ring erkannte oder wusste, wem ein Feuerzeug gehörte. Sie hob alles in der alten Kuchendose auf, die man mit einem Schloss verriegeln konnte. Niemand kannte das Versteck des Schlüssels, nicht mal Sönke.

Sie gab nie etwas ungefragt heraus, sie wartete, bis jemand

kam und sich erkundigte, oft leise, nebenbei, wenn gerade keiner hörte. Manche Dinge lagen lange in der Dose, wie der Ehering von Folkert Ketelsen, seit vielen Monaten, er hatte ihn wohl nicht vermisst bisher. Die meisten Männer trugen ihre Eheringe nur am Sonntag oder auf den Festen. Bei der Arbeit störten sie, man blieb auch leicht mal damit hängen, und dann war der Finger ganz schnell ab. Den Ring von Folkert hatte Ella zwischen Mirabellenbäumen hinter ihrem Gartenzaun gefunden, sie konnte sich schon denken, was er da getrieben hatte. Auch mit wem, es ging sie aber gar nichts an. Der Ring lag schon so lange in der Kuchendose, dass er angelaufen war. Kein gutes Gold. Ella konnte schweigen, wie die Tanzsaalwände und der Eichenboden, die auch alles wussten über Brinkebüll und nichts verrieten. Weghören oder schweigen, eins von beidem musste man gut können, wenn man einen Gasthof führen wollte. Sönke hörte weg, er war der Wanderer im Wald, der sich ein lautes Lied vorsang, damit er rechts und links die Vögel nicht mehr hörte. Sie waren beide gut auf ihre Weise, ein gutes Gastwirtspaar. Sie ließ ihn reden, und er ließ sie schweigen.

Und Ella wusste sich zu helfen. Dass sie nicht gut mit Worten war, fiel den meisten gar nicht auf. Sie konnte es verbergen wie ein Trinker seine Sucht, so wie Hanni Thomsen es verbarg, dass er nicht lesen konnte, auch nicht schreiben. Kaum einer merkte es.

Wenn sie am Tresen stand, die Theke zwischen sich und allen anderen, die Rollen klar verteilt, ging es am einfachsten. Sie konnte sich, wenn sie die Sprudelflaschen öffnete, Bier zapfte, Gläser spülte, mit den Gästen unterhalten. Zumindest konnte sie so tun, als ob. Ella Feddersen erzählte nie etwas. Sie stellte Fragen, eine nach der anderen, als ob sie eine Liste abarbeitete. Sie fragte nach den Kindern, nach den Kühen, nach den Schweinen, nach der Milch, nach Rüben, Raps, Kartoffeln. Nach den Eltern, Schwiegereltern, nach dem Stalldach, nach dem neuen Schuppen, nach dem Trecker, notfalls nach dem Hofhund und den Katzen, und wenn das dann immer noch nicht reichte, nach den Krankheiten. Die meisten fühlten sich von ihr sehr gut verstanden, wenn sie ihr an der Theke gegenübersaßen. *Mit Ella kann ik ganz fein schnacken,* und mit jedem Schluck ging es noch etwas besser.

Sie konnte sagen, was zu tun war in der Küche und im Saal, was zu bestellen war, zu putzen und zu mangeln, sie konnte mit den Jubilaren vor den Festen das Menü besprechen, den Beerdigungskaffee mit Hinterbliebenen, das Erntedankfest mit dem Pastor und das Dorffest mit dem Landfrauenverein. All das hatte sie gelernt. Die Grammatik, die Betonung, die Vokabeln saßen.

Ella Feddersen war aber steif wie Holz, sobald sie plaudern sollte, *wat vertellen,* ein bisschen *schludern,* tratschen, mit den Nachbarinnen an der Straße stehen oder am Gartenzaun und über Sonnenschein und Regen schnacken, über Kleider und Frisuren, Todesfälle und Geburten und Rezepte für Zitronenrolle. Es ging ihr dann wie unbegabten Tänzern, die auf Familienfesten angestrengt auf ihre Füße starrten, Schritte zählten und die ganze Zeit verzweifelt nach dem Rhythmus stocherten. Niemand tanzte gern mit so jemandem. Hinterher stand man verlegen und verschwitzt im Saal, erleichtert, weil man endlich fertig war.

Also blieb Ella Feddersen nicht stehen, wenn sie durchs

Dorf ging oder radelte. Natürlich grüßte sie, sagte *moin* zu allen, nickte, hob die Hand, sie lächelte sogar, hielt nur nicht an und stieg nicht ab von ihrem Rad. Schnell weg.

Und das hier war noch schlimmer: Neben ihrer Tochter sitzen, die sich den Bauch wegprügeln wollte, und ihr nichts sagen können, gar nichts. Marret nicht erklären können, wie das Kinderkriegen ging. Sie konnte ihr nur immer wieder mit dem Küchenlappen das Gesicht abwischen. Als ginge davon irgendetwas weg.

In der Mittagsstunde, als Sönke auf dem Sofa lag und Marret in den Lesezirkelheften kritzelte, zog Ella ihren Mantel an und ging ins Dorf. Es war so neblig, dass sie wie durch nasse Tücher ging, als wäre oben große Wäsche. Alles nicht mehr weiß geworden. In den Kronen der Kastanienbäume meckerten die Elsternpaare, sie schienen pausenlos zu streiten, blieben aber beieinander, lebenslang. Ein paar Wochen noch, dann würden ihre großen, runden Nester wieder in den Zweigen hängen. Eine Katze trug mit schnellen Schritten eine Maus die Dorfchaussee entlang, wie Diebesgut. Als Ella an der Bäckerei vorbeikam, hörte sie das Kleine schreien, erst ein paar Wochen auf der Welt. Ein Mädchen, schon das vierte, Erich Boysen war bedient. Es schrie, als wollte es das ganze Dorf aufwecken. Es musste erst noch lernen, dass man in der Mittagsstunde leise weinte.

Ella lief zur Schule, ihre Haare und ihr Mantel waren feucht von Nebeltropfen, als sie an die Tür der Lehrerwohnung klopfte und Steensen nach dem Schlüssel fragte für die Bücherei. Die Brinkebüller Schulbibliothek war eine Kammer zwischen Klassenraum und Waschraum, es gab nicht viele

Bücher, nur zwei Wandregale voll, und Ella hatte sie fast alle durch. Die Märchen der Gebrüder Grimm, die Storm-Novellen, die Gedichte von Klaus Groth, die Liliencron-Balladen. *Heut bin ich über Rungholt gefahren, die Stadt ging unter vor sechshundert Jahren …* Sie konnte es noch auswendig, *Trutz, blanke Hans.*

Das Buch, das sie jetzt brauchte, hatte einen roten Punkt, nicht ausleihbar. »Ich bringe es morgen wieder«, sagte sie, und Steensen schlug es ihr in eine alte Zeitung ein. Dann holte er aus seiner Wohnung seinen Rucksack, legte es hinein. »Pass auf, dass es nicht nass wird«, sagte er.

Das Boysen-Kind schrie immer noch, als sie auf ihrem Rückweg an der Bäckerei vorbeikam. Als würde es gequält, als würden ihm Verbrechen angetan, das ging schon so, seitdem es auf die Welt gekommen war. Greta Boysen war ganz kümmerlich, weil ihre Töchter immer lieb gewesen waren, gut geschlafen hatten, gut getrunken, alle drei, und jetzt auf einmal so was. »Schreien lassen«, hatte ihr die Hebamme gesagt. Die kleine Gönke brüllte aber, dass ihr die Luft wegblieb, bis ihre Mutter es nicht länger aushielt, aufsprang und zum Stubenwagen rannte. *Se schriet sik weg!* Wenn man sie hochnahm, schlief sie vor Erschöpfung ein, mal eine Stunde oder anderthalb, danach ging es von vorne los. »Een Kind to afgewöhnen«, hatte Erich Boysen schon beim Frühschoppen gesagt, »dat weer dat letzte Mol.« Gönke Boysen schrie, und Ella fragte sich, wie laut ein Kind wohl schreien musste, um durch Marrets Wand aus Glas zu dringen.

Zu Hause legte sie das große Buch aus Steensens Rucksack auf den Küchentisch. *Atlas der Anatomie des Menschen,* sehr viele Abbildungen, farbig. Schlug Seite 139 auf. *Gebärmutter,*

Uterus, mit Fetus. Dann setzte sie sich neben Marret, die noch immer auf der Eckbank saß und ihren Schlagersängerinnen Zahnlücken oder Bärte malte. »Ik will di mol wat wiesen, Marret. Kumm mol.«

Sie schob das Buch zu ihr herüber, und Marret ließ die Illustrierte sinken. Beugte sich über das Buch und schaute sich die Abbildung sehr lange an, runzelte die Stirn. Ein kahles Kind, das mit dem Kopf nach unten hing, in einer Höhle. Es schien zu schlafen, eine Kordel schlängelte sich um die Beine. Leise las sie die Beschriftungen. *Gebärmutter. Nabelschnur. Mutterkuchen.* Ella sah, wie ihre Tochter langsam anfing zu verstehen. Man sah es an den Augen, die sie erst zusammenkniff und die dann immer größer wurden. Aufgerissen. Schließlich sagte sie: »Dat kummt dor je nich rut.« Sie starrte Ella an. »Dat kummt dor je nich rut!« Dann sprang sie auf, fing an zu schreien. »Denn mött se je de Buuk opschnieden! Mit een Scheer! As bi de Wolf! AS BI DE WOLF!!!«

Sönke kam von seinem Sofa, wütend, aufgeweckt von Marrets Schreierei. Er machte auf dem Absatz kehrt, als er das Bild sah, nicht seine Baustelle.

Ella brauchte einen Augenblick, um zu begreifen, welchen Wolf sie meinte, dann zog sie Marret auf die Küchenbank zurück, hielt sie an ihren Handgelenken fest, bis das Geschrei aufhörte, und versuchte es noch einmal. Zeigte auf das Bild, dann auf Marrets Schoß. »Dor kummt dat dör. Dor ünnen kummt dat rut. Man meent, dat geiht nich. Un denn geiht dat doch.« Marret starrte auf die Abbildung, sehr lange, dann fuhr sie mit den Fingern den Geburtskanal entlang. »Wenn dat losgeiht, deit dat weh. Dat sind de Wehen. De heten so. Un wenn dat buten is, dat Kind, denn sind de wedder weg.«

Ella wusste nicht, ob Marret es verstand. Es musste aber reichen. Mehr konnte sie nicht sagen.

Marret schaute sich den Uterus noch eine Weile an, dann fing sie an, im Buch zu blättern. Sah sich Abbildungen von Blutgefäßen an, von Muskeln, vom Verdauungsapparat, von Rückenwirbeln. Schließlich klappte sie den Atlas zu und nahm sich wieder ihre Illustrierte vor. Malte einen Backenbart für Conny Froboess. Fing zu summen an.

In der Küche war sie kaum noch zu gebrauchen, Muster schnitzen, Schnecken rollen, starren, summen, bei den Mahlzeiten dann Schreierei mit Sönke. Sie gingen sich fast täglich an die Gurgel. Er schimpfte, weil das Brot zu dick geschnitten war, und Marret schrie. Sie fischte ihre Spargelstücke aus der Suppe, legte sie wie Sonnenstrahlen um den Teller, er schlug auf den Küchentisch, und Marret schrie. Ella schob sie, wenn es nicht mehr ging, an ihren Schultern aus der Küche in die Gaststube, manchmal saß sie morgens schon bei Hanni Thomsen, wenn er kam, um seinen Underberg zu trinken. Ihm fiel nicht auf, dass Marret gar nicht mit ihm sprach. Dass sie nicht hörte, was er murmelte, es machte nichts. Sie saß bei ihm am Tisch, das reichte schon. Er mochte gern Musik, er hatte immer ein paar Münzen in der Hosentasche für die Jukebox. Erst mal *Junge, komm bald wieder*, und weil das Lied so traurig war, danach noch etwas Lustiges: Golgowsky-Quartett. Marret starrte auf die Füße in den Klapperlatschen, paffte eine seiner Zigaretten, und sie hörte den Refrain, den Hanni Thomsen mitsang, dabei schunkelte er sacht mit sich allein: *Am 30. Mai ist der Weltuntergang, wir leben nicht mehr lang, wir leben nicht mehr lang …*

Die Welt ging dann schon früher unter, im April, als Marret Feddersen ihr Kind bekam und zwanzig Stunden dachte, dass sie sterben sollte. Im Saal ein großes Fest, fast hundert Mann, der zehnte Hochzeitstag von Paule und Irene Bahnsen, oben das Gebrüll von Marret. Es war nach Mitternacht, die Ehrentänze längst vorbei, als Ada Kruse, Hebamme, nicht weiterwusste. »Fohr int Krankenhuus mit ehr, dat is mi nich geheuer.«

Ella lief zum Schulhaus, klopfte Lehrer Steensen aus dem Bett, den einen Mann in Brinkebüll, der nie betrunken war. Er hatte einen VW Käfer, der nach zwei Versuchen ansprang, Ella ging mit Marret auf die Rückbank, hielt sie fest, sie schrie. *DE WELT GEIHT ÜNNER!* Immer wieder. Bis sie im Krankenhaus um ein Uhr früh in die Narkose sinken durfte. Bevor man ihr den Bauch aufschnitt und einen kleinen Jungen holte, schon ganz blau, er lebte aber noch. *Dat kummt dor je nich rut.* Sie hatte recht gehabt. *As bi de Wolf!* Und Ella wünschte sich, sie hätte nichts gesagt. Sie hatte kein Talent dafür, es glückte nie. Was sollte Marret ihr noch glauben.

Es war noch früh, halb Brinkebüll noch auf dem Saal im Gasthof Feddersen, als sie mit Lehrer Steensen in das Dorf zurückkam. Bei großen Festen spielte die Musik bis drei, halb vier, und Paule Bahnsen gab ja immer alles, wenn er feierte. Er passte auf, dass er mit allen Frauen tanzte, er wanderte von Tisch zu Tisch und stieß mit jedem an, lief bei den Polonaisen vorneweg und drückte sich nicht mal bei Damenwahl. Die meisten Männer nahmen dann Reißaus, besonders schnell, wenn Dora Koopmann auf sie zugesteuert kam. *So, dat geiht los mit uns!* Man wurde praktisch abgeführt von ihr, dann ohne Rücksicht auf Verluste über das Parkett gefeudelt, wenn man nicht kräftig gegensteuerte. Paule Bahnsen nahm es mit ihr auf. Am Ende war dann Dora aus der Puste und nicht er. Bahnsens wussten, wie man feierte, die Feste gingen immer lang bei ihnen, auch wenn sie erst vor einem halben Jahr ein Kind bekommen hatten. Gott sei Dank ein anderes Kaliber als die kleine Gönke Boysen. Bahnsens Henning schlief schon durch, Irene ging mal zwischendurch nach Haus und guckte nach dem Rechten, kam aber immer wieder, tanzte auch fast jedes Stück. Sie würden später gleich vom Gasthof in den Kuhstall gehen, nur vorher schnell das gute Zeug ausziehen, dem Kind die Flasche geben, dann nach dem Melken gleich ins Bett.

Steensen fuhr die Dorfchaussee entlang, sie sahen Licht in Heini Wischers Stall, er wartete noch immer auf sein Fohlen. Keiner wusste, was er mit den Pferden überhaupt noch wollte. Steensen fuhr am Gasthof Feddersen vorbei, der hell erleuchtet war, man hörte die Kapelle spielen, *Rosamunde* … Er fuhr den Wagen in den Schuppen, und sie gingen durch die Hintertür ins Schulhaus. Ließen ihre Mäntel an, bis er den Ofen angezündet hatte. Ella ging in seine Küche, kochte Tee. Fand eine Flasche Cognac in der Speisekammer, ganz verstaubt, nicht angebrochen. Er trank ja nicht, nur diesmal, einen Schluck. Sie stießen auf den kleinen blauen Jungen ihrer Tochter an, und Ella blieb noch, bis die Elsternpaare wieder stritten in den Kronen der Kastanienbäume, kurz vor Sonnenaufgang.

II
Heart of Gold

Die Idee kam ihm, als er im *Nah&Frisch*-Markt den Präsentkorb sah, er hatte nicht gewusst, dass es die Dinger überhaupt noch gab. Sie hatten früher immer aufgereiht auf dem Geschenketisch im Saal gestanden, drei, vier Stück davon bei jedem Fest. In Zellophanpapier gehüllt, mit großer Schleife und der laubumkränzten Jahreszahl in Silber oder Gold.

Es war genau das richtige Geschenk für Ragnhild Dieffenbach zum Fünfzigsten. Die Dinger passten gut, wenn man bei garstigen Verwandten eingeladen war, bei missmutigen Tanten, die sich nur noch mit der Welt vertrugen, wenn sie zu ihrem Kaffee Hag noch eine Packung Weinbrandbohnen weggeschnorchelt hatten.

Er würde Ragnhild eines dieser zellophanverpackten Fresspakete schenken, und zwar den Klassiker mit Mettwurst, Bohnenkaffee und Geleebananen. Vielleicht noch eine Flasche Doppelherz dazu, sie hatte es verdient. Giftnatter Dieffenbach. Er hatte nur gefragt, was sie sich zum Geburtstag wünschte, wie sie den Tag verbringen wollte. Und zack, gleich wieder zugebissen. »Mein Gott, Ingwer, jetzt entspannen wir uns mal, es ist bloß eine Zahl. Das interessiert mich NULL. Komm einfach her, wir essen was mit zehn, zwölf Leuten. Claudius will kochen.« Es war ihm dann zu blöd. Er hatte aufgelegt. Zwei Minuten später WhatsApp-Nachricht. »Bitte kommen, bin auch lieb. Versprochen!!!« Zwinkersmiley, Herzchen, Küsschensmiley. Ragnhilds Liebe zu Emojis war noch frisch, am Anfang hatte sie sich aufgeregt über den infantilen Schwachsinn, mittlerweile ging es nicht mehr ohne. Ingwer steckte das Handy weg.

Bloß eine Zahl. Für sie vielleicht, ihm ging es anders. Er wurde auch bald fünfzig, übernächstes Jahr, er dümpelte und sah kein Land. Er hatte nicht die Absicht, sich mal zu entspannen, ganz im Gegenteil. Er war es leid, das grundentspannte Kumpeltier zu sein, das nicht mal Zähne zeigte, wenn es angegiftet wurde. Ragnhild Dieffenbachs Flokati. Ingwer merkte, dass er gerade hochlief. Er war selten wütend, aber wenn, dann richtig.

Im Moment ließ er es an der Einkaufskarre aus, die sich mit seinem Eurostück nicht von der Kette lösen wollte, er riss an ihr herum, bis sie sich schließlich doch bequemte mitzukommen. Bei *Rita's Backshop,* gleich am Eingang, saßen schon die ersten Kaffeetrinker. Ein altes Paar, die Rollatoren neben sich am Tisch geparkt, wahrscheinlich hatten sie gleich einen Arzt- oder Physiotermin und mussten noch ein bisschen Zeit totschlagen. Die Leute aus den Dörfern kamen immer viel zu früh, er hatte seine beiden heute auch schon wieder eine halbe Stunde vor Termin bei ihrem Hausarzt abgesetzt. Man brauchte zwar von Brinkebüll nur eine Viertelstunde in die Stadt, aber Sönke saß schon immer eine Stunde vorher in der Küche, Jacke an, Prinz-Heinrich-Mütze auf dem Kopf, die Hände auf dem Tisch. Ingwer hatte sich daran gewöhnt, absurd früh loszufahren. Er setzte sie dann in das Wartezimmer, hängte ihre Jacken an die Garderobe, drückte Ella eine *Frau im Spiegel* in die Hand. Sönke brauchte nichts zu lesen.

Er unterhielt sich mit den anderen Patienten, ganz egal, ob er sie kannte oder nicht.

Ingwer stieß die Karre Richtung Supermarkt, die Einkaufsliste in der Hand. Im Kopf noch eine andere Liste, und er merkte, wie sie immer länger wurde.

Punkt eins: Er würde Freitagabend nicht für Claudius den Küchenbimbo machen, wenn der für zehn, zwölf Leute eines seiner *Grands Diners* zusammenfummelte. Er würde NICHT die Zwiebeln hacken, einen Berg versandeter Pfifferlinge putzen oder schnell mal eben das Gemüse in Julienne-Streifchen schneiden, während Claudius mit Michelin-Koch-Attitüde vor sich hin sautierte, montierte, tournierte oder was auch immer. Auf keinen Fall. Er würde hinterher auch nicht die Küche putzen.

Punkt zwei: Er würde Ragnhilds Schwester Beatrice nicht wieder ihr groteskes Volkshochschulen-Plattdeutsch an ihm ausprobieren lassen. *Moin Ingwär Fäddersän! Mööönsch! Wo geiht di dat!* Wie er es hasste. Einmal durch den ganzen Raum. Sie bombte sich in jede Unterhaltung, ganz egal, mit wem er gerade sprach, und dann kam jedes Mal dieselbe Nummer: *Moin Ingwär Fäddersän! Mööönsch! Wo geiht di dat? Mit Ingwer muss ich unbedingt immer platt schnacken, ich find das so toll! Ingwer schnackt das ja echt noch zu Hause, da in seinem Dörp, näch, op'n platten Land. Wie heißt das noch da oben? Ich find das so toll. Ich find das so herrlich! Ich find, das klingt so niedlich, irgendwie! Ich find die so nett, diese Sprache! So urig, irgendwie.* Spätestens bei *urig* wollte man direkt zuschlagen. Sie brüllte dann auch immer so, als müsste jemand, wenn er Plattdeutsch sprach, zwangsläufig taub und/oder geistig leicht behindert sein. Im Grunde war es auch genau das, was sie dachte. Bohnen in den Ohren und schlicht in der Rübe – aber goldig war das Landvolk, irgendwie. *Ich find das so toll! Das hat so was Gemütliches. Bannig komoodig!* Und meistens ging es dann bei allen anderen auch los. Dann fingen plötzlich alle an von Oma oder Opa zu erzählen, die auch immer nur Platt gesprochen hatten. *Also, verstehen kann ich das ja alles! Aber sprechen leider nicht, das ist so schade.* Und dann kamen die Top Ten der plattdeutschen Wörter, eines lustiger als das andere. *Schietbüdel! Tüdelbüdel! Huulbessen! Brägenklöterig.* Das war der Punkt, wo er dann raus auf den Balkon ging, eine rauchen. Früher war man noch geächtet worden, wenn man Platt sprach, Lehrer Steensen hatte es im Klassenzimmer wie ein Kammerjäger ausgerottet. Jetzt wurde man, sobald man seinen Mund aufmachte, wie ein Rote-Liste-Tier gehätschelt. Wie ein Feldhamster, der auch fast ausgestorben war, und auch so niedlich. Und so nett. So urig.

Punkt drei: Ein blöder Spruch von Ragnhild über seinen neuen Haarschnitt, ein süffisanter Kommentar zu seinem neuen Hemd, dann konnte sie mit Claudius alleine selig werden. Ernsthaft jetzt. So langsam reichte es.

Er merkte selbst, wie angefasst er war, wie gallig und wie fertig mit der Welt, er stieß die Einkaufskarre wütend durch den Laden. Er war so durch mit seinem unsortierten Leben, mit seiner angestaubten Wohngemeinschaft, sie kam ihm manchmal vor wie *Hotel California. You can check out anytime you like, but you can never leave.* Jetzt wagte er tatsächlich etwas Abstand, ein Jahr Pause, bisschen Freigang – und danach? Wie er sich kannte, würde er dann einfach wiederkommen. Weitermachen. Liegenbleiben. Wie ein Findling auf die nächste Eiszeit warten, bis ihn endlich mal ein Gletscher weiterschob.

Es hatte einmal etwas Liebesähnliches gegeben zwischen ihm und Ragnhild, etwas Brüderliches zwischen ihm und Claudius. Ein Wir-Gefühl, wenn alle drei zusammen waren. Kommune goes Familie. Das war, nachdem sie alle anderen Varianten durchgetestet hatten. Die offene WG mit ständig neuen Leuten, Türen offen, Betten offen, immer reinspaziert, Hauptsache, alles offenlassen. Aber wenn alles ging, ging früher oder später gar nichts mehr, man wurde aus Protest zum Biedermann, verteidigte sein Bett, sein Zimmer, seine Haferflocken, seine Tabakblättchen bis aufs Blut. Am Ende war dann dieses Dreieck übrig, eine Frau, zwei Männer, nie berechnet, schlampig hingekritzelt, trotzdem sehr stabil. Er fragte sich in letzter Zeit sehr oft, warum es hielt. Es war vielleicht wie mit den Kaustby-Stühlen in der Küche, übrig aus den Achtzigern, im Grunde passten sie nicht mehr. Sie gingen aber einfach nicht kaputt. Er zerrte seinen Einkaufswagen durch die Gänge, knallte ihn mit Lebensmitteln voll, er wusste, wenn er ehrlich war, dass Ragnhild nicht der Grund für seine Wut war, Claudius erst recht nicht, und schon gar nicht Beatrice, *Möööönsch, Ingwär Fäddersän!*

Er selbst war das Problem. Dr. Ingwer Feddersen, der immer schön den Unverkopften gab, den Bodenständigen, in einer Hand die Buddel Flens und in der anderen die Selbstgedrehte. Der Fenster putzte, Nudeln kochte, Kaustby-Stühle wieder festschraubte, alles immer kein Problem. Plattschnacker, Doppelkopfspieler, dickes Fell und sonniges Gemüt, er spielte Kneipenwirt und Bauernsohn und unterschlug den anderen, der er auch war: den Wissenschaftler, Hochschullehrer, Arte-Gucker, Lyrikleser. Wanderer und Steinesammler. Denker. Auch den Dünnhäutigen und leicht zu Kränkenden, der auf dem Fahrrad saß und alte Schulgedichte aufsagte. Oder im Auto seine Karohemdenlieder mitjammerte. *I wanna live, I wanna give. I've been a miner for a heart of gold.*

Er versteckte sich, und dann war er beleidigt, wenn ihn keiner sah. Tja, Ingwär Fäddersän, du Feldhamster, selbst schuld. Immer tiefgestapelt, weggeduckt, sich kleingemacht – und jetzt empört darüber, dass er nicht für voll genommen wurde.

Da war noch immer das Gefühl, dass er sich unerlaubt aus Brinkebüll davongestohlen und sich dann heimlich eingeschlichen hatte bei den anderen, den Unileuten, den *Studierern.* In diese Kieler Villa, in die Wohngemeinschaft mit dem Richtersohn und mit der Diplomatentochter. Jetzt, nach zweieinhalb Jahrzehnten, schien da immer noch die unsichtbare Wand zu sein, die ihn von diesen anderen beiden trennte.

Von Claudius, dem grandios Gescheiterten, der auch nach zwei vergeigten Uniprüfungen nicht tiefer stürzen konnte als auf das Deck der Rennyacht seiner Eltern. Jetzt baute er aus Teak und Mahagoni exklusive Boote für die alten Freunde und Bekannten. Die sich seine Yachten leisten konnten, weil *sie* ihre Staatsexamen *nicht* vermasselt hatten. Einen Großteil seiner Kunden kannte er seit Kindertagen aus dem Segelclub, und im Grunde hatte sich für ihn nicht viel verändert. Er fuhr noch immer mit den alten Kumpels die Regatten, jedes Jahr im Juni auf der Kieler Woche.

Von Ragnhild, die sich wohl ihr Leben lang an ihrem *Dreiteiler* abarbeiten würde, während sie in seiner stuckverzierten Kaufmannsvilla saß und ihre Sichtbeton-Entwürfe zeichnete. Die sich die Dieffenbach-Manieren am WG-Tisch abtrainierte – und sie dann doch zu nutzen wusste, wenn es darauf ankam. Claudius und Ragnhild waren großgeworden mit den Segelbooten und den Seidenteppichen, mit Büchern, Bildern, Stuck, antiken Möbeln. Es gehörte ihnen, dieses Leben, immer schon. Sie hatten es geerbt, sie mussten dafür nichts mehr tun.

Er konnte tausendmal der Typ mit Einserexamen sein, mit *summa cum* in seiner Doktorarbeit, er fühlte sich noch immer wie der Schwindler mit gefälschter Vita, der nicht da war, wo er hingehörte. Ingwer Feddersen aus Brinkebüll, der sein geerbtes Leben ausgeschlagen hatte. Nein gesagt zu einem Gasthof auf der Geest, Nein zu den fünfzehn Hektar Land, zu Haus und Hof. Nein zu allem, was ihm Sönke Feddersen, *de Ole,* geben wollte. Nein zu Frau und Kindern. Bloß nicht, besten Dank. Aber wozu hatte er denn Ja gesagt? Wenn Brinkebüll verkehrt war und die Kieler Wohngemeinschaft auch, was war dann richtig?

Er hatte sich ein Leben selbst gebaut, auf einem Fundament aus Shell-Atlas und Steensens Steinsammlung irgendwie zurechtgezimmert, und jetzt merkte er, wie schief es war. Es passte nichts zusammen. Er musste nochmal ran.

Es gab tatsächlich noch Geleebananen. Er fand auch Vollmilch-Nuss-Schogetten, nur Weinbrandbohnen leider nicht, stattdessen nahm er Mon Chéri, ging auch. Seine Stimmung hob sich langsam, während er den Einkaufswagen mit Präsentkorb-Klassikern befüllte, sie fielen ihm allmählich alle wieder ein. Eine Mettwurst, Teewurst, Leberwurst im Glas mit ziemlich fiesem Fettrand. Dann schob er zum Regal mit Obstkonserven, nahm sich eine Dose Pfirsiche und einmal Fruchtcocktail. Jetzt fehlte noch die Packung Kaffee Hag.

Und er entschied sich gegen Doppelherz, er nahm doch lieber eine Flasche Sekt, er war kein Unmensch. Söhnlein Brillant, halbtrocken.

Ach ja, Punkt vier: Falls Anneleen am Freitag käme, würde er nicht wieder auf dem Sofa sitzen bleiben, nicht wie beim letzten Mal. Anneleen war leicht versponnen, Malerin, ein bisschen esoterisch unterwegs, sie sah wie eine dieser Waldorf-Puppen aus, ein bisschen wuschelig, nicht ganz von dieser Welt. Die einzige von Ragnhilds Freundinnen, die leise sprach. Sie nähte, strickte, filzte, färbte sich die Kleider selbst, viel Samt und weiche Wolle, Knöpfe aus Perlmutt und Holz und Seidenschals in Grün und Blau. Anneleen roch sehr gut. Nach Sanddornöl, er hatte sie gefragt, als sie bei der Silvesterparty auf dem Sofa saßen, drei Uhr morgens, beide angeschickert, und sie roch so gut, dass er ein bisschen an ihr schnuppern musste. Er wusste nicht, warum er dann nicht mitgegangen war zu ihr, es wäre kein Problem gewesen. Das war aber das Seltsame, wenn man in einem Dreieck lebte: Man wusste nicht genau, wie frei man war und wie gebunden. Er hatte keine Ahnung, ob es Ragnhild ärgern oder kränken würde, wenn er die Nacht mit Anneleen verbrachte. Wahrscheinlich musste man als Dreiecksmann nicht treu sein, nur diskret. Er ging mal davon aus, dass Ragnhild auch gelegentlich woanders schlief.

Ingwer stieß die Einkaufskarre Richtung Ausgang, packte schnell die Sachen in den Kofferraum, bevor er seine Karre wieder an die Kette legte, fuhr zur Hausarztpraxis.

Die beiden Alten hatten schon die Jacken an und ihre Mützen aufgesetzt, als er ins Wartezimmer kam. Sönke sprach mit einem Mann, der Ingwer irgendwie bekannt vorkam. Sehr groß, mit wildem, weißem Haar, der ihn zu kennen schien. Er nickte jedenfalls in seine Richtung.

»Weetst noch, wer dat weer?«, fragte Sönke, als sie draußen waren. »Dat weer Hauke Godbersen, de Mappenmann. He much Marret so gern lieden fröher.«

Ingwer hakte Ella unter, sie hatte Marrets Namen aufgeschnappt. »Kummt Marret uk noch?«, fragte sie.

»Hüüt nich mehr, Mudder«, sagte Ingwer.

Mudder. Er nannte sie noch immer so, er nannte Sönke auch noch immer *Vadder.* Sie spielten jetzt schon fast seit fünfzig Jahren dieses Vater-Mutter-Kind-Spiel, und es war in Ordnung so. Kaum noch wahr, dass es den Vater nie gegeben hatte. Die große Schwester Marret auch nicht.

Diese Dinge sagte einem niemand. Es gab in Brinkebüll kein Recht auf Wahrheit oder Antworten, man hatte keinen Anspruch auf Erklärungen, als Kind schon gar nicht. Musste, wenn man etwas nicht verstand, wenn Dinge nicht zusammenpassten oder sich verkehrt anfühlten, selbst dahinterkommen. Man spielte Flüsterpost mit sich allein, legte aufgeschnappte halbe Sätze aneinander, und zuerst ergaben sie noch keinen Sinn. Er hatte lange Zeit nur eine Art von Brummen wahrgenommen, etwas Ungenaues und Verrauschtes, einen Ton, der störend war. Es hatte sich so angehört, als suchte man im alten Grundig-Radio nach einem Sender. Drehte eine Weile an dem Knopf, und irgendwann erwischte man die richtige Frequenz. Dann war auf einmal alles klar und deutlich zu verstehen. Dass es die Mutter war, die in den weißen Klapperlatschen durch das Dorf lief. Dass man das Kind von Marret war, von Marret Ünnergang.

Es war ein großer Unterschied, ob man sich für die Schwester schämte oder für die Mutter. Eine Schwester, die wie eine Vogelscheuche durch das Dorf lief und sich merkwürdig benahm, das kam schon manchmal vor. Die Boysen-Mädchen waren auch nicht gerade stolz auf ihre Schwester Gönke. Sie zog sich schrecklich an, lachte nie, rannte auf der Straße manchmal Leute um, weil sie beim Gehen Bücher las. Im Bäckerladen las sie auch, die Kunden wurden fast verrückt, weil Gönke immer nur mit einer Hand bedienen konnte, in der anderen war das Buch. Wenn es gar nicht anders ging, wenn sie ein Brot durchschneiden musste oder Tortenstücke in Papier einwickeln, legte sie es kurz zur Seite. Beim Kassieren las sie dann schon wieder. Eine Schwester, die wie Gönke war, das wünschte sich auch niemand. Oder wie Püppi, Heikos jüngste Schwester, die das ganze Dorf zusammenbrüllte, wenn sie einmal nicht den Willen kriegte. Püppi war ein Biest, sie biss und kratzte ihren Bruder, und dann tat sie immer so, als hätte Heiko angefangen. Dass man mit Schwestern irgendwie Maleschen hatte, war normal.

Aber Marret Ünnergang als Mutter, das war nicht normal. Erst hatte er es nicht geglaubt. Dann hatte er getan, als wüsste er von nichts. Dann hatte er versucht, es wieder zu vergessen. Das andere auch gleich mit, den ganzen Rest, der dann ja auch nicht stimmen konnte. *Mudder, Vadder.*

Man konnte die Frequenz wieder verstellen. Ein bisschen am Empfangsknopf drehen, bis man, wie vorher, nur ein leises Brummen wahrnahm, ungenau, verrauscht. Zwischen *wahr* und *nicht wahr* gab es eine Menge Luft, in der die Dinge schweben konnten, leicht, fast durchsichtig, solange man nicht sprach von ihnen. *Sett bloß nix in de Welt.* Es wurde wahrer, wenn man es benannte, es bekam viel mehr Gewicht. Die Dinge waren nicht mehr aus dem Weg zu räumen, wenn sie einen Namen hatten. Sobald man sie in Worte fasste, lagen sie wie Steine.

Es gab in Brinkebüll viel Ungesagtes, manches schwebte schon jahrzehntelang durchs Dorf, von Haus zu Haus, von Hof zu Hof. Mal landete es kurz, wenn jemand ein paar Worte fallen ließ, betrunken meistens, nicht sehr treffsicher. Dann trieb es weiter, Angehauchtes und Vermutetes und Unaussprechliches und halb Vergessenes. Das Schweigen war wie eine zweite Muttersprache, man lernte es, wie man das Sprechen lernte. Schon die Kinder wussten, was man sagen durfte und was nicht.

Marret hatte es ihm leicht gemacht, von ihr zu denken wie von einer Schwester. Sie war so weit entfernt gewesen von all dem, was eine Mutter sagte oder tat, wie eine Mutter aussah oder sich benahm. Man konnte sich für Marret Ünnergang auch weiter schämen wie für eine Schwester, fast normal.

Und Sönke Feddersen, *de Ole,* ließ sich seinen Vaterplatz nicht nehmen. Er war so sehr der Vater, so viel Vater, dass für einen zweiten gar kein Platz gewesen wäre. Nicht vorstellbar, dass es noch einen anderen geben sollte, einen richtigeren. Schweben lassen, ungesagt, auch das mit Ella. *Mudder.* Schweben lassen. *Sett bloß nix in de Welt.* Es war schon lange nicht mehr wahr.

Erst, als er Hauke Godbersen im Wartezimmer sitzen sah, fiel Ingwer wieder ein, dass er ihn früher heimlich mit sich selbst verglichen hatte, dass er den Mappenmann verstohlen abgesucht hatte nach Ähnlichkeiten. Sie waren beide groß und hatten beide dieses dicke, sture Haar, beinahe schien es denkbar. Aber dann hatte er, schon fast erwachsen, einen Namen aufgeschnappt, den er nicht kannte. Es war nach einem Erntefest, sie hatten schon die Gläser eingesammelt und die Aschenbecher ausgewischt, die Tischdecken in Seifenlauge eingeweicht, das Licht im Saal gelöscht, und Ella war ins Bett gegangen. Sönke war noch mit den üblichen Gestrandeten an Bord, hing in der Stammtischbank wie ein Gekreuzigter, die Arme auf der Lehne ausgestreckt, den Schlips auf Halbmast, Augen auch, im Mundwinkel die Zigarette, die nie auszugehen schien. Ingwer fing dann an, die ausgesetzten Meuterer von Bord zu schleppen, einen nach dem anderen, erst den alten Hanni Thomsen, der schon wieder weinte, als er durch den Saal zur Tür gewuchtet wurde. Danach Paule Bahnsen, der sein letztes Bier mitnehmen wollte, »Glas bring ik di morgen wedder, Ingwer«, auf dem Parkplatz klirrte es dann schon, und Paule schwankte fluchend Richtung Dorfausgang, einen langen, kringeligen Weg vor sich.

Der Letzte war am schwersten wegzukriegen, Kalli Martensen, der, wenn er trank, gehässig werden konnte. Anhänglich und böse, wie Besoffene manchmal waren, legte er den Arm um Ingwers Schulter, grinste, und dann lallte er ihm einen Namen in den Kragen. Keinen von den üblichen, er nannte ihn nicht *Ingwer Feddersen,* nicht *Ingwer Kröger* oder *Ingwer Ünnergang,* auch nicht *Ingwer Kümmerling.* Er sagte *Ingwer Flurbereinigung.* Leise lachend, *Ingwer Flurbereinigung,* noch einmal. Dann sprang Sönke plötzlich von der Eckbank auf, hellwach, »du hölst din Schnuut!«, und stieß ihn durch den Saal zur Tür hinaus. Winkte später ab, als Ingwer sich mit einer letzten Zigarette zu ihm stellte, auf den leeren Parkplatz, fünf Uhr morgens, und ihn fragte, was das heißen sollte, *Ing-*

wer Flurbereinigung. Schüttelte den Kopf und schnippte seine Kippe weg. »De grote Dussel. Dösige Stück Schnack. Loop man to Bett.«

Es war dann schließlich Gönke Boysen, die ihm Antwort gab, die Einzige in Brinkebüll, die man nach solchen Dingen fragen konnte, weil Gönke sich nicht an die Regeln hielt, schon gar nicht an die Schweigeregeln. Gönke ließ nichts schweben, sie nagelte die Leute fest. Sie hatte Steensen mal gefragt, warum er nicht im Krieg gewesen war wie andere Männer. Und Dora Koopmann hatte sie nach ihrem Mann gelöchert, was ihr Dora dann nicht einmal übelnahm. »Ruutschmeten heff ik em, de ole Sack.«

Sie saßen miteinander im Kartoffelroder, Ingwer Feddersen und Gönke Boysen, die Einzigen aus Brinkebüll, die in die Kreisstadt fuhren zum Gymnasium. Neun Jahre, jeden Morgen hin, am frühen Nachmittag zurück, und meistens hatten sie geschwiegen, Gönke hinter ihrem Buch, er mit dem Kopf an der beschlagenen Fensterscheibe, dösend oder schlafend. Ein halbes Jahr vor ihrem Abitur, am Montagmorgen nach dem Erntefest, blieb er im Schulbus wach und fragte sie, und Gönke legte ihren Zeigefinger in ihr Buch, um nicht die Seite zu verschlagen. »Du weetst dat echt nich, oder?«

Und dann sagte sie es ihm.

Ingwer musste sich beeilen mit dem Kochen, jeden Tag Punkt zwölf kam Sönke in die Küche, setzte sich, und wenn das Essen noch nicht fertig war, begann er, mit den Fingern auf der Tischplatte zu trommeln, Radetzky-Marsch, er machte Ingwer wahnsinnig damit. Es kam aber nur selten vor, dass es nicht fertig war, weil Ingwer kochte wie die Brinkebüller

Frauen, die schließlich auch noch andere Sachen auf dem Zettel hatten. Karbonade, Frikadellen, Bauernfrühstück, grüne Heringe, zackzack, und Ella schälte die Kartoffeln. Sie konnte es noch fast so akkurat und schnell wie früher, hörte nur nicht von alleine auf, sie schälte, bis der Sack leer war, wenn man nicht aufpasste. Als kämen abends achtzig Mann zum Essen. Die perfekte Unterstützung für den Kieler Alchemisten, dachte Ingwer, der sich Claudius mit Ella in der Küche vorstellte. Sie wäre fertig, ehe er noch sein Rezept gefunden hätte.

Heute schaffte er das Mittagessen vor der Zeit, Fisch mit Senfsoße und Salzkartoffeln, fünf vor zwölf stand alles auf dem Tisch. Er setzte sich, tat Ella schon mal auf und steckte ihr die Serviette fest. Dann fing er an, mit seinen Fingern auf den Tisch zu trommeln. Dadadam dadadam dadadam damdam.

Sönke kam Punkt zwölf, sah Ingwers Hand und stutzte kurz, dann grinste er. Griff ihm in den Nacken, rüttelte ihn kurz. »Pass bloß op, du.«

Nach der Mittagsstunde machte Ingwer sich an den Präsentkorb. Die laubumkränzte Fünfzig, goldfarben, hatte er nicht kaufen müssen, davon gab es noch genug im Gasthof Feddersen. Er fand auch eine große Rolle Zellophanpapier. Sönke saß auf dem Rollator, seine Arme vor der Brust verschränkt, und schaute zu, wie Ingwer seinen Kaffee Hag, die Mettwurst, die Geleebananen, die Konserven und den Rest so hübsch wie möglich um die Sektflasche arrangierte. Toll sah es nicht aus.

Sönke schüttelte den Kopf und schlurfte in den Flur. Aus dem Schrank kramte er ein paar rot-weiß gewürfelte Servietten, mit denen sie den Korb ein bisschen ausstaffierten, und eine lange Efeugirlande aus Plastik, die sie um den Korbrand wickelten, »sieht glieks ganz anners ut«. Dann schlurfte er zum Tresen, holte eine Flasche Köm und schob sie zwischen Sekt und Mettwurst. »Denn grööt din lüttje Fründin man vun mi.« Er sah noch zu, wie Ingwer die goldene Jubiläumszahl befestigte, dann stand er auf und schob Richtung Kontor. Drehte sich noch einmal um. »Un grööt man uk din lüttje Fründ.«

Man wusste nie genau, wie viel er mitbekam von dem, was man erzählte. Und von dem, was man *nicht* erzählte. Sönke kannte Claudius und Ragnhild, sie waren beide mal in Brinkebüll gewesen, aber das Kieler Leben hatte ihn nie interessiert. Wie diese drei da miteinander hausten, ging ihn ja nichts an, das wollte man auch lieber gar nicht wissen. Er schien sich aber sonst was auszumalen, eine Frau, zwei Männer, Orgien wahrscheinlich, Kraut und Rüben, großes Kuddelmuddel. *Hä!*

12
Alle Vögel sind schon da

Glauben Sie an Gott? Jehovas Zeugen, vormittags um elf, schon wieder. Sönke hatte morgens Zuckerrüben ausgesät und es noch nicht einmal geschafft, sich umzuziehen, als sie auf einmal vor ihm standen, gleich zu dritt: ein Paar mit einem Kind.

Der Winter war vorbei, und plötzlich waren alle wieder da, Zugvögel und Hausierer und Weltuntergangspropheten. Der einbeinige Scherenschleifer war gestern schon mit seinem Bauchladen durchs Dorf gezogen, in seinem himmelblauen Rock und seiner weißen Strumpfhose. Er kam verlässlich wie die Störche und die Schwalben, Goldringe in beiden Ohren, eine Baskenmütze auf dem Kopf. Ella kaufte Nagelbürsten, Schuhcreme, Schnürsenkel bei ihm, sie war die Einzige in Brinkebüll, die ihn zur Tür hereinließ. Er trank nie Schnaps und wollte auch kein Bier, sie schenkte ihm am Tresen eine Tasse Kaffee ein. Er schenkte ihr ein Seifenstück, und wenn er Sönke kommen sah, verschwand er wieder. Der Fremde humpelte von Haus zu Haus, und meistens ließen sich die Frauen ein paar Scheren schleifen oder kauften irgendetwas, Druckknöpfe und eine Rolle Nähgarn wenigstens, weil dieser fremde Mann kein Bettler war, den man vom Hof zu scheuchen wagte. Er war auf eine unerbittliche und radikale Weise einsam, trug sein Ausgeschlossensein wie seine Bürsten und sein Nähgarn vor sich her und zwang die anderen dazu, ihn anzusehen. Man konnte gar nicht anders.

Jehovas Zeugen kamen öfter als der Scherenschleifer, sie wurden langsam eine Plage. »DIE ZEIT LÄUFT AB! ERWACHET!« Alle naslang standen sie jetzt vor den Türen, Untergangspropheten in korrekter Kleidung, alle immer seltsam blass, nachtfalterfarben, und einander zum Verwechseln ähnlich. Und immer stellten sie am Anfang diese Frage. *Glauben Sie an Gott?* Der Junge war zehn oder elf, er wollte Sönke aus der Bibel einen Psalm vorlesen.

»Ik schall los«, rief Hanni Thomsen, trank noch seinen zweiten Underberg im Stehen, dann schnappte er sich seine Mütze und verschwand schnell durch die Hintertür. Sönke hörte, wie sein Mofa draußen röchelte, bis er es endlich angetreten hatte, dann hörte er ihn Richtung Dora Koopmann tuckern.

Es ging sie gar nichts an, woran er glaubte. Jedes Mal, wenn sie mit ihren *Wachtturm*-Heften vor ihm standen, wollte Sönke Feddersen das sagen und ihnen gleich die Tür vor ihrer Nase zuschlagen, aber sie hatten dieses Kind dabei, das einem leidtat, weil es angezogen war wie ein Vertreter. Das nicht dort war, wo es hingehörte, draußen, bei den anderen Kindern. Die Osterferien hatten, auf der Dorfchaussee herumkrakeelten, mit den Rädern durch die Gegend fuhren, Rollschuh liefen, sich mit Kreide ihre Hinkepottfelder auf das Straßenpflaster malten. Der hier musste durch die Dörfer ziehen wie ein Zirkustier, vor fremden Leuten stehen und hören, wie die Eltern Tag für Tag den Untergang der Welt verkündeten. Sönke ließ sich einen Psalm vorlesen, gab dem Jungen aus dem Automaten auf dem Tresen eine Handvoll rot glasierter Nüsse, nahm dann noch in Gottes Namen eines ihrer Hefte an und wurde sie so endlich wieder los.

Der Gott, an den er glaubte, ging sie gar nichts an. Er hatte nicht viel Väterliches, und besonders gnädig war er auch nicht, nur gerecht. Er führte Buch, legte Konten an. Der Gott von Sönke Feddersen war so penibel wie ein Brotschneider in Magnitogorsk. Für das, was man verbrochen hatte, zahlte man, so einfach war das. Weil Gerechtigkeit von Rechnen kam und Schuld von Schulden. Man konnte sich auf diesen Gott verlassen, Sönke hatte mit ihm Hunger, Kälte, Typhus überlebt, weil er den Rechenweg verstanden hatte. Auge um Auge. Vier Rotarmisten abgeknallt, vier Zehen abgefroren in Magnitogorsk. Diejenigen, die rechnen konnten, waren besser durchgekommen. Die, wie Sönke Feddersen, verstanden hatten, dass sie nicht zufällig da saßen, schuldlos steifgefroren in Baracke 64, schicksalhaft und ungerechterweise in Gefangenschaft geraten. Es war einfacher, wenn man begriffen hatte, dass man abbezahlte. Fast tausend Tage Lager, und er wusste ganz genau, wofür. Vier tote russische Soldaten, mindestens, und, noch viel schlimmer, die zwei jungen Zivilisten. Jemand hatte diese Dinge ja getan. Dinge, die zu Hause niemand wissen durfte, auch nicht wissen wollte. Die auch dort und damals schon verkehrt gewesen waren, und man hatte es auch dort und damals schon gewusst. Als man die Waffe auf die jungen Leute richtete, noch jünger als man selbst und noch mehr Schiss. Und jemand hatte trotzdem einen Strick geholt, und jemand hatte ihn geknotet und die Schlinge um den dünnen Hals gelegt, den Mädchenhals. Und jemand hatte dann das Seil über den dicken Birkenast geworfen, und jemand hatte sich dann an das Seil gehängt, als wäre es ein Glockenstrang. Bimbam. Und hoch damit. Und als die Dörfer brennen sollten, Häuser, Scheunen, auch die Felder, hatte jemand eine Fackel an die Strohdächer gehalten, an das Korn, das noch nicht reif war, aber trotzdem brannte. Und jeder hatte dort und damals auch gewusst, was es bedeutete, wenn Felder brannten. Und dass man Bauern nicht ins Feuer schicken durfte. Kein Gott ließ einen durchkommen mit so was.

Man hatte dann im Lager Zeit gehabt zu rechnen. Die Zehen für die toten Russen. Hunger, Schmerzen, Todesangst für das, was mit den Partisanen war. Bimbam. Tausend Tage Lager, und dann wusste man noch immer nicht, ob alles ausgeglichen war, man hatte keine Einsicht in die Konten.

Skoro domoj, zu Weihnachten nach Hause. Damals hatte er gedacht, er hätte jetzt genug gezahlt. Zu früh gefreut, ein Rechenfehler, er war immer noch im Soll, er zahlte weiter. Mit einem Kuckuckskind, das dann auch noch *halfbackt* war. Mit einer Frau, die ihm zur Hälfte abgezogen wurde.

Die Blaskapelle auf dem Bahnhof hatte *Großer Gott, wir loben dich* gespielt, nur eine fromme Lüge. Wer sollte seinen Gott denn dafür loben, dass da nach tausend Tagen ein Gespenst nach Hause kam? Ein Knochenmann mit Koffer – und man wusste nicht, wohin damit. Schon lange abgemeldet, und jetzt kam er doch noch. *Sönke Kröger is bithuus. Segg bloß.*

Alles hatte er bedacht und überlegt und ausgerechnet in der langen Zeit, nur diese Frage hatte er sich nie gestellt: ob man zu Hause noch willkommen war. Auf manche Dinge kam man nicht. Dass Ella ihren Gott nicht lobte, hatte er sofort verstanden. Den Rest verstand er dann allmählich. Dass es nun auch den anderen gab, der still und ernst war wie sie selbst. Den sie gefunden hatte, nicht gesucht. Dass sie ihn nicht verlassen würde für den anderen, und den anderen nicht für ihn. Es war nicht Untreue, es war das Gegenteil davon. Ella blieb ihnen beiden treu. Wie eine Witwe, nur nicht nacheinander.

Und daran starb man nicht, er lebte ja. In seinem Dorf, auf seinem Land, in seinem Haus. Er aß, er trank, er schlief. Er tanzte, und er fror nicht mehr. Er spielte sein Tenorhorn. Ella war noch hier, bei ihm, nicht immer, aber doch die meiste Zeit. Er war nicht so schlecht weggekommen unterm Strich.

Nur das hier jetzt, ein viel zu frühes Enkelkind, unehelich, der Vater unbekannt, erschien ihm nicht gerecht. Er wusste nicht, wofür er jetzt noch zahlte.

Sie fuhren nach dem Mittagessen los, um Marret und das Kind zu holen. Es war noch kühl, aber es blühten schon Narzissen hinter den Staketenzäunen und die ersten Tulpen, Dora Koopmanns bunte Primeln, die sie jedes Jahr direkt an ihren Pflastersteig zum Laden pflanzte, wo sie dann jedes Jahr von ihren Kunden wie von den Vandalen weggemetzelt wurden. Mit den großen Füßen plattgetreten, von verirrten Fußbällen geköpft, von Mofareifen überfahren und von kleinen, nichtsnutzigen Kinderhänden abgerissen. Doras Wut darüber, auch die Rage über all das andere, das ihr tagtäglich von den Brinkebüllern zugemutet wurde, war dann im ganzen Dorf zu hören, wenn sie beim Frühjahrsputz den großen Stubenteppich klopfte, ihn prügelte wie einen armen Sünder. Wenn Dora Koopmann ihren Teppich malträtierte, wusste man, es wurde Frühling.

Die Störche klapperten seit ein paar Tagen auf dem Kirchendach, das Paar, das wieder seinen alten Horst bezogen hatte. Sie mussten sich in jedem Jahr neu finden. Er kam zuerst, so war es immer, aber diesmal hatte er sehr lange warten müssen. Tagelang schon auf dem Dach gestanden, hin und wieder eine Warteschleife um den Turm gedreht, mit langem Hals im Nest gesessen, bis sie dann schließlich eingeflogen kam, woher auch immer. Ella hatte sich, wie jedes Jahr, gefragt, wie lang ein Storch wohl wartete. Ob er den ganzen Sommer lang allein in seinem leeren Nest geblieben wäre oder doch irgendwann die Hoffnung aufgegeben hätte? Die Störche klapperten die Mittagsstunde durch, ansonsten war in Brinkebüll niemand zu hören und zu sehen, nur in der Ferne, auf dem asphaltierten Wirtschaftsweg, der aus dem Dorf heraus zum neuen Hof von Paule Bahnsen führte, schien ein Mensch zu gehen, mit großen Schritten und den Blick gesenkt.

Sie mussten erst zum Amt, für die Geburtsurkunde, es war bis zwei Uhr nachmittags geschlossen, und sie kamen viel zu früh. Sönke steckte eine Zigarette an und gab sie Ella, dann noch eine zweite für sich selbst. Sie kurbelten die Fenster ein Stück auf und rauchten schweigend, bis ihm Ella kurz die Hand an seine Wange legte. »Wat schall he denn nu heten?«, fragte sie.

Marret hatte keinen Namen für den Jungen ausgesucht, sie hatte wortlos auf das Kind gestarrt, das ihr die Säuglingsschwester an ihr Bett getragen hatte, als sie aus der Narkose aufgewacht war. Ella hatte sie dann später noch einmal gefragt, wie sie ihn nennen wollte. Stummes Achselzucken, während sie, immerhin, dem Kind die Flasche gab, wie sonst den Lämmern, die sie mit der Hand aufzog, wenn Mutterschafe sie verstoßen hatten.

»Wat schall he heten?«, fragte Ella ihn, als sie im Wagen vor dem Amtsgebäude saßen, rauchten und am liebsten wieder weggefahren wären, weil sie das alles gar nicht wollten: *Vater unbekannt* in die Geburtsurkunde schreiben lassen. Sich einen Amtsvormund gefallen lassen, der sich in ihre Angelegenheiten mischte, als wären sie Gesindel, asoziales Pack. So sah es wohl auch aus: Die Tochter, minderjährig, auf der schiefen Bahn, das Kind unehelich und keine Ahnung, wer der Vater war. Bei solchen Leuten passte man wohl besser auf. Drei Jahre lang das Jugendamt im Nacken, bis Marret einundzwanzig war. »As de Verbrekers, op Bewährung.«

Sönke drückte seine Zigarette in den Aschenbecher. »Regel du dat, Ella. Ik kann dor nich rin. Mi jüst egal, wat he heten deit.«

Also ging sie allein. Zog das Kopftuch unter ihrem Kinn noch einmal fest, nahm ihre Handtasche und stieg wortlos aus dem Wagen. Sönke sah, wie sie zum Eingang ging mit ihren großen Schritten, tapfer wie ein Kerl, und er saß hinter seiner Scheibe. Duckte sich im Auto wie ein Heuler. Er stieg aus und knöpfte seine Jacke zu, die gute, dunkle, die er sonst nur zu Beerdigungen trug, dann setzte er die Mütze auf und lief ihr nach. Er konnte es dann doch.

Sie saßen auf der Bank im Flur und mussten warten, bis sie aufgerufen wurden. Er legte seine Arme auf die Rücklehne der Bank, den rechten halb um Ellas Schulter, und sagte: »Nich jüst Christian, wenn't geiht. Sunst is mi dat egal.«

Sie sah ihn an und wusste nicht, ob sie nun lachen oder weinen sollte. Er verzog den Mund zu einem schiefen Grinsen, und sie stieß ihm ihren Ellenbogen in die Seite, schüttelte den Kopf. Dann sagte sie, so leise, dass es auf den anderen beiden Bänken niemand hören konnte: »Ingwer, heff ik dacht. Ingwer Feddersen. So as din Vadder.«

Sönke starrte den Kalender an, der vor ihm an der Wand hing. Er wusste nicht, wohin mit seinem Blick. Etwas zog plötzlich an ihm, ein Schmerz, der fast wie Heimweh war, nur nicht nach einem Ort. Er brauchte einen Augenblick, bis er verstanden hatte, was es war. Dass da noch einmal diese alte Hoffnung an ihm zerrte, dabei hatte er geglaubt, sie wäre längst begraben. Einen Jungen haben, ihn so nennen wie den Vater. Einen Ingwer Feddersen, mit Händen, Füßen oder Haaren wie man selbst.

Durch das Fenster konnte man die Amseln hören, die in den kahlen Bäumen jetzt schon ihre Angelegenheiten regelten, zwitschernd, singend, aber jedes Lied war eine Warnung an die anderen. *Mein* Baum, *mein* Nest, *meine* Brut.

Sie schrieben *Ingwer Feddersen* in die Geburtsurkunde, *Vater unbekannt,* und der Beamte sprach mit ihnen wie mit Angeklagten. Sie saßen ihm auf harten Stühlen gegenüber, Sönke hatte seine Mütze abgesetzt, er hielt sie in den Händen. Ella konnte sehen, wie sich die Finger immer tiefer in den Wollstoff gruben. Es sah aus, als wollte er die Mütze wringen. Oder würgen. Der Beamte schien es auch zu sehen. Er wurde etwas höflicher, ließ seine Augenbrauen unten, und Sönke konnte sich beherrschen, bis der letzte Stempel auf das Blatt gehämmert wurde. Sie rannten fast zum Auto, stiegen ein und saßen eine Weile wortlos in den Sitzen, atmend wie nach einem langen Lauf.

Ins Krankenhaus ging Ella dann allein, es hatte gerade die Besuchszeit angefangen. Zwischen Ehemännern, Schwiegermüttern, Nachbarinnen, die nach Blumenvasen suchten, an die Zimmertüren klopften, durch die große Glasscheibe ins Säuglingszimmer schauten, sah sie Marret auf dem Flur, im

Mantel, ihre Tasche bei sich, nur das Kind noch nicht. Sie saß auf einem Stuhl und blätterte in einer Zeitschrift, blickte gar nicht auf.

Eine Schwester, ungefähr in Ellas Alter, kam den Korridor entlangmarschiert, sie trug das Haar unter der Haube straff zurückgekämmt und hob das Kinn, als sie von Ella angesprochen wurde. »Ich wollte Marret Feddersen abholen, meine Tochter. Und mein Enkelkind.«

Die Schwester sah zu Marret, die noch immer in ihr buntes Heft versunken auf dem Stuhl saß, schüttelte den Kopf und ging dann in die andere Richtung. »Kommen Sie.« Ella, die viel größer war als diese Frau, konnte kaum Schritt halten mit ihr. Sie hielten nicht beim Säuglingszimmer an, marschierten weiter bis zu einem kleinen, schmalen Raum, in dem nur eine Pritsche stand. »Auf ein Wort, Frau Feddersen.«

Ihr Scheitel war schon grau, das Haar sehr dünn, und Ella ließ den Blick ein bisschen sinken, langsam das Gesicht herunter, bis zur emaillierten Schwesternbrosche, die am dünnen Hals saß wie ein Kropf. Oberschwester Magda. Die die Arme jetzt verschränkte und das Kinn noch etwas höher hob. Man wurde hier nicht laut, es herrschte Ruhe auf Station. Schwester Magda las ihre Leviten leise. Zischend. Man habe sich hier gut um *Fräulein* Feddersen gekümmert. Das *Fräulein* Feddersen sei auf Station wie jede andere Wöchnerin versorgt, gepflegt und angeleitet worden. Man habe *Fräulein* Feddersen das Wickeln, Baden, Füttern und das Ankleiden des Kindes zeigen wollen. Mit Rücksicht auf das zarte Alter von *Fräulein* Feddersen habe man sehr viel Geduld geübt. Sehr viel Geduld! Dass sich das *Fräulein* Feddersen trotz allem nicht dazu bequemen könne, ihren Säugling zu versorgen, sei unbegreiflich. Man habe hier schon viel erlebt, das wolle sie ihr sagen, aber das hier sei der Gipfel. Eine Mutter, die sich aufführte, als ginge sie ihr Kind nichts an! Der Gipfel.

Ella war ein bisschen blass geworden, langsam zog sie ihre Hände aus den Manteltaschen und verschränkte ihre Arme vor der Brust wie Oberschwester Magda, stand ihr gegenüber wie ihr Spiegelbild, nur deutlich größer. Gans gegen Schwan. Ella ließ den Blick ruhig auf dem grauen Scheitel liegen, und sie dachte nicht daran, in dieses zischende Gesicht zu sehen. Erst schwieg sie nur. Dann tat sie das, was Marret immer tat, wenn sie nicht hören wollte. Sie fing zu summen an. Ein kleines Kinderlied, ganz leise nur. Man wurde hier nicht laut.

Sie gingen dann in aller Ruhe, Ella nahm den Jungen, Marret trug die Tasche. Eine Frau, ein *Fräulein* und ein Kind. Marschierten nicht und rannten auch nicht weg.

Als sie zum Wagen kamen, stieg Sönke aus, nahm Marret ihre Tasche ab und ließ sie hinten einsteigen. Auf dem Vordersitz, in Ellas Arm, schlief Ingwer Feddersen, ein bisschen mickrig noch, aber gesund.

Sie fuhren schweigend unter einem blauen Himmel, Wolkentiere galoppierten, große Herden eskortierten sie nach Brinkebüll, das sich aus seinem Mittagsschlaf berappelt hatte. Haye Nissen hämmerte in seiner Werkstatt, man hörte seine schnellen Schläge auf dem Amboss. Er dengelte für Heini Wischer eine Sense, dabei gab es jetzt, so früh im Jahr, noch nichts zu mähen. Aber Heini, der letzte Bauer, der sein Gras noch mit der Sense mähte, ging auf Nummer sicher. Er ließ auch seine Pferde jetzt schon mal beschlagen, denn in ein paar Wochen würde Haye keine Zeit mehr dafür haben. Wenn die Gras- und Heuzeit kam, gab Haye Nissen sich nicht mehr mit Hufeisen und alten Sensenblättern ab. Er war dann nicht mehr Schmied, er war Mechaniker, lag unter Feldhäckslern und Heupressen, reparierte Zapfwellen, schweißte Motorblöcke. Eilte im verschmierten Kittel mit der Werkzeugkiste auf die Felder, wenn Traktoren liegen blieben oder Mähdrescher nicht weiterwollten. Haye Nissen war dann wichtiger als jeder Tischler, jeder Lehrer, jeder Meierist. Er hielt das Dorf am Leben, seine Hammerschläge waren wie der Puls von Brinkebüll, schnell im Sommer, ruhiger in den anderen Jahreszeiten.

Marret hatte auf der ganzen Fahrt kein Wort gesagt, sie war noch blass, saß hinter Ella auf dem Rücksitz, drückte ihre Schläfe an die Scheibe, Augen in den Himmel, in die Baumwipfel und Wolken, zu den Stromleitungen, auf denen Vögel saßen, aber sie schien all das gar nicht wahrzunehmen. Ella drehte sich ein paarmal zu ihr um und sah sie reglos in den Himmel starren. Dann, bei der Brinkebüller Kirche, als sie am Friedhofstor vorbeifuhren, schien Marret plötzlich aufzuwachen, als hätte jemand sie mit einem Fingerschnipsen aus der Trance geholt. »Kiek mol!«, rief sie. »Kiek mol, de Storch is dor!«

Sie stellten ihr das Gitterbett mit ihrem Kind ins Zimmer, an die Wand unter der Schräge, wo die Fotos von den Filmstars und den Schlagersängerinnen hingen, die Marret aus den Lesezirkelheften ausgerissen hatte. Feddersens bekamen ihre Mappen jetzt als Letzte, wenn alle anderen Abonnenten sie schon durchgelesen hatten. »Geiht nich anners«, hatte Hauke Godbersen gesagt. Sie waren schon ganz mürbe und zerfleddert, wenn sie kamen, aber dafür durfte Marret jetzt auch kritzeln, schneiden oder reißen, wie sie wollte.

Der Junge, der in seinem Gitterbett bei Connie Francis, Freddy Quinn und Romy Schneider lag und schlafen sollte, war ein paar Tage lang im Wärmebett von Oberschwester Magda gepäppelt worden, trotzdem war er noch zu leicht. Er nahm nicht richtig zu, schrie alle zwei, drei Stunden wie am Spieß, und wenn ihm Marret dann die Flasche gab, schlief er schon vor Erschöpfung wieder ein, bevor sie leer war. Er musste manchmal lange schreien, weil sie ihn gar nicht hören konnte. Wenn Marret unten auf dem Saal zu ihren Schlagerliedern tanzte, vergaß sie, dass da oben noch ihr Kind lag. Ging in den Stall und molk die Kühe, fütterte die Kälber und die Flaschenlämmer, dachte nicht daran, dass da ein Junge war, der auch gefüttert werden musste. Er wurde wund, weil Marret ihn zu lang in nassen Windeln liegen ließ, schrie dann noch mehr, bis Ella es nicht länger aushielt.

Nach ein paar Tagen trugen sie das Gitterbett nach unten, stellten es in Sönke Feddersens Kontor, das zwischen Schlafzimmer und Küche lag. Sie riefen Marret gar nicht mehr, wenn sie den Säugling schreien hörten, Ella übernahm das Füttern, Wickeln, Baden. Manchmal schrie er weiter, und man wusste nicht, warum. Gut für die Lungen, hieß es. Schreien lassen, sagte man, es wurde einem aber irgendwann zu bunt.

»Jung, wat bölkst du?«, fragte Sönke. Er stand mit seinen Händen in den Hosentaschen, schaute in das Kinderbett und machte »schschsch«. Das Kind schrie aber weiter, dabei war es satt und frisch gewickelt. Die Welt war ihm vielleicht zu kalt ohne sein Wärmebett, er mickerte. »Bist koolt?«

Sönke nahm die Hände aus den Hosentaschen und schob den Schreibtischstuhl ans Gitterbett. Mit etwas zu viel Schwung zog er das Kind heraus und setzte sich auf seinen

Lederstuhl, den Säugling auf dem Schoß, der jetzt so schrie, dass Ella angelaufen kam. »Wat maakst du, Sönke? Legg em doch bloß wedder in sin Bett!«

Er schüttelte den Kopf und machte »schschsch«. Mit seiner linken Hand hielt er den Jungen, und mit der rechten knöpfte er sich jetzt die Weste auf, danach das Hemd. Mit Kälte kannte er sich aus. »Minsch warmt Minsch«, murmelte er und legte sich das schreiende Bündel Mensch unter sein Hemd, dann knöpfte er sich Hemd und Weste wieder zu und lehnte sich in seinem Stuhl zurück. »Nu hool man op to bölken«, sagte er und klopfte auf den Kinderrücken. »Nu hölst du op.«

Ella wollte ihm das Kind abnehmen und es wieder in sein Gitterbett zurücklegen, wo ein Säugling hingehörte, aber er winkte ab. »Loop du man in din Köök, ik regel dat hier.«

Sie ging und kam nach fünf Minuten wieder ins Kontor, wo beide schliefen, Sönke mit dem Kopf im Nacken, schnarchend, seine Arme um das Kind gelegt.

Er fing dann an, den Jungen mitzuschleppen, trug ihn unter Hemd und Weste bei sich, wenn er hinter seinem Tresen stand, die Gläser an die Tische brachte, Aschenbecher leerte, Bier einschenkte. Als es draußen wärmer wurde, nahm er ihn auf dem Trecker mit, wenn er zu Haye Nissen in die Werkstatt fuhr, und ging dann durch das Dorf zurück, den Jungen vor dem Bauch. Er dachte nicht daran, das Kind zu füttern, es am Ende noch zu wickeln und zu baden. Ella machte das, er trug ihn nur, und manchmal schob er ihn im Kinderwagen durch das Dorf. Der erste Mann, der je mit einem Säugling in der Karre auf der Brinkebüller Hauptchaussee spaziert war. Der Einzige, der jemals wie ein Beuteltier ein Kind am Bauch trug. Er hatte seinen neuen Namen sehr schnell weg, sie nannten ihn bald nur noch *Sönke Büdel,* und es machte ihm nichts aus. Er trug den Jungen vor sich her, den Wechselbalg, er ließ sich sehen mit ihm, zeigte ihn und hielt die Schande aus, die Scham, als wäre er der Scherenschleifer mit dem Holzbein und dem kurzen Rock.

Und es passierte gar nichts. Keiner mied ihn, niemand schloss die Tür vor seiner Nase ab. Sie sagten *moin,* machten ein paar Witze über *Sönke Büdel,* lachten hinter seinem Rücken eine Weile über ihn. Kamen weiter in den Gasthof Feddersen, als wäre nichts geschehen. Machten Witze über einen anderen, lachten bald über den Nächsten, und er lachte mit. Es kam und ging wieder vorbei, man schüttelte es ab.

Er war ein *Dörpsmann,* hier geboren, hier getauft, hier konfirmiert und hier verheiratet. Man wurde nicht so schnell zum Ausgestoßenen, wenn man ein Brinkebüller war, man musste schon viel Schlimmeres verbrechen als nur ein Kuckuckskind und einen vaterlosen Jungen aufzuziehen.

Als Ingwer größer wurde, nicht mehr mickerte, kein Windelkind mehr war und nicht mehr so viel schrie, ließ Ella ihn von Marret füttern, waschen, kämmen, und sie brachte ihn am Abend auch ins Bett, in seine Kammer neben ihrem Zimmer. Ab und zu vergaß sie ihn, wie sie das Wischen in der Gaststube vergaß, das Melken oder Kälberfüttern, wenn sie verschwand und niemand nach ihr suchte, weil man sie sowieso nicht fand. Sie bohnerte die Böden vor den Festen, das Parkett im großen Saal, und wenn es blank war, tanzte sie zu ihren Schlagerliedern. Augen zu und weitersingen, siebzehn sein und bleiben. Stern von Brinkebüll, die anderen konnten ihn nur nicht mehr sehen. Sie sahen ja auch nicht die Zeichen. Hörten Marret in den weißen Klapperlatschen, verstanden aber gar nichts.

Wenn Ingwer Feddersen schlecht träumte, sich ein Knie aufschlug oder um Süßes betteln wollte, ging er zu *Mudder* oder *Vadder,* nicht zu Marret. Und Sönke sagte, »dat is min«, wenn ihn ein Gast von außerhalb oder ein neuer Schnapsvertreter mit dem Kind auf seinem Arm am Tresen sah. »Dat is min Jung.«

Sein Konto war nicht mehr im Soll, er hatte abbezahlt. Erst alle Hoffnungen begraben, dann doch noch einen Ingwer Feddersen bekommen, auf diese seltsame und schiefe Weise. Er fragte sich, ob dieser Brotschneider von Gott vielleicht ein Witzbold war.

13
Forever Man

Am Nachmittag, bevor er losfuhr Richtung Kiel, ging Ingwer zu den Nachbarn, um Bescheid zu sagen. Nils und Anna Clausen lebten jetzt schon sechzig Jahre gegenüber. Scheinbar hatten sie die ganze Zeit am Küchentisch gesessen, Ingwer kam es jedenfalls so vor. Zwei winkende Gestalten an der Fensterscheibe, immer schon. Sobald man aus dem Haus trat, wurde man gesehen und gegrüßt von Nils und Anna. Früher gab es mehr zu winken, jeden Tag Betrieb im Gasthof Feddersen. Clausens hatten immer sehen können, wann die Leute kamen, wann sie wieder gingen und vor allem, *wie* sie wieder gingen. Sie hatten lange keinen Fernseher gebraucht. Jetzt blickten sie die meiste Zeit auf eine leere Straße, frühmorgens und am Nachmittag war viel Verkehr, dann fuhren Pendler durch das Dorf. Mitunter donnerte mit 260 PS der blaue New-Holland-Traktor von Bahnsens vorbei, dann vibrierte ihre Fensterscheibe in der Küche, ansonsten war es still in Brinkebüll.

Nils und Anna waren gut zehn Jahre jünger als die Feddersens, sie passten jetzt ein bisschen auf sie auf. Wenn Ingwer weg war, gingen sie am Nachmittag mal rüber, brachten Kaffee in der Thermoskanne mit und spielten ein paar Runden Rummikub mit Sönke. Sie setzten sich mit Ella in die Stube, schauten Fotoalben an, und manchmal zapfte Sönke eine Runde Bier für alle. Einmal hatten sie danach im Saal getanzt, zwei alte Paare, so viel Platz, am hellen Nachmittag. *Bloß een poor Stücke. So dull kööн wi je nich mehr.* Sie rückten mit den Jahren näher aneinander.

Es lebten nicht mehr viele von den alten Brinkebüllern, die noch wussten, wie die kleinen Feldwege und Tümpel früher hießen. *Sniederwisch* und *Achter't Heck* und *Kattenkuhl,* die nach der Flurbereinigung verschwunden waren. Die noch im Mühlenteich geschwommen waren und dann mit nassen Haaren bei der Dorfkastanie gesessen hatten. *Denn hem wi sungen, weetst dat noch? Kein schöner Land.* Die mit den Händen melken konnten und sich an *Hanni Hau* erinnerten, den Schlachter auf dem Fahrrad, mit den weißen Gummistiefeln und der Axt auf dem Gepäckträger. Die alten Brinkebüller kannten sich ein Leben lang. Sie wurden über die Jahrzehnte zu Geschwistern.

»Morgen bin ik wedder dor«, sagte Ingwer, nachdem er den Präsentkorb in den Kofferraum gestellt hatte. »Stell hier nix an, jem beiden.«

Sönke tippte Ella auf die Schulter. »Sturmfreie Bude.« Schepperndes Gelächter. Sie würden wohl zurechtkommen bis morgen. Clausens hatten seine Handynummer, und der Pflegedienst kam heute Abend auch noch mal zu Ella.

Eine freie Nacht, er fühlte sich auf einmal wie ein Jugendlicher, der das erste Mal so richtig auf die Piste gehen durfte. Die Sonne sank schon, als er an der alten Meierei vorbeikam, wo jetzt eine kurdische Familie wohnte, an der Kirche, an der Mühle. In den meisten Fenstern leuchteten die Weihnachtspyramiden, zwei Tage noch bis zum Advent.

Der Himmel war sehr klar und aufgeräumt, ein zartes Rosarot und hier und da ein paar gerüschte Wolken. *Kiek mol, wat is de Himmel so rot. Dat sünd de Engels, de backen dat Brot* … Ingwer wusste gar nicht, ob die Kinder das Gedicht noch immer in der Schule lernten, alle Steensen-Schüler hatten es gekannt. So sehr man sonst gerüffelt wurde, wenn man Platt sprach – wehe denen, die bei Steensens plattdeutschen Gedichten patzten! In der Mitte steckenblieben oder alles *wie ein Schaf herunterleierten.* Die nicht auf Pausen achteten bei *Över de stillen Straaten!* Sie konnten gleich noch mal von vorne anfangen.

Einmal hatte Ingwer sich, im vierten Schuljahr, das Unfassbare getraut und Steensens himmlisches Gedicht ein bisschen anders aufgesagt. *Kiek mol, wat is de Himmel so rot. Dat sünd de Engels, de scheten sik doot.* Laut und deutlich, gut betont, sogar mit Pausen. Er hatte es sofort bereut, es war auch augenblicklich still geworden in der Klasse, keiner hatte sich getraut zu lachen – bis auf Cowboy Ketelsen, der keine Angst vor Ärger oder Schmerzen kannte. Heiko hatte losgeprustet und dann auch noch laut *Peng, peng!* gebrüllt. Man musste schon sehr dämlich oder lebensmüde sein, um Steensen so herauszufordern. Bei Heiko Ketelsen war niemand überrascht gewesen, weil er sich regelmäßig seine Packung abholte. Aber Ingwer Feddersen, der Vorzugsschüler, *Steensens liebe Jung,* war bis zu diesem Vormittag noch nie durch Frechheit aufgefallen. Er hatte es auch nur dies eine Mal gewagt, in seinem letzten Grundschuljahr. Einmal seinen ganzen Mut zusammengekratzt, weil er den anderen zeigen musste, dass er kein feiger Streber war.

Er fühlte heute noch ein Brennen, wenn er daran dachte, Schuld und Scham, weil Heiko dafür dann die Hucke vollbekommen hatte. Heft auf den Hinterkopf geknallt, Strafarbeit aufgebrummt, und er, der Vorzugsschüler, hatte nur einen kalten Blick kassiert. Lehrer Steensen hielt nicht viel von Gleichbehandlung.

Auf der Autobahn war wenig los für einen Freitag. Ingwer fuhr entspannt, blieb meistens auf der rechten Spur und wimmerte ein bisschen mit Neil Young, sah aber besser aus dabei. Er fand sich, wenn er in den Spiegel guckte, gar nicht schlecht mit seinem neuen Haarschnitt und der neuen Brille, attraktiver als Neil Young zumindest. Ein bisschen Ähnlichkeit mit Eric Clapton auf dem Cover von *Forever Man* vielleicht. Na ja. Mit etwas Fantasie.

Er bog am Rendsburger Kreuz ab Richtung Kiel und stellte fest, dass er viel früher losgefahren war als nötig. Die Überpünktlichkeit der Brinkebüller Alten schien schon auf ihn abgefärbt zu haben. Es war gerade mal halb sieben, als er auf den Westring fuhr, zu früh. Halb sieben war die allerschlimmste Zeit, wenn Claudius ein Abendessen vorbereitete, wahrscheinlich schliff er jetzt gerade seine handgehämmerten japanischen Messer. Oder suchte noch nach seinem Consommé-Rezept, nach inspirierender Musik. Man durfte sich um diese Zeit auf keinen Fall in seiner Nähe blicken lassen, wenn man den Abend nicht als Küchensklave fristen wollte.

Ingwer fuhr nach links in Richtung Uni, er würde erst kurz im Büro vorbeischauen, seine Post und die zwei nachgereichten Seminararbeiten holen. Es waren die üblichen Gnadenfristfälle: einmal abgestürzte Festplatte und einmal Trauerfall in der Familie, beides war natürlich Quatsch. Natürlich hatten sie sich wochenlang gedrückt, die Arbeit vor sich hergeschoben, dann hektisch ein paar Nächte durchgekloppt, von Kaffee, Schokoriegeln und der Torschlusspanik wachgehalten. Um dann irgendwann um vier Uhr morgens einzusehen, dass sie es niemals schaffen würden bis zum Abgabetermin. Also hatten sie ihm ihre lahmen Ausreden gemailt – und Schwein gehabt, weil Dr. Ingwer Feddersen mit Luschen und Chaoten Nachsicht hatte. Er wusste ganz genau, wie sie sich fühlten. Wie es war, wenn man, gerädert, überzuckert und gekrümmt vor Selbsthass, dem Dozenten eine Fristverlängerung abbetteln musste. Seine Seminare waren voll von diesen Typen. Es sprach sich wohl herum, dass Feddersen ein Herz für die Prokrastinierer hatte.

Der Parkplatz vor dem Institut war leer bis auf den Seat von Dauerdoktorandin Jana Winter, die langsam Moos ansetzte in der Seminarbibliothek. Sie war auf ihrem Platz im Lesesaal schon fast zu einem Stillleben verwachsen mit ihrer Thermoskanne, ihrer Stullendose, ihrer Katjes-Pfötchen-Tüte. Wenn man am Morgen kam, saß sie schon da, und wenn man abends ging, hing sie noch immer über ihren Büchern, zuppelte an ihren Haaren, mümmelte an einem rosafarbenen Labellostift. Ein schwerer Fall von Weltangst, diese Doktorarbeit würde niemals fertig werden. Der weiße Seat fiel allmählich auseinander auf dem Uniparkplatz.

Der Fahrstuhl war kaputt, schon wieder oder immer noch, und Ingwer nahm die Treppe in den dritten Stock. Der ganze Fakultätsblock war wie ausgestorben, umso besser, schließlich sollte er hier gar nicht sein in seiner Sabbatzeit. Er schloss die Tür zu seinem Arbeitszimmer auf und machte nicht das grelle Deckenlicht an, sondern gleich die grüne Schreibtischlampe, die sein Büro ein bisschen freundlicher aussehen ließ. Das warme Licht gab seiner Zweckbauzelle einen Anstrich von Gelehrtenzimmer, Bücher und Papiere kreuz und quer, Regale voll, aber den Schreibtisch hatte er noch aufgeräumt an seinem letzten Tag, die Stapel lagen jedenfalls gerade. Auf der Fensterbank stand seine alte Zimmerpflanze, aber Ingwer hätte sie fast nicht erkannt, weil sie auf einmal blühte. Strotzte! Überall hellrote Puschel, dicke Knospen, und die Blätter glänzten wie geölt. Seine Pflanze hatte sich von einem siechenden Gewächs in einen Cheerleader verwandelt. Anita Gehrkes Werk, sie hatte umgetopft, gedüngt, gegossen und ihm eine ihrer unfassbaren Gießkannen auf seine Fensterbank gestellt. Ein Elefant aus blauem Plastik, man goss durch seinen Rüssel. Anita sprühte jeden Tag die Pflanzen auf dem Flur ab, Blatt für Blatt, und wünschte ihnen einen guten Morgen, ehe sie den Rechner hochfuhr. Ihr Büro sah aus wie ein Gewächshaus, Blumenampeln baumelten, Rankpflanzen schlangen sich um die Regale und wanden sich um die Gardinenstange, alles wucherte und blühte, nur mit Menschen konnte sie nicht ganz so gut.

Anita Gehrke saß im Sekretariat wie Zerberus der Höllenhund, die blondgesträhnte Mähne schulterlang, die schwarzlackierten Fingernägel auf der Tastatur. Sie war der Schrecken aller Erstsemester. Blaffte jeden aus dem Zimmer, der zur Unzeit klopfte, um sich einen Seminarschein abzuholen, oder es wagte, nach dem Fachschaftsraum zu fragen. Sie blaffte aber fairerweise alle an, von Erstsemester bis C4, sie machte keine Unterschiede. Der Trick bestand darin, ein- oder zweimal laut zurückzublaffen, wenn sie gar nicht damit rechnete. Und zum Geburtstag eine Orchidee zu schenken. Ingwer kam sehr gut mit ihr zurecht, sie duzten sich schon seit der ersten Orchidee, er wurde mittlerweile fast so gut behandelt wie ein Ficus. Mit Dahlmann lief es weniger harmonisch, er hatte sie nach dreimal Blaffen abgemahnt, jetzt riss Anita sich zusammen. Seine Zimmerpflanzen badeten es aus, ein Trauerspiel auf Dahlmanns Fensterbank, wenn er aus seinem Urlaub kam.

Erst, als er die Jacke auszog, merkte Ingwer, dass seine Möbel in der Ecke fehlten. Sein Arne-Jacobsen-Ensemble, zwei Swan Chairs und der runde Kaffeetisch – verschwunden. Ragnhild hatte sie geerbt und ihm zum Vierzigsten geschenkt, man konnte solche Möbel heute gar nicht mehr bezahlen. Er war schon oft darum beneidet worden, aber noch nie auf die Idee gekommen, dass sie ihm jemand stehlen könnte. Ungläubig starrte er die leere Zimmerecke an, dann wusste er es plötzlich. Sonnenklar. Er ging zu der Verbindungstür, die sein Büro von Dahlmanns trennte, schloss sie auf. Da standen sie. Die Dreistigkeit war fast schon wieder komisch, vor allem war sie typisch für Claus Dahlmann. Er war der Typ, der in Revieren dachte. Als die Historiker vor ein paar Jahren aus dem Altbau auf den neuen Flur gezogen waren, hatte Kollege Dahlmann frühzeitig die Grundrisse studiert und dann sofort auf diesem Raum bestanden. Er war nicht gut geschnitten, länglich, fast ein Schlauch, aber das spielte keine Rolle. Er war 1,2 Quadratmeter größer als das Büro von Ingwer Feddersen, und darauf kam es an.

Dahlmann hatte ihn dann ausgestattet wie den Showroom eines Autohauses. Sein Arbeitsplatz war ergonomisch hochgerüstet. Den Schreibtisch konnte man per Knopfdruck hoch- und runterfahren, stufenlos, was er auch gerne demonstrierte. Der Stuhl war eine Maßanfertigung, aber Claus Dahlmann saß inzwischen kaum noch. Sitzen war das neue Rauchen, tödlich für den Rücken, wer das mal begriffen hatte, stand beim Arbeiten. Ingwer ließ den Blick durch Dahlmanns Zimmer streifen, sah die gerahmten Bilder an den Wänden, die Radierungen, schwarz-weiß, dezent und teuer, und auf dem Sideboard seine Fotos, alle in den gleichen dunkelgrauen Rahmen. Dahlmann mit Ministerpräsident, Dahlmann bei der Grabung, Dahlmann beim Kongress für Experimentelle Archäologie und Dahlmann, Klingenschmied, im *Bronzezeit Erlebnispark*. In den Regalen standen alte Standardwerke, Lederbände, großformatige Atlanten, Enzyklopädien. Schöne Bücher, die man gern besaß, vor allem zeigte man sie gern. In einer Eckvitrine, ausgeleuchtet und poliert, lagen seine Bronzeschwerter, Lanzenspitzen, Sicheln.

Ingwer stand zwischen beiden Arbeitszimmern, an den Türrahmen gelehnt, mit seiner Jacke auf dem Arm, und sah sein Jacobsen-Ensemble neben der beleuchteten Vitrine stehen. Es stand dort besser als bei ihm. Viel besser, und genau so hatte Dahlmann das gesehen: Was wollte ein IKEA-Typ wie Feddersen mit Klassikern des dänischen Designs?

Ingwer blickte in sein eigenes Büro und sah es mit den Augen von Claus Dahlmann. Das Gewusel überall, den alten Schreibtisch und den abgewetzten Stuhl. Das Museumsposter an der Wand, P.S. Krøyer, Skagenmaler, schon ganz eingerissen an den Rändern. Die Pinnwand mit den Urlaubskarten, ausgeschnittenen Zitaten, Fotos, den vergilbten Seminar- und Mensaplänen und alten Konzerttickets. Und auf der Fensterbank Anitas Elefantengießkanne. Neben der reanimierten Pflanze, von der er nicht mal wusste, wo sie herkam. Geschenkt oder vom Vorgänger geerbt, er konnte sich nicht mehr erinnern. Kuddelmuddel überall, hier hauste offensichtlich einer, dem es scheißegal war, ob sein Stuhl gepolstert und gefedert war, der sich an einen alten, vollgemüllten Schreibtisch klemmte und nicht mal bemerkte, dass er sich den Rücken ruinierte. Das Büro sah aus, als wäre jemand hier nur provisorisch eingezogen, ein Untermieter, gar nicht fertig eingerichtet. Der jederzeit die Kündigung erwartete. Das hier sah nicht wie das Arbeitszimmer eines promovierten Archäologen aus. Hier hockte noch der Junge von der Dorfschulbank, gleichgültig und genügsam wie ein Büschel Heidekraut.

Ingwer hängte seine Jacke an den Haken, und dann trug er seine Sessel und den Tisch in sein Büro zurück. Es brachte nichts, sich über Dahlmann aufzuregen, Zeitverschwendung. Es war auch gar nicht seine Art, sich in Kollegen zu verbeißen oder in unverschämte Sekretärinnen, er war ein friedliebender Mensch. Nur im Moment gerade nicht. Er spürte, als er seinen Tisch zurückgetragen hatte, dass er zitterte vor Wut. Er war so außer sich, dass er Claus Dahlmanns *Hall of Fame* am liebsten kurz und klein geschlagen, mit einem Knüppel seine lächerliche Leuchtvitrine demoliert hätte, das ganze widerliche Angeberbüro. Es war, als wäre eine Tüte Abfall aufgeplatzt, auf einmal flog ihm alles um die Ohren, was er an Dahlmann schon seit Jahren hasste. Seine Trägheit, seine Geltungssucht und seine Missgunst. Seine unheilbare Hybris. Dahlmann hielt sich für verkannt, für einen großen Denker, Querdenker!, der seiner Zeit nur leider weit voraus war. Seine krachend durchgefallene Habil.-Schrift, die Verrisse seiner Aufsätze in Fachzeitschriften, seine abgelehnten Papers bei den letzten zwei Kongressen – jeder Misserfolg war nur ein weiterer Beweis dafür, dass das Kartell der Mittelmäßigen sich gegen ihn verschworen hatte.

Claus Dahlmann hatte sich in diesem Schutzraum der

Gescheiterten behaglich eingerichtet. Er watete durch Abschaum und musste es ertragen, dass ein Heidekraut wie Ingwer Feddersen auf der Karriereleiter ein Stückchen höher saß als er. Besoldungsstufe 13 oder Besoldungsstufe 14, für Dahlmann war der Unterschied sehr wichtig – und nur ein weiterer Beleg für das Kartell! Dahlmanns Dünkel war an Ingwer bislang abgeprallt, er hatte sein Gestichel und Gepeste nie auf sich bezogen. Jetzt war Schluss.

Erst wollte er ihm eine wütende Notiz auf seinen Schreibtisch legen, dann machte er es anders. Er ging zum Tisch und drückte auf den Knopf mit Pfeil nach unten, ließ ihn so weit herunterfahren, wie es ging. Bis er auf Schulkindhöhe war. Auf Zwergenhöhe. Dann steckte er sich eine Zigarette an und ließ den Qualm durchs Zimmer ziehen. Dahlmann war hysterischer Nichtraucher, also nahm Ingwer vom Regal die Tasse aus hauchdünnem Porzellan, aus der Claus Dahlmann jeden Nachmittag den grünen Tee trank, stellte sie ihm mitten auf den Zwergenschreibtisch, aschte auf die Untertasse. Blies den Rauch in alle Zimmerecken, gründlich wie ein Kammerjäger, und dann drückte er die Kippe aus und ließ sie in die blütenweiße Tasse fallen. *Wer hat aus meinem Becherchen getrunken.* Wenn Dahlmann um Reviermarkierung bettelte, dann konnte er sie haben.

Er ging zurück in sein Büro, schloss die Verbindungstür, dann setzte er sich an den Kaffeetisch und sah sich um. Sein Blick blieb an dem Selbstporträt des alten Skagenmalers hängen. Peder Severin Krøyer, mit fünfzig Jahren depressiv geworden, in der Nervenheilanstalt gelandet. Ingwer Feddersen stand auf, er riss das Poster von der Wand und stopfte es in den Papierkorb.

Es war schon fast halb neun, als er mit seinem zellophanverpackten Korb im Arm die Wohnungstür aufschloss, er hörte Stimmen aus der Küche und die Billie-Holiday-Musik, die Claudius fast immer spielte, wenn er kochte. Ragnhild hatte offenbar den Schlüssel in der Tür gehört, sie kam ihm schon im Flur entgegen, fiel ihm um den Hals, er musste erstmal den Präsentkorb abstellen. Ragnhild sagte nichts, sie drückte ihn nur an sich, quetschte ihn fast ein, es war ein bisschen unheimlich. Normalerweise konnte man schon froh sein, wenn sie sich umarmen ließ.

Er machte sich ein bisschen los. »Hallo, junge Frau«, und küsste sie. »Herzlichen …«

Ragnhild sagte: »Hör bloß auf. Ich dreh gleich durch.« Dann ging sie einen Schritt zurück und sah ihn an, fuhr mit der Hand durch seine Haare, zog ihre Augenbrauen hoch und sagte: »Ganz anders. Mensch.« Sie nickte langsam, scheinbar wusste sie noch nicht, wie sie es finden sollte. Ihre Augen waren rot, die Nase angeschwollen, wie nach langem Weinen.

Er strich ihr mit dem Daumen über ihre Wange, sah sie fragend an. Sie zog ihn durch den Flur, schnell an der Küchentür vorbei und in sein Zimmer, schloss die Tür und lehnte sich dagegen. Die meisten Frauen wurden runder mit den Jahren, Ragnhild wurde eckiger, sie war sehr schmal und trug ein dunkelblaues Kaschmirkleid, das er nicht kannte. Auch diese Silberkette und die Schuhe waren neu. Ihr Haar sah aus, als wäre sie gerade beim Friseur gewesen, keine grauen Strähnen mehr, es schimmerte kastanienbraun. Ingwer hatte sie seit Jahren nicht in einem Kleid gesehen, in solchen Schuhen wohl noch nie.

»Umstyling«, sagte Ragnhild, zeigte auf sich selbst. »Geschenk von Beatrice zum Fünfzigsten. Dreißig Klamottenläden, zwanzig Schuhgeschäfte, vier Stunden beim Friseur. Jetzt sehe ich aus wie meine Mutter. Super.« Ihre Stimme knickte weg. Sie stemmte ihre Hände in die Hüften, sah ihn an, versuchte, nicht zu heulen. »Und jetzt kommst du hier auch noch an und siehst auf einmal aus wie so ein Typ aus dem scheiß Marco-Polo-Katalog. Mann, Ingwer.« Jetzt heulte sie wirklich.

Vielleicht war Fünfzig doch nicht einfach eine Zahl. Ragnhild Dieffenbach sah gerade nicht so aus, als ob sie dieser Tag NULL interessierte. Sie rutschte mit dem Rücken an der Zimmertür herab, bis sie auf dem Parkettfußboden saß, die Beine ausgestreckt, den Rücken rund, wie eine Marionette mit gekappten Fäden.

Ingwer hörte Stimmen auf dem Flur, ein lautes Lachen, »Boah, wie fies ist das denn? Guck mal hier, die goldene Fünfzig! Oh Gott, die Wurst!« Scheinbar hatten Ragnhilds Doppelkopfkolleginnen den Präsentkorb entdeckt. Ihm schwante, dass es nicht die allerbeste Geschenkidee gewesen war.

Er setzte sich zu Ragnhild auf den Boden, legte seinen Arm um sie und sagte: »Komm, jetzt entspannen wir uns erst mal.« Fummelte ein Päckchen Taschentücher aus der Hosentasche, gab ihr eins, dann strich er über ihre weiche Kaschmirwolle. »Very Bridge Club«, sagte er, »jetzt fehlt dir bloß noch die Anstecknadel der Rotarier.«

Ragnhild schnaubte, was fast wie ein Lachen klang. Aus der Küche kam ein Scheppern wie von einer Pfanne oder einem großen Topf. Dann ein Aufschrei, »Huch!«, und aufgeregte Stimmen.

»Ich bring ihn um«, sagte Ragnhild und stand auf. »Ich hab zwei Kilo Zwiebeln gehobelt für diese SCHEISSSUPPE.«

Als sie in die Küche kamen, kniete Claudius mit einer Kehrschaufel auf dem Fußboden und schippte seine *soupe à l'oignon* in den Mülleimer, während die Gäste mit angezogenen Beinen am Tisch saßen und an Grissini kauten.

»Mann, bin ich froh, dass du da bist«, sagte Claudius, stieg aus seiner Lache und umarmte Ingwer. »Kannst du hier kurz weitermachen? Kleine Havarie bei der Vorspeise.« Er grinste und drückte ihm die Schaufel in die Hand. »Ich muss mich jetzt mal um den Hauptgang kümmern.«

Ragnhild riss die Schaufel an sich und schob Ingwer an den Küchentisch, wo er sich neben ihre Schwester auf das alte Sofa fallen ließ.

Beatrice erhob ihr Glas und prostete ihm zu. »Mööönsch, Ingwär Fäddersän«, mehr kam dann aber gar nicht, keine Plattdeutsch-Volkshochschule heute. Sie sah ein bisschen glasig aus, sie trank jetzt schon seit einer Stunde Sekt auf leeren Magen.

Ragnhilds Doko-Trio zeigte auch schon leichte Schwächen, das dauerte hier alles viel zu lange. Rita nagte wie ein hungriges Kaninchen die letzte Brotstange herunter, Heidrun und Ulrike hatten sich zurückgelehnt, die Arme vor der Brust verschränkt, und sahen *endgenervt* dem Hokuspokus zu, den dieser Alchemist am Herd da wieder abzog. Mit einem Hauptgang war bei Claudius wohl nicht vor 22 Uhr zu rechnen. »Ich bestell mir gleich ne Pizza«, sagte Heidrun, »kann doch wohl nicht wahr sein, Mensch.«

Jeden Dienstagabend rauschten die drei Frohnaturen in die Wohngemeinschaft, zogen sich im Flur die Lammfellpuschen an, schlurften in die Küche und schmissen ihre gelgefüllten Sitzkissen auf die IKEA-Stühle. Aus der Doko-Kasse angeschafft, weil sie sich nicht mehr Ragnhilds *Foltermöbel* antun wollten. *Schnauze voll.* Dann knallten sie die Karten auf den Küchentisch, und in den nächsten zwei, drei Stunden hörte man nur noch Genöle und Gemotze. Beschwerden über *mieses Blatt,* Protest, wenn eine schlampig mischte, und genervtes Stöhnen, weil die anderen wieder *selten dämlich* spielten.

Als unbedarfter Mitbewohner, männlich, konnte man den Reiz an diesem Spiel nicht ganz erfassen. Claudius fand ihre Wohnung an den Doko-Abenden *energetisch vollkommen verpestet,* also gingen er und Ingwer meistens in die Kneipe, lästerten ein bisschen ab und dachten sich beknackte Splattermovies aus. *Doppelkopfschuss. Blutbad mit Herzdame. Schreckschraubenmassaker. Das Schweigen der Lammfellpuschen.* Ingwer schwankte immer zwischen Grauen und Faszination, wenn er Ragnhilds Kartentruppe sah. Ihre Lesebrillen, hochgeschoben in die Kurzhaarschnitte, ihre lauten, gut belüfteten und tiefgelegten Stimmen, die sie sich in ihren Ego-Boost-Camps antrainierten. Sie buchten ständig diese Optimierungsseminare, coachten sich die Schwächen weg: Selbstzweifel, Schüchternheit, Komplexe, mäuschenhaftes Kichern, schiefgelegte Köpfchen, alles weg. Sie killten dabei allerdings auch alles andere. Da war nichts Weiches, Zartes mehr an ihnen, alles Liebenswerte hatten sie gleich mit erledigt, große Chemotherapie, nur psychisch. Über Freundlichkeiten waren sie hinaus. *Am Arsch!* Gegen diese drei war Ragnhild Dieffenbach ein Rehlein.

Auf dem Sofa neben Beatrice saß Anneleen und lächelte aus ihrem silberblauen Samt, sie warf ihm eine Kusshand zu, und Ingwer lächelte zurück, dachte an ihr Sanddornöl und an Punkt vier auf seiner Liste. Der junge Typ am Kopfende des Tisches war der Einzige, den er in der WG noch nie gesehen hatte. Er sah aus wie einer, der auf Grizzlybären schoss oder mit bloßen Händen Lachse fing. Holzfällerhemd und Vollbart, beide Unterarme tätowiert. Nur die Frisur sah nicht nach einem Trapper aus, er trug das Haar in einem kleinen Dutt. Ingwer schätzte ihn auf Mitte zwanzig, offenbar der Freund von Ronja, die zu seiner Linken hockte und mit finsterem Gesicht auf ihrem Handy tippte. Hin und wieder blickte sie kurz auf und starrte stirnrunzelnd ihren Vater an, der jetzt an seinem *Lachs sous vide* herumlaborierte.

Ronja Regenmachertochter. Claudius war einmal kurz in eine Vaterschaft hineingesegelt, auf einem Südseetörn mit ein paar Kunden. Fliegende Fische und Sternschnuppen, der Mond, das Meer, er war auf Booten leicht entflammbar. Es war dann auch in Ordnung. Ronja wuchs bei ihrer Mutter auf, in einem Dorf bei Bremen. *No hard feelings,* Claudius zahlte Unterhalt, es gab schon lange einen neuen Mann. Hin und wieder tauchte Ronja für ein Wochenende auf und kommandierte Claudius herum, was er sich wie ein resignierter Zirkusbär gefallen ließ. Jetzt gab es scheinbar einen Freund, ein tätowierter Bärentöter, ausgerechnet. Ronja hatte Augen wie ihr Vater, auch sein dunkles, leicht gewelltes Haar, nur keine Lust zu segeln. Claudius versuchte immer wieder, sie auf seine Yacht zu quatschen. Jedes Mal bekam er eine nibelungenreife Szene hingelegt, denn Ronja hatte sein Talent für Drama eindeutig geerbt. Mit dieser Tochter hatte Claudius der Welt ein kostbares Geschenk gemacht – so sah er das. Der Rest der Welt sah eher ein verpeiltes und verwöhntes Gör. *Ja, ne. Pfff, keine Ahnung.* Ragnhild konnte sie perfekt imitieren. Sie quälte

Ronja gern ein bisschen, fragte sie am Küchentisch nach ihrer Meinung zu Kultur und Feminismus und freute sich dann diebisch über die luziden Antworten. *Ja, ne. Pfff, keine Ahnung.*

Ragnhild hatte keinen Draht zu Kindern, sie war noch nie von mütterlichen Regungen behelligt worden. Ihr reichte wohl das Tochtersein, und mittlerweile galt ihr Lebensstil in der Familie Dieffenbach nur noch als *originell.* Vier Kinder funktionierten gut, das fünfte war ein schräger Vogel – das machte sich im Grunde gar nicht schlecht. Es brachte etwas Farbe in den Laden, gab den Dieffenbachs diesen gewissen Hauch von Laisser-faire und Toleranz, man war ja schließlich nicht borniert. In einer unsortierten Wohngemeinschaft hausen, kinderlos und mit verdreckten Fußböden und Fenstern, ach Gott, ja, unsere Ragnhild eben. Ingwer sah, wie sie in ihrem eleganten Kleid den Rest der Zwiebelsuppe in den Eimer schippte, während Claudius am Herd die Hände in die Seiten stemmte, scheinbar gab es auch beim Hauptgang noch ein paar Komplikationen. Ingwer lehnte sich zurück mit seinem Sektglas in der Hand und wärmte sich ein paar Momente lang an einem Déjà-vu-Gefühl.

Dann trank er aus, ging in den Flur und schaffte den Präsentkorb in sein Zimmer. Er zog die Mettwurst aus dem Zellophan und nahm sie mit, schnitt sie auf dem Küchentisch in Scheiben, wo sie dankbar angenommen wurde. Danach ging er an den Herd zu Claudius, der sich für dieses Essen extra ein *Sous-vide*-Gerät gekauft hatte. Vakuumgarung! Man musste nur den Lachs luftdicht in einen Folienbeutel schweißen und konnte dann mit einem Stick die *optimale Temperatur* einstellen für den *perfekten Garungsgrad.* Das Ding sah nicht besonders kompliziert aus, eine Art Tauchsieder mit elektronischem Display, aber jetzt funktionierte dieses dämliche Vakuumiergerät nicht. Claudius war kurz davor, es an die Wand zu schmeißen.

»Komm, lass uns erst mal eine rauchen«, sagte Ingwer, zog ihn raus auf den Balkon und holte aus dem Kühlschrank noch zwei Flaschen Bier. Sie standen eine Weile schweigend, ließen weißen Rauch in den Dezemberhimmel steigen, blickten auf die Förde. Hafenkräne auf dem Werftgelände, blanke Ostsee, Sterne und ein halber Mond, Claudius beruhigte sich allmählich.

»Ich kann schnell Nudeln machen«, sagte Ingwer. »Lachstomatensauce. Kein Problem.«

Claudius drückte seine Kippe am Balkongeländer aus. Dann nickte er. »Mach mal.« Er grinste schief, nahm einen Schluck aus seiner Flasche. »Ingwer Checkersen, nie ein Problem.« Er atmete tief durch. »Ich bleib hier noch ein paar Minuten stehen.«

Als Ingwer wieder in die Küche kam, beschlugen seine Brillengläser. Er sah trotzdem noch, wie Anneleen den Bärentöter küsste. Und der Bärentöter seinen tätowierten Arm um ihre Schulter legte.

»Ihr Neuer«, sagte Ragnhild später. »Annes aktuelle Muse. Oder wie nennt man die männlichen? Mus?«

»Müsli, glaub ich«, murmelte Claudius. Er schlief schon fast.

Die Gäste waren weg, genudelt und mit Weißwein abgefüllt. Sie lagen noch zu dritt auf Ragnhilds Seidenteppich. Tranken Aquavit und aßen Mon Chéris aus dem Präsentkorb.

Ragnhild zog die goldene Fünfzig heraus und steckte sie

sich in ihr Haar. »Konfrontationstherapie. Ich stelle mich dem Monster.«

Dann fielen ihr die Augen zu. Claudius schlief auch. Ingwer nahm ihm vorsichtig die Aquavitflasche aus den Händen, trank noch einen Schluck, dann schraubte er sie zu. Er zog Ragnhilds Decke von ihrem ungemachten Bett, breitete sie über den anderen beiden aus, dann legte er sich zu ihnen, mit dem Gesicht an Ragnhilds weichem, neuen Kleid.

14
Junge, komm bald wieder

Die alten Rosskastanien hatten ihre Wurzeln unter den Asphalt der Brinkebüller Dorfchaussee geschoben, Jahr für Jahr ein Stückchen weiter. Sie zeichneten sich ab unter dem Teer wie Adern unter einer dünnen Haut. An manchen Stellen war die Straßendecke aufgebrochen, und man sah das Wurzelholz. Die Bäume waren stärker als der Teer, sie machten aus der Straße eine Buckelpiste. Das Rollschuhlaufen brachte keinen Spaß, die Kinder stolperten und fielen hin, sie schlugen sich die Hände und die Knie blutig, manchmal auch die Köpfe. Der Asphalt war wie grobes Schleifpapier. Sie schrien lange, wenn sie stürzten. Beim Fahrradfahren durfte man die Hände nicht vom Lenker nehmen, man konnte es nicht wagen, freihändig zu fahren, nur auf dem kleinen Stück von Dora Koopmann bis zum Ortsschild, dort, wo keine Bäume standen, ging es. Das Einzige, wofür die Holperstraße taugte, war das Wackelpuddingspiel: auf dem Rad mit offenem Mund ein *Aaaaaa* singen oder ein *Oooooo,* dann konnte man sein Zwerchfell wackeln fühlen und hörte sich fast wie ein Opernsänger oder wie ein Jodler an. Und im Sommer war es schön, wenn man ganz oben auf dem Fuder Heu saß, und der Wagen schaukelte wie eine alte Kutsche durch das Dorf.

Die Brinkebüller Dorfchaussee ließ jedes Fahrzeug klappern, wackeln, quietschen. Sie brachte jeden Stoßdämpfer an seine Grenzen und war viel zu schmal für zwei Traktoren oder Lastwagen. Es musste immer einer an die Seite fahren. Die Straße zwang zur Langsamkeit. Es war kein Zustand.

Im zweiten Februar nach der Flurbereinigung fing Firma Martensen dann damit an, die Rosskastanien zu fällen, *weg mit de ganze Schiet, man gut.* Die Motorsägen kreischten tagelang, die alten Bäume krachten, wenn sie fielen, niemand weinte ihnen eine Träne nach. Nur als die Dorfkastanie an die Reihe kam, stellten sich ein paar der Brinkebüller an die Straße. Wie bei Beerdigungen, wenn sie auf dem Friedhof an den Gräbern standen, bis die Toten in der Erde waren. Letzte Ehre, ganz egal, ob man nun wirklich trauerte, man tat es, weil es sich gehörte. Lehrer Steensen rückte mit den Schülern an, die kleinsten hielten sich die Ohren zu, als sich die Motorsäge von Karl Martensen erst durch die Krone und dann durch das Holz des Stammes fraß. Die jungen Leute hatten hier gesessen an den warmen Sommerabenden. Unter der Kastanie wie unter einer grünen Kuppel, immer schon. *Kein schöner Land …* Marret Feddersen stand singend an der Straße in dicken Socken, weißen Klapperlatschen und dem Stallkittel von Sönke Kröger. *Na Marret, singst du uns een Stück?* Wie ein Kind, das sich zum Rummelpott verkleidet hatte, stand sie am Straßenrand. Sie sang das Lied so, wie die Brinkebüller Mädchen es mal umgedichtet hatten … *wo wir uns finden, unter Kastanien* … es passte ja nicht mit dem alten Linden-Text. Man hörte aber nicht sehr viel von Marret Feddersen, die Sägen waren lauter. Kalli Martensen und seine Leute wussten, was sie taten. Sie setzten ihre Schnitte schnell und sicher. Fallkerb, Herzschnitt, Fällschnitt. *Boom fallt!* Hundertfünfzig Jahre weg. Es wurde still für einen Augenblick, die Dorfkastanie lag, und

Hanni Thomsen, schon um diese Zeit ein bisschen angetüdelt, nahm die Mütze ab. Sein Mofa tuckerte im Standgas. Ein paar Kinder machten es ihm nach, sie standen mit den Pudelmützen in den Händen, bis das Sägen weiterging. Marret ging schnell hin zu dem gefällten Baum, hob ein paar Stücke Rinde auf und steckte sie in ihre Kitteltasche.

Greta Boysen kam mit ihrer jüngsten Tochter an der Hand, die kleine Gönke konnte jetzt schon laufen, aber Boysens wurden immer noch nicht schlau aus ihr. Gönke brüllte, wenn man still war, und sie wurde ruhig, wenn Motorsägen kreischten. Immer gegenan. Greta stellte sich zu Marret an den Straßenrand, sah ihre kleinen Füße und ihr kindliches Gesicht. Sie hätte bei den Schülerinnen stehen können und wäre gar nicht aufgefallen. »Na Marret«, sagte Greta, »wo hest du denn din lüttje Jung?« Marret sah auf ihre Füße in den Klapperlatschen, sagte nichts, es schien, als hätte sie es nicht gehört. Dann hob sie doch den Kopf und schaute Greta an, danach die kleine Gönke, die jetzt schon wieder wütend an der Hand der Mutter zerrte.

»Dor kann ik mi je nix för kopen«, sagte Marret. »Ik weet nich, wat man dormit schall.«

Sie starrte auf das Kind, als hoffte sie auf eine Antwort. Dann schlurfte sie in ihren Klapperlatschen Richtung Gastwirtschaft. Hanni Thomsen schob ihr hinterher mit seinem Mofa, Zeit für seinen Underberg, und Greta Boysen ging zurück in ihre Bäckerei. Die kleine Gönke fing zu brüllen an, und Greta hatte keine Ahnung, was ihr jetzt schon wieder fehlte. Erich wurde bald verrückt, er schlief zu wenig. *Giff mit dat Stück Kind, ik back dor Brot ut!* Greta schickte ihre Älteste dann schnell mal mit dem Kinderwagen durch das Dorf, für eine Stunde aus dem Haus mit ihrer kleinen Schwester. Wenn sie wiederkamen, heulte Gunda manchmal auch noch, weil ihr immer alle in die Karre guckten und sie fragten, *wat dat Kind bloß het! Wat bölkt din Schwester denn bloß so?* An manchen Tagen, wenn das Brüllen über Stunden ging, wenn man am Gitterbett stand und nur immer diesen aufgerissenen Schlund sah, stellte man sich insgeheim auch mal die Frage, *wat man dormit schall.* Oder was man eigentlich verbrochen hatte. Greta Boysen war bloß nicht verrückt genug, es laut zu sagen.

Steensens Schülern wurde langsam kalt am Straßenrand, sie quakten aber nicht, es war noch immer besser, hier zu frieren, als im Klassenraum zu sitzen. Steensen stand mit seinen Händen auf dem Rücken, scheinbar in Gedanken, sah mit unbeweglichem Gesicht den Holzarbeitern zu, die jetzt die Dorfkastanie auseinandersägten. Er wollte eine Scheibe aus dem Stamm für seinen Heimatkundeunterricht. Die Jahresringe zählen, einen Querschnitt zeichnen und den Lebenslauf der alten Rosskastanie lesen, die Schüler konnten von dem Baum noch eine Menge lernen. Karl Martensen tat ihm dann den Gefallen. Nach Feierabend hievte er mit seinen Leuten Steensens Dorfkastanienscheibe auf den Hänger, brachte sie zur Schule, stellte sie im Lehrergarten an der Südwand auf. Da blieb sie stehen.

Sie brauchten fast drei Wochen, bis die ganzen Rosskastanien gefällt und ihre Stämme weggefahren waren. Das Schlimmste war das Ausbaggern und Ziehen der alten Wurzeln. Dann kamen endlich große Baumaschinen, und der Rest der alten Dorfchaussee verschwand.

Im Mai mussten die Ringreiter und Schützen ihren Festumzug ausfallen lassen, weil der Unterbau der neuen Straße gerade aufgeschüttet worden war, man durfte sie noch nicht betreten. Zum Kinderfest im Juli war dann alles fertig, bis auf Randbefestigungen und Markierungen. Der Feuerwehrmusikzug Brinkebüll und Steensens Schüler mit den Blumenbögen mussten nicht mehr über Wurzelwellen stolpern, sie gingen jetzt auf schwarzem, glänzendem Asphalt. Die weiße Mittellinie wurde zu Beginn der Sommerferien gezogen, und Brinkebüll sah endlich nicht mehr aus wie ein verschnarchtes Kaff. Die neue Straße wurde gleich zur Rad- und Rollschuhbahn, die Kinder konnten endlich gleiten, Rennen fahren. Das Fallen tat noch immer weh, man stürzte jetzt mit größerer Geschwindigkeit, aber man fiel auch nur noch halb so oft. Sobald die Eltern in der Mittagsstunde auf den Sofas und den Küchenbänken lagen, konnte man auch mitten auf der Straße fahren, Schlangenlinien, Slalom, mit den Armen auf dem Rücken oder zu den Seiten ausgestreckt, Hauptsache endlich freihändig.

Marten Hamke, gerade sechs geworden, lernte es jetzt auch, von seinen Brüdern. Erst mal nur mit einer Hand, nur bis zur Schule und zurück. Er hielt den Lenker mit der rechten Hand und ließ die linke baumeln. »Gut, Marten, un dat öövst du nu noch mit de anner Hand!« Dreimal bis zur Schule und zurück. Viermal, fünfmal, und er übte dann alleine weiter, als die Brüder mit den anderen großen Jungs zur Badekuhle fuhren. Er durfte sowieso nicht mit, er konnte noch nicht schwimmen. Aber fahren konnte er, sogar noch weiter als zur Schule, bis zum Ortsschild fuhr er jetzt schon.

Dora Koopmann sah ihn, als sie aus der Mittagsstunde kam und ihren Laden aufschloss. Marten Hamke mit den weißen Locken und der Zungenspitze zwischen seinen Zähnen,

Tante Doras lüttje Liebe, seine rechte Hand jetzt schon zur Seite ausgestreckt und nur noch ganz leicht schlingernd. »Kumm man mol na Tante Dora!«, rief sie, aber Marten musste weiter, bis zum Ortsschild. »Glieks kumm ik!«, rief er, »Wenn ik umkehrt bin!« Dora ging zu ihrer Tiefkühltruhe, nahm ein Schokoladeneis heraus, dann stellte sie sich in die Ladentür und wartete. Winkte mit dem Eis, als sie ihn kommen sah.

Ein kleiner Junge, freihändig, die Arme ausgebreitet. Weiße Locken. Bis zum Ende ihrer Tage würde Dora Koopmann dieses Bild von Marten Hamke vor sich sehen, der mit dem Fahrrad auf sie zugeflogen kam. Und hinter ihm den Lkw, der Kies geladen hatte. Der nicht mehr bremsen konnte, als der Junge plötzlich quer über die Straße schoss. Der noch versuchte, auszuweichen, und dann kippte.

Dora Koopmann stand mit Martens Eis in ihrer Hand und schrie das ganze Dorf zusammen. Ein paar Minuten später heulte die Sirene auf dem Dach der Meierei und riss die letzten Brinkebüller aus der Mittagsstunde. Nur Marten Hamke weckte sie nicht mehr. Er stand nicht auf von seinem Bett aus Kies. Unter Steinen starb das meistgekraulte Kind von Brinkebüll. An einem Sommertag, der wie gemalt aussah, mit einem hohen Himmel. Wolken, die wie Fabelwesen über die Getreidefelder zogen. Ein Bild von einem Julitag, und niemand schaute hin. Die Brinkebüller sahen andere Bilder.

Thies Hamke auf den Knien, der versuchte, eine kleine Hand aus einem Haufen Kies zu graben.

Jan und Hauke, die mit nassen Haaren von der Badekuhle kamen und das Fahrrad ihres Bruders an der Straße liegen sahen.

Ina Hamke, die von Paule Bahnsen weggezogen wurde, als sie an die Unfallstelle wollte.

Der verletzte Fahrer, der mit blutigem Gesicht aus seinem Lkw geschnitten wurde.

Dora Koopmann, die auf ihrem Rasen vor dem Laden saß, die schweren Beine ausgestreckt und ihren Kopf in beiden Händen. Die Kameraden von der Feuerwehr, die nach der Bergung eines kleinen Körpers in den Straßengraben kotzten.

Pastor Ahlers, der den weinenden Thies Hamke bei der Hand nahm und nach Hause zog.

Ina, die den Namen ihres Jungen schrie, bis ihre Stimme weg war.

Und Marret Feddersen, die in den weißen Klapperlatschen an der Straße stand, mit ihrem Blatt, weil sie ein Zeichen sah. *De Welt geiht ünner.*

Die Bilder dieses Unglücks prägten sich den Brinkebüllern ein, sie waren nicht mehr auszulöschen. Schrieben sich tief in die Haut des Dorfes, blieben da, wie Tätowierungen, für immer.

Es war, als hätte man an diesem Sommertag das Dorf zerschnitten in zwei Teile. Es gab ein Brinkebüll vor Marten Hamkes Tod und eins danach. Und zwischen diesen Teilen eine Naht, gestrichelt, wie der Mittelstreifen einer Straße.

Vier Tage später war Beerdigung, die Kirche voll bis auf den letzten Platz. Kaum jemand brachte bei den Liedern einen Ton heraus, es kam nur dünnes, klägliches Gejaule. *Befiehl du deine Wege und was dein Herze kränkt,* nur Pastor Ahlers schaffte es mit halbwegs fester Stimme durch die Strophen – und Marret Feddersen, die an der Tür stand, weil sie keinen

Platz gefunden hatte. Sie sang mit ihrer klaren Stimme, laut und sicher, wie im Gasthof, wenn sie auf der Bühne stand. Sie zog sich nur nicht mehr schön an, sie trug ein altes Kleid von Ella und dazu die Klapperlatschen. Wozu noch Schuhe kaufen oder Kleider.

Es gab nach der Beerdigung von Marten Hamke keine Kaffeetafel, und die Trauergäste waren froh darüber. Die Bauern mussten schnell heraus aus ihren schwarzen Kleidern, schnell wieder in die alten Sachen, auf die Trecker, auf die Felder. Für den Abend war Gewitter angekündigt. Es war gut so, man war dankbar, wenn man nicht die ganze Zeit an diesen kleinen Sarg und an die Eltern denken musste. An diese beiden krummgeweinten Jungs am Grab, die wohl die Schuld bekamen. Nicht auf den Bruder aufgepasst. Man wusste gar nicht, was man sagen sollte, wenn man Hamkes sah, ihr Kummer machte sie zu Fremden. Sie lebten jetzt in einer anderen Welt. Thies konnte noch nicht wieder auf den Trecker, Heini Wischer mähte seine Felder mit, beim Melken halfen alle Nachbarn jetzt reihum. Vor Dora Koopmanns Laden war die Straße wieder frei, der ganze Kies war weg, die Kameraden von der Brinkebüller Wehr hatten noch stundenlang geschippt, nachdem der Laster weggezogen worden war, danach auch noch gefegt. Jetzt war vom Unglück nicht mehr viel zu sehen, bis auf die Bremsspur und den dunklen Fleck, von dem man gar nicht wissen wollte, was es war.

Am Morgen nach dem Unglück mochte Erich Boysen in der Backstube erst nicht sein Kofferradio einschalten, und Haye Nissen wagte es in seiner Werkstatt kaum, den Hammer in die Hand zu nehmen, musste aber. Und man musste früher oder später auch zu Dora in den Laden, immer wieder hören von dem kleinen Marten, der auf Tante Dora zugeflogen kam. *As een lüttje Engel! Min arme, lüttje Engel!* Nur Hamkes kamen lange nicht, Ina gab der Schwester ihren Einkaufszettel mit. Sie konnte auf der Straße nicht an diesem Fleck vorbei.

Am Abend nach der Trauerfeier, als das Gewitter endlich losbrach, alle von den Feldern mussten, füllte sich der Gasthof Feddersen mit Männern, die jetzt nicht zu Hause bei den Frauen sitzen wollten. Sönke stellte eine Flasche Doornkaat auf den Tisch, dann ging er an den Tresen, zapfte ein Bier nach dem anderen. Sie tranken mehr als sonst, sie rauchten mehr und sprachen weniger. Nur Hanni Thomsen brabbelte so viel wie immer. Dummes Zeug, wie immer, keiner hörte hin. Und keiner achtete auf ihn, als Hanni zur Musikbox schwankte, seine Münze einwarf und den Finger auf die Taste legte, die er immer wählte. Nur Heini Wischer sah, was kommen würde. »Nich, du grote Dussel!«, aber Hanni Thomsen hatte schon gedrückt. Er weinte dann auch wieder, gleich bei den ersten Takten. *Junge, komm bald wieder.* Sönke Feddersen ließ seinen Zapfhahn los und rannte, als er Freddy hörte. Lief zur Wurlitzer und zog den Stecker raus, bevor die Stelle mit der Mutter kam.

Am ersten Schultag nach den großen Ferien verteilte Lehrer Steensen einen Stapel *Arbeitshefte zur Verkehrserziehung* an die Schüler, die schon lesen konnten. Mit den Kleinen ging er auf den Schulhof, Zweierreihe, und dann an die Straße, wo sie übten, immer erst nach links und rechts zu schauen, dann noch mal nach links. Und erst dann zu gehen, wenn sie kein Auto sehen konnten.

»Un uk keen Laster!«, sagte Birte Boysen, gerade eingeschult, zwei Wochen älter als der kleine Marten Hamke.

»Auch keinen Laster«, korrigierte Steensen, »auch keinen Bus und kein Motorrad, keinen Trecker, keinen Mähdrescher.« Es war am Anfang immer schwierig mit der Sprache. Ein paar der Brinkebüller Eltern kamen langsam zur Vernunft und sprachen Hochdeutsch mit den Kindern, aber Boysens dachten nicht daran. »Un uk nich Unkel Hanni mit sin Mofa!«

Steensen holte Luft, er überlegte kurz und sagte dann: »Nein, auch nicht Onkel Hanni mit dem Mofa.« Man würde zwar sehr lange an der Straße stehen, um Hanni Thomsen mit den 15 km/h vorbeischleichen zu lassen, aber die Sicherheit ging vor.

Steensen übte mit den Schülern auch das Fahrradfahren. Aufsteigen, Absteigen, Handzeichen, Schulterblick, erst auf der Sportkoppel hinter der Schule, dann in kleinen Gruppen auf der Straße, Lehrer Steensen vorneweg auf einem schwarzen Herrenrad, das Haye Nissen ihm geliehen hatte. Steensen hatte keins, er ging zu Fuß.

Was die Schüler nicht von ihrem Lehrer lernten, bläuten ihre Eltern ihnen ein. Man sah nur selten noch ein Kind, das es riskierte, freihändig zu fahren oder Schlangenlinien mitten auf der Straße. Die Rollschuhläufer wurden auf die kleinen, holperigen Nebenwege verbannt, wo sie durch Schlaglöcher und über Steine stolperten, in Ritzen hängen blieben und sich die Hände wieder an dem groben Teer aufschmirgelten. Und Birte Boysen, die beim Spielen hinter einem Ball herrannte und vor Heini Wischers Auto lief, bekam von ihm sofort ein paar gescheuert. Links und rechts und wieder links. Die Nerven gingen mit ihm durch, er war sonst nicht der Mann, der Kinder haute.

Greta Boysen hatte keine Ruhe mehr, ihr war die neue Straße nicht geheuer. Sie kam ihr wie ein Raubtier vor, das Kinder fraß, und, wenn es die nicht kriegte, Hunde, Katzen, Igel. Immerzu schien etwas Totes, Plattgefahrenes zu liegen auf der neuen Brinkebüller Straße. Greta steckte ihre Jüngste in ein Laufgeschirr und band sie mit zehn Metern Wäscheleine an der Hauswand fest, an einem Eisenring, sodass sie nicht bis auf die Straße laufen konnte. Sie kannte ihre Tochter. Wenn man zu Gönke sagte: »Loop nich op de Straat«, dann konnte man sehr sicher sein, dass sie sofort zur Straße laufen würde.

»Deit dat nu nödig?«, fragte Lina Wischer, als sie sah, dass Gönke angeleint vor Boysens Bäckerei herumlief wie ein kleiner Kettenhund. Schön war der Anblick nicht, und Gönke heulte auch und zerrte wütend an der Leine, bis sie sich darin ganz verheddert hatte. Man konnte Greta aber auch verstehen, es ging nicht anders bei dem Kind.

Der erste Sommer ohne die Kastanienbäume war sehr heiß. Die Schatten, die die großen Bäume über Brinkebüll geworfen hatten, waren weg. Es gab kein grünes Dach aus Laub mehr über der Chaussee, nur noch den Himmel. Als der Herbst kam, rasten Winde durch das Dorf wie tollwütige Tiere, es stellte sich kein Baum mehr in den Weg, um sie zu bremsen. Wenn es windstill war, an manchen Tagen im Oktober, fehlte das Geräusch von fallenden Kastanien auf der Dorfchaussee.

»Hören jem dat denn gor nich?«, fragte Marret Feddersen.

15
Frei, das heißt allein

Er wachte auf mit seinem Kopf an Ragnhilds Schulter, und er brauchte einen Augenblick, bevor er wusste, wo er war. Es musste früher Morgen sein. Der Himmel war noch dunkel, aber nicht mehr schwarz, die Stadt begann zu rauschen. In der Küche brannte noch das Licht, fiel durch die angelehnte Tür, er konnte sich nicht mehr erinnern, ob sie wenigstens die Kerzen ausgepustet hatten, bevor sie mit der Flasche Aquavit in Ragnhilds Zimmer umgezogen waren. Wahrscheinlich sollte man mal nachsehen. Er fragte sich, warum es immer auf dem Boden enden musste. Sein Rücken tat ihm weh, er schob die Decke weg und rappelte sich langsam auf. Die Dielen knarrten, als er aus dem Zimmer schlich, mit seinen Schuhen in den Händen, aber Claudius und Ragnhild schliefen fest.

Er blies die Kerzen aus und kochte sich Kaffee, den er im Stehen trank, auf dem Balkon. Es war zu früh für Zigaretten, allein bei dem Gedanken wurde ihm ganz anders. Die kalte Luft tat gut, der Himmel war sehr klar, die Sterne gaben kurz vor Sonnenaufgang noch mal alles. Es tat ihm immer leid, dass er von Sternen nichts verstand, mehr als den Großen Wagen hatte er noch nie entdecken können. Auf einer der Silvesterparties hatte Anneleen versucht, ihm Sternbild Orion zu zeigen, hier auf dem Balkon. »Ganz leicht zu finden, guck einfach mal nach einem großen X.« Sie hätte ihn auch bitten können, eine Raufasertapete zu lesen oder Nachrichten auf einem Mohnbrötchen zu entziffern, es war hoffnungslos. Sie hatte schließlich seinen Kopf genommen und ihn ausgerichtet wie ein Teleskop, und trotzdem hatte er kein X gesehen. Er konnte Steine finden und sechstausend Jahre alte Scherben aus Keramik, Sterne nicht. »Das große Ding da siehst du aber schon, oder? Das heißt Mond.« Kuss auf seine Wange. »Ingwer, ich sag's dir ja nicht gern, aber du bist leider Sternbildlegastheniker.« Sie hatte eine Weile ihre Hand in seinem Nacken liegen lassen.

Da war nichts zwischen ihm und Anneleen, nichts Wichtiges. Er war vielleicht mal stundenweise leicht verliebt in sie, er mochte diese bunten, weichen Sachen, die sie trug, dieses Gefunkel und den Sanddornkram, er fand das schön. Die Stimme auch und ihre Ruhe und den leisen Spott. Anneleen war außerdem die Einzige, die mit ihm Walzer tanzte, Donauwalzer zu Silvester, kurz nach Mitternacht, wenn alle anderen Raketen in den Himmel schossen. Sie machten dann bei Claudius die hohen Flügeltüren auf und tanzten barfuß, weil es viel zu rutschig war auf Strümpfen. Große Bögen durch das Zimmer.

Es ging ihn gar nichts an, ob Anneleen mit einem tätowierten Bärentöter abzog oder nicht. Sie konnte tun und lassen, was sie wollte.

Er holte sich jetzt doch mal seine Zigaretten, goss sich in der Küche Kaffee nach. Stand in der kalten Luft auf dem Balkon und sah den Ostseehimmel heller werden, während die Sterne nach und nach verblassten. Halb so alt wie sie! Männliche Muse! Ingwer stieß den Rauch durch seine Nase und merkte selbst, dass er wie ein verklemmter Spießer dachte.

Dafür, dass ihn Anneleen nichts anging, regte ihn der Junge mit dem Dutt ja ziemlich auf. Er fühlte etwas Schwärendes, Entzündetes in sich, ein hässliches Gefühl, von dem er nicht so richtig wusste, was es war. Tatsächlich Eifersucht? Gekränkte Eitelkeit? Vielleicht auch Neid, weil Anneleen ein buntes Liebesleben hatte und er nicht? Bei ihr war alles in Bewegung, fließend, wie die selbstgenähten Kleider und die Bilder, die sie malte. Es gab keinen Grund, ihr diesen Bärentöter nicht zu gönnen.

Er ging duschen, packte seine Sachen, weil er vor dem Mittagessen wieder bei den Brinkebüller Alten sein wollte.

In Ragnhilds Zimmer hatte sich nicht viel bewegt, sie hatten sich die Decke weggestrampelt, und er hörte Claudius leise schnarchen. Die beiden lagen wie Geschwister, beieinander, aber nicht zusammen. Teilten eine Decke, ohne dass sie sich berührten. Er fragte sich, wie sie wohl miteinander lebten, wenn er nicht hier war. Ob sie sich fühlten wie ein Paar? Wie Kameraden, Freunde, Brüderchen und Schwesterchen?

Und was war er denn eigentlich?

Er sah Claudius und Ragnhild auf dem alten Seidenteppich schlafen und verstand auf einmal, dass sie ihn nicht brauchten. Da fehlte niemand zwischen ihnen. Sie waren vollzählig. Sie kamen ohne ihn zurecht. Ohne seine Nudeln, seinen Inbusschlüssel, ohne Ingwer Feddersen, den Fensterputzer.

Er stand noch eine Weile in dem hohen Altbauzimmer unter diesem schnörkeligen Stuck, den Ragnhild so verabscheute, er sah die Flusen unter ihrem Bett, die Kraniche auf ihrem alten Seidenkimono, der hingeschmissen auf dem Sofa lag. Claudius schlief auf dem Rücken, seine Arme an den Seiten, Handflächen nach oben. Als erwarte er gleich einen

Segen von ganz oben. Großer Regenmacher, noch im Schlaf. Ingwer deckte sie noch einmal zu, bevor er ging. Fast hätte er die beiden noch geküsst, er heulte auch schon halbwegs. Es war für ihn so ungefähr das Schlimmste, was es gab: Dinge, die zu Ende gingen. Das Einzige, was schlimmer war: wenn er sie selbst zu Ende bringen musste. Er war sehr froh, dass sie noch schliefen, weil er Anlauf brauchen würde, um die Sache durchzuziehen.

Ronja kam ihm auf dem Flur entgegen, in einem alten Helly-Hansen-Shirt von Claudius. Er hörte, wie sie fluchte, weil in der Kanne nur noch eine halbe Tasse Kaffee war, dann schlurfte sie an ihm vorbei, zurück ins fünfte Zimmer. »Alter, sieht die Küche aus.«

Sie hatte recht, und Ingwer würde sie nicht putzen.

Er kämpfte mit der Wintersonne, als er in Richtung Autobahn abbog. Sie blendete, sie nervte ihn, sie ballerte auf die verschlierte Windschutzscheibe. Das Wischwasser war leer, wie sollte es auch anders sein. Er tastete nach seiner Sonnenbrille, auch verschliert, er putzte sie mit seinem neuen Hemd. So richtig nüchtern war er nicht, er merkte noch den Alkohol. Ganz dicker Kopf, ganz dünne Haut, er hätte sich zumindest noch die Zähne putzen sollen. Im Handschuhfach fand er ein Kaugummi und fummelte es raus. Neil Young blieb drin, er konnte heute nicht mal den ertragen.

Manchmal träumte er in letzter Zeit vom Fallen, und er fiel dann immer durch das Weltall. Major Feddersen, nur ohne Raumschiff. Fiel und fiel und fiel durch dieses unvorstellbar große Nichts. Es war der schlimmste Traum von allen. Er hatte sich als Junge schon gegruselt, wenn *Raumschiff Enter-*

prise im Fernsehen kam. Allein der Vorspann: *Der Weltraum – unendliche Weiten …. in Galaxien vor, die nie ein Mensch zuvor gesehen hatte.* Das Grauen, er hatte immer sofort umgeschaltet. Es war bestimmt kein Zufall, dass aus ihm ein Sternbildlegastheniker geworden war. Ingwer Feddersen genügte diese Welt. Er war ein Erdenbürger von der Geest, mit Steinen in den Taschen, der festen Boden unter seinen Füßen brauchte.

Die Sonne stichelte sich durch die Schlieren in der Windschutzscheibe, und er hatte plötzlich das Gefühl, vor Einsamkeit rechts ranfahren zu müssen. Das Auto auf den Standstreifen steuern, Warnblinker einschalten, Hilfe holen. Panne. Gelbe Engel, bitte kommen. Oha, Major Feddersen. Das kam davon, wenn man sich halb besoffen in sein Auto setzte.

Er fuhr beim Rastplatz raus und füllte Scheibenreiniger und Wasser nach, dann putzte er die Schlieren weg und kaufte eine Flasche Wasser, einen Kaffee und ein Mars. Damit setzte er sich auf die kalte Picknickbank, er musste jetzt ein bisschen frieren, um den Kopf wieder klarzukriegen. In kleinen Schlucken trank er erst den Kaffee, dann das Wasser, immer abwechselnd. Ein Fernfahrer aus Ungarn kletterte aus seinem Lkw, er sah sehr klein aus neben seinem riesigen Gefährt. Streckte seinen Rücken durch und ging zum Imbissstand, wo schon ein paar Kollegen standen. Jeder blieb für sich, sie kauten schweigend ihre Thüringer und Currywürste. Wahrscheinlich fühlten sie sich, wenn sie allein in ihren Lkw-Kabinen saßen, auch nicht viel anders als er jetzt. Lauter Astronauten.

Er aß den Schokoriegel und trank aus, dann stieg er wieder in sein Auto, etwas nüchterner, und tat sich auch schon nicht mehr ganz so leid. Er musste jetzt nur mal die Kurve kriegen und sein Leben durchsortieren. Er war ein freier Mensch, es gab wohl wirklich Schlimmeres.

Die Welt sah gleich ganz anders aus durch eine klare Windschutzscheibe, er fuhr vorbei an Feldern, die von Raureif überzogen waren, auch die Bäume waren weiß, Eisblumen an den Zweigen, kurze Blüte am Dezembermorgen, bis die Sonne sie erwischte. Auf einem Zaunpfahl sah er einen Mäusebussard, reglos wie ein Wappentier, nur wacher, man war froh, dass man kein kleines Tier auf einem kahlen Feld war. Er summte etwas vor sich hin und merkte erst nach einer ganzen Weile, welches Lied das war. Oh nein. Roland Kaiser. Es würde jetzt den ganzen Tag in seinem Kopf rotieren. *Frei, das heißt allein, so wie der Wind, ohne ein Ziel. Frei, das wollt' ich sein, warum lag mir daran so viel?* Es gab zu jedem Lebensthema einen deutschen Schlager, und er kannte leider alle. Ingwer Feddersen, die Hitparade auf zwei Beinen, und er hatte diese Lieder nicht unter Kontrolle. Sie spielten sich von selbst ab, schalteten sich ein in seinem Kopf, ob er es wollte oder nicht. Wenn er es merkte, war es schon zu spät, sie setzten sich dann fest, für Stunden, manchmal Tage. Ohrwürmer, die man keinem Menschen wünschte. Allein sein Fundus für das Thema Einsamkeit war praktisch unbegrenzt: *Einsamkeit hat viele Namen* … Christian Anders. *Bist du einsam heut' Nacht* … Peter Alexander. *Zu viel allein bringt dir nur Schmerz, oh ja, nicht mal die Zeit hilft gegen Einsamkeit* … Cliff Richard.

Frühkindliche Prägung, Ragnhild hatte ihm das mal erklärt. Die Lieder waren für ihn wie der Wortschatz seiner Muttersprache. Er war mit ihnen aufgewachsen, und er würde sie nicht mehr verlernen. »Also wie bei dir und deinen Tischmanieren«, hatte er gesagt, aber das sah Ragnhild anders. Das war Blödsinn. Was für Tischmanieren überhaupt?

Seine Lieder hatte er von Marret. Es gab ein paar sehr frühe und verwackelte Erinnerungen an sie, unwirklich wie Träume, aber immer mit Musik. Ein Gleiten, Drehen wie auf einem Kinderkarussell, ein Licht, ein Lied, sehr leise. Geruch von kaltem Rauch, ein Morgenlicht, das durch ein Fenster fiel. *Wir wollen niemals auseinandergehn* … Er musste noch sehr klein gewesen sein, weil er auf ihren Füßen stand. Sie hielt ihn an den Händen, und sie sang. Zwei Paar nackte Füße, kein Geräusch auf dem polierten Holz, sie waren wohl im Brinkebüller Saal. Stille, große Kreise, und in den Sonnenstrahlen schwebte Staub. *Wir wollen immer zueinanderstehn* …

Marrets Schlager hatten ihm den Schlaf geraubt, seit er verstand, was da gesungen wurde. Immer schienen alle wegzugehen in ihren Liedern, abzureisen, durften niemals bleiben, wären gern geblieben, mussten Abschied nehmen. *Wir wollen niemals auseinandergehn.* Mussten aber. Immer Träume, Tränen, Herzen, die gebrochen wurden, immer nachts. Das ganze Küssen und das Weinen, Weggehen und Warten. *Mag auf der großen Welt auch noch so viel geschehn* …

Jeden Abend, wenn sie ihm die Brust mit Wick-Erkältungssalbe eingerieben hatte, stellte sie den Tonbandkoffer an sein Bett. Drückte auf den Startknopf, deckte ihn schnell zu und ließ ihn in der Obhut ihrer Lieder. Schlager aus dem Radio, die sie selbst aufgenommen hatte. *Lohnt sich nicht, my Darling,* die ersten Takte fehlten oft, und nach dem Ende eines Liedes hörte man den abgewürgten Rundfunksprecher, wenn sie nicht schnell genug die Stopptaste gedrückt hatte. *Das war Siw Malmkv* … | *man noch Träume, da wachsen noch alle Bäume.* Marrets

Schlager waren seine Nachtmusik gewesen, große Liebe jeden Abend. *Küsse unterm Regenbogen. Weiße Rosen aus Athen* im Brinkebüller Kinderzimmer. Heidi Brühl und Peggy March an seinem Bett. Das wurde man nicht wieder los. Er war Gefangener des deutschen Schlagers, er wurde immer noch verfolgt von Liedern im Viervierteltakt. Er kannte alle Strophen von *Mitsou, Mitsou, Mitsou.* Man wusste nicht, was schlimmer war, die Melodie oder der Text. *Heute Abend ist Laternenfest, wo sich manches gut bereden lässt.* Je mehr er sich dagegen wehrte, je stärker er versuchte, diese Lieder abzuschütteln, wegzudrängen, umso stärker schienen sie sich an ihm festzukrallen.

So ähnlich war es Marret wohl mit ihm gegangen, sie war ihn auch nicht losgeworden, diesen Jungen, der ihr wie ein Gänseküken hintergewatschelt war, in den Kälberstall und in den Keller, in die Küche, in den Saal unter die weiß gedeckten Tische, in die leeren Kleiderschränke der Brinkebüller Fremdenzimmer, wenn Marret keine Lust zum Bettenmachen oder Gläserspülen hatte. In den Schulwald und zum Mergelschacht und in die Gerstenfelder, wo man sich vom Bauern nicht erwischen lassen durfte. Marret legte sich ins Korn, sie rauchte, und es war ihr ganz egal, dass man den Qualm von Weitem sehen konnte. Sie machte noch ganz andere Sachen. Sie ging im Sommer in die Brinkebüller Gärten, stieg über die Staketenzäune, aß die reifen Mirabellen, Augustbirnen und Reineclauden. Wie ein Waldtier musste Marret Feddersen im Gras unter den Obstbäumen gestanden haben, ihr Jungtier neben sich, er wusste noch, dass sie die Pflaumen angebissen und den Stein für ihn herausgenommen hatte, die Wespen weggescheucht. Dass alles klebte, sein Gesicht, die Hände, auch sein Haar. *Min lüttje Plum,* ein Kuss auf seine saftverschmierte Wange, er konnte höchstens fünf gewesen sein. Er hatte sich noch nicht gewundert über sie.

Das schlimmste Lied auf Marrets Tonband war das allerletzte. Er hatte sich, sobald die ersten Takte kamen, schnell die Ecken seiner Daunendecke in die Ohren gesteckt: ein kleiner Trommelwirbel, Marschmusik, dann kam der fürchterliche Text: *Am 30. Mai ist der Weltuntergang, wir leben nicht mehr lang, wir leben nicht mehr lang* … Er hatte Jahre lang vor diesem Tag gebibbert. Und immer aufgeatmet, wenn die Welt am einunddreißigsten noch da war. Er kannte sie noch immer, alle Lieder, die Marret Ünnergang gesungen und auf ihrem Tonband aufgenommen hatte. Nicht nur die Refrains oder die ersten Verse, sondern alle Strophen. Wie andere Leute Segelyachten oder Seidenteppiche vererbten, hatte Marret ihm das große Schlagerpotpourri vererbt.

Frei, das heißt allein, und diese Freiheit ist nichts wert. Sie ist wie ein Spiel, das man von vornherein verliert … Er öffnete das Handschuhfach und tastete jetzt doch nach der CD, er konnte sich allein nicht wehren gegen Roland Kaiser. Als er die ersten Takte hörte, lehnte er sich in den Sitz und atmete tief durch. *Out on the Weekend,* langes, ruhiges Mundharmonika-Intro, und es ging ihm besser, noch bevor Neil Young den ersten Ton gesungen hatte.

Er verließ die Autobahn, fuhr auf die Landstraße, an Windrädern vorbei, die sich nicht drehten. Die Sonne und der Raureif zeichneten die Landschaft weich, selbst die Silageballen, die in grünen Plastikhäuten auf den Feldern lagen, schimmerten. Die Dörfer hatten ihre Straßen weihnachtlich geschmückt mit Sterngirlanden oder ausgesägten Weihnachtsmännern, die an den Straßenlampenmasten lehnten, mit Engeln, die den Kreisverkehr beleuchteten. Ein kleines Mädchen ging mit seiner Mutter auf dem Bürgersteig, es trug ein Elchgeweih im Haar, das rot und grün im Wechsel blinkte. Ingwer fragte sich, ob Ella das gefallen würde. Er musste etwas Buntes, Glitzerndes für sie besorgen und ein Kuscheltier vielleicht, Geschenke für ein kleines, altes Kind. Ihm war ein bisschen bang vor Heiligabend mit den beiden, er war zum ersten Mal in seinem Leben zuständig für dieses Fest und hatte diese Dinge nie gemacht: den Baum gekauft, geschmückt, die Gans gebraten, die Geschenke eingepackt. Aber sie spielten jetzt das Vater-Mutter-Kind-Spiel mit vertauschten Rollen, er war dran. *O Tannenbaum,* zum ersten Mal seit fünfundzwanzig Jahren.

Er blieb sonst immer in der Wohngemeinschaft über Weihnachten, sie feierten mit ein paar anderen Kieler Freunden. Keiner hatte Lust auf einen Baum oder das ganze Rumgehühner mit Geschenken. Ragnhild kriegte schon zu viel, wenn Claudius sich im Advent die schnörkelige Weihnachtspyramide aus dem Keller holte. Er zog es trotzdem durch und baute sie in seinem Zimmer auf, wo sie sich im Dezember jeden Abend ein paar Stunden drehte, ganz egal, wie sehr die Doko-Runde lästern mochte über seine *adipösen Nacktarschengel* mit den Pauken und Trompeten. Ronja fand sie *sick,* aber er hing an diesem Ding. Er konnte richtig sauer werden, wenn man über seine Pyramide herzog. Jeder hatte wohl, was Weihnachten betraf, die eine oder andere Delle.

Ingwer dachte an die Heiligabende in seiner Kindheit. An Marret, die mit ihm am Tannenbaum gesungen hatte, das Engelshaar, das Ella immer in die Zweige hängte, und an den Vogel mit den echten Federn, der ganz oben auf die Spitze kam. An Sönke, der am Nachmittag mit dem Tenorhorn in die Feldmark fuhr, allein, und Lieder blies, die er sonst niemals spielte. *Großer Gott, wir loben dich.* Aber zur Kirche ging er nicht. Und nach dem Weihnachtsessen, nach Bescherung und Gesang am Tannenbaum, wenn alle Kerzen ausgeblasen waren, kam meistens doch noch irgendeine traurige Gestalt hereingeschneit, die Alkohol und Zuspruch brauchte. Witwer, Junggeselle oder Ehemann, der es nicht einen ganzen langen Abend bei der Frau und bei den Kindern in der Stube aushielt.

Und dann nahm Ella spät am Abend ihren Mantel, um noch einmal durch das Dorf zu gehen, *to Dörps,* auch das gehörte zu dem Weihnachtsfest bei Feddersens. Marret brachte dann den Jungen in sein Bett, Erkältungssalbe auf die Brust, Licht aus und Tonband an.

Er ging vom Gas, als er das Brinkebüller Ortsschild sah.

Paule Bahnsens *Rennpeerd* stand auf dem Parkplatz vor dem Gasthof Feddersen. Es war ein Dreirad mit Elektromotor, auf dem er neuerdings das Dorf unsicher machte, zwei Rückspiegel am Lenker und eine große Fahrradhupe in Form einer schielenden schwarz-bunten Kuh. Am Gepäckträger hingen die gold-rot-blaue Friesenfahne und ein Wimpel mit dem Logo der Rinderzucht Schleswig-Holstein eG. Im Korb lag sein Fahrradhelm. Es war Samstagmorgen, kurz nach elf, Frühschoppenzeit. Auf einen Mann im Dorf war immer noch Verlass.

Sönke saß mit Paule auf der Eckbank, Ella auf dem Stuhl daneben, sie hatten sich das Mensch-ärgere-dich-nicht aus dem Wohnzimmer geholt, die Männer tranken Bier und

Kümmerling, und neben Ella stand ein Glas mit Apfelsaft. Als Ingwer durch die Tür kam, sah sie ihn zuerst wie einen Fremden an, ein bisschen unsicher, mit ihrem Würfel in der Hand, dann lachte sie. »Dor kummt min Krischan, dor is he je!«

Ingwer sah, wie Paule Bahnsen seine Schultern hochzog, mit den Händen flatterte, als gäbe es gleich richtig Ärger. »Ohauaha«, dann grinste er und griff schnell nach dem Bierglas.

Sönke schüttelte den Kopf und fluchte leise, sah aber aus, als müsste er selbst fast lachen. »Dat is nich din Krischan, Ella«, sagte er, »dat is de Jung.«

Sie starrte Ingwer an. »Wat denn vun Jung?«, murmelte sie, und Sönke sagte: »Unse. Dat is Ingwer, unse Jung. Nu musst du würfeln, Ella.«

16
Völker, hört die Signale

Lehrer Steensen packte den Karton erst gar nicht aus. *Sachkunde – Brücken zur Welt,* das Lehrbuch für das neue Schulfach, das er jetzt statt Heimatkunde unterrichten sollte. Er ließ die Kiste mit den neuen Büchern gleich im großen Schrank der Schulbibliothek verschwinden. Dann machte er mit seinem *Schleswig-Holstein-Heimatbuch* von 1949 weiter.

Er würde sich nicht in sein Handwerk pfuschen lassen von progressiven Pädagogen, die ihm absurde Fächer in den Lehrplan schreiben wollten. Sachkunde! Weil eine Horde ungekämmter Bildungsrevoluzzer plötzlich fand, dass Heimatkunde *ideologisch überfrachtet* sei.

Er würde sich genauso wenig um die neuen Dienstanweisungen zur *gewaltfreien Erziehung* kümmern. Weil sie unsinnig waren, weltfremd. Wer die körperliche Züchtigung im Unterricht verbieten wollte, hatte nie vor vierzig Dorfkindern gestanden, dickfellig und rauflustig wie eine Herde Jungvieh. Die Schüler mussten wissen, wo ihr Rang in dieser Herde und wer das Leittier war. Natürlich durfte man nicht übertreiben, er hielt gar nichts von sadistischem Geprügel oder harten Schlägen an den Kopf. Man musste väterlich ermahnend bleiben, kameradschaftliche Härte zeigen, Augenmaß und ein gewisses Fingerspitzengefühl. Steensen schlug meistens mit den Händen, hin und wieder mal mit einem Heft, noch seltener mit seinem Stock, fast nie mit einem Lineal. Er tat es jetzt auch nur noch, wenn es wirklich nötig war. Ganz ohne ging es aber nicht, wenn man als Lehrer nicht zum Hampelmann verkommen wollte. Man war nicht der Hanswurst.

Man wurde aber milder mit den Jahren, er war besonders mit den dummen Schülern nachsichtiger geworden. Früher hatte ihn der Jähzorn übermannt, wenn ihn ein leeres, stumpfes Augenpaar anstierte. Inzwischen wusste er, dass manchmal nichts zu machen war. Es gab tatsächlich Kinder, die nichts lernen *konnten,* dieser bitteren Erkenntnis musste sich ein Lehrer früher oder später stellen. Einen Schüler ohne Geist zu unterrichten, war wie Funkenschlagen in einer Tropfsteinhöhle. Zum Scheitern verurteilt. Echte Dummheit ließ sich nicht kurieren. Bei der trägen Dummheit war es anders, da konnte man als Lehrer etwas tun, da hieß es kämpfen und dem Schüler Beine machen.

Steensen glaubte an die alte Schule: Morgenlied, Gebet und Inspektion der Hände vor dem Unterricht, neun Jahrgänge in einem Klassenzimmer, Stillarbeit und Schönschrift. Und seine Schüler lernten Heimatkunde.

Für das Gerede von der Chancengleichheit hatte er nur Mitleid und Verachtung übrig. Er glaubte nicht an Gleichheit, sondern an die Unterschiede. Es gab in jeder Klasse zwei, drei wirklich dumme Schüler und genauso viele kluge, und der Rest lag irgendwo dazwischen. Nach ein, zwei Wochen hatte er sie durchsortiert, ab dann verfuhr er wie ein Arzt: Die Dosis macht das Gift. Einmal alle durchgeimpft, solide Volksschulbildung kriegte jedes Kind von ihm. Lesen, Schreiben, Rechnen, Religion und Heimatkunde, für die meisten reichte das. Sie sollten Bauern, Bäcker, Tischler, Mütter und Verkäuferinnen werden, also nicht zu viel des Guten.

Ein bisschen mehr zu rechnen, ein paar längere Diktate gab es für die Kinder mit Bürobegabung, die Beamte werden würden oder Angestellte bei Versicherungen oder Sparkassen.

Den Hoffnungslosen, Sitzenbleibern, armen Stotterern und leicht Zurückgebliebenen, die sich beim Denken nur unnötig quälten, gab er Aufgaben im Lehrergarten. Ließ sie Blumen pflanzen und Gemüse ernten, Unkraut jäten, mal ein Beet anlegen.

Für die Klugen nahm er sich ein bisschen mehr Zeit. Manchmal war sogar ein Oberschulkandidat dabei. Den klugen Schülern gab er Bücher mit nach Hause, sie durften sich die Sagen aus dem Altertum oder die Naturkundeatlanten ausleihen. Mit ihnen übte er die Aussprache des hochdeutschen »R«, so lange, bis es richtig klang, im Rachenraum gegurgelt, nicht vorne gerollt. Er hatte es als Junge selbst sehr lange üben müssen. Die Kinder durften nicht wie Bauerntölpel sprechen, wenn sie auf die hohe Schule wechselten, es sollte niemand am Gymnasium die Nase rümpfen über einen Brinkebüller Schüler. Steensen brachte ihnen Tonleitern bei auf dem Harmonium, den Quintenzirkel, und er nahm sie mit zu Exkursionen in die Feldmark, nachmittags und auch mal in den Ferien. Erklärte ihnen, was die Jungsteinzeit bedeutete. Dass hier, auf diesem Brinkebüller Land, vor gut sechstausend Jahren ein ganz neues Zeitalter begonnen hatte.

Manchmal sprang der Funke über, dann konnte er den Kindern die Bedeutung dieser großen Umwälzung halbwegs begreiflich machen: Die Menschen hatten aufgehört umherzuziehen, sie waren hiergeblieben, aus Nomaden waren Sesshafte geworden! Die ersten Bauern! Alles hatte hier begonnen, Tiere halten, Korn aussäen, Zäune um die Felder legen. Und jede Scherbe, jedes Beil aus Stein, das sie hier fanden, war ein Zeugnis dieser Zeitenwende!

Seit dreißig Jahren drehte Steensen jetzt schon seine Runden um das Dorf, grub Zeugnisse der Jungsteinzeit aus diesem Sand und kreiste um das Hünengrab. Stand in der Altmoränenlandschaft, jeden Tag, und spürte diesen Wind, von dem er annahm, dass es seit Jahrtausenden derselbe war. Derselbe alte Wind, der seit der Eiszeit Kanten in die Steine schliff. Jeden Tag sah er die Brinkebüller Bauern, die gedankenlos auf diesen Feldern ackerten. Sie wussten nicht, dass sie selbst auch geschoben und geschliffen worden waren, geformt von diesem Land. Dass sie in seinem Rhythmus atmeten, nach seinen Regeln lebten. Sie hatten immer um die Eiszeittümpel und die großen Findlinge herum gesät, gemäht, gepflügt, wie alle Bauern vor ihnen, seit gut sechstausend Jahren.

Das war vorbei. Die Tümpel waren zugeschüttet und die Steine aus dem Weg gehoben. Der größte Brinkebüller Findling lag jetzt am Ortseingang, als Gedenkstein mit der Inschrift *Flurbereinigung 1965–1967*. Die Feldmark war nicht wiederzuerkennen, die ganze Landschaft einmal umgekrempelt, Steensen wusste, dass das etwas zu bedeuten hatte. Er konnte es nur nicht benennen, noch war es nicht viel mehr als eine Ahnung.

Dieselbe, die ihn wohl veranlasst hatte, um das Hünengrab zu kämpfen, es im letzten Augenblick vor seiner Einebnung zu retten. Genauso würde er den Heimatkundeunterricht verteidigen. Einfach weitermachen wie bisher, es hatte seinen Schülern in den letzten dreißig Jahren nicht geschadet. Und er wusste, niemand würde ihn daran noch hindern. Es spielte keine Rolle mehr, weil es die Brinkebüller Schule nicht mehr lange geben würde. Gemeinderatsbeschluss, vier Jahre noch, ein letzter Grundschuljahrgang, dann war Schluss. Es traf sich gut, er war dann auch im Alter für den Ruhestand. Die Zeit der Dorfschullehrer war vorbei, die Kinder würden bald im Bus zur Dorfgemeinschaftsschule fahren und von *gewaltfreien* Pulloverpädagogen Dinge lernen, die kein Mensch gebrauchen konnte. Mengenlehre und textiles Werken. Sachkunde! Ganz sicher nicht mit Lehrer Steensen.

Greta Boysen zählte schon die Tage, bis ihre jüngste Tochter endlich in die Schule kam. Seit Ende Mai lief Gönke nur noch mit dem Ranzen auf dem Rücken, alle Stifte angespitzt, das Schreib- und Rechenheft schon eingeschlagen und beschriftet. Allmählich machte sie das ganze Dorf verrückt. *Ik schall to School! Ik kann aber al schrieben! Un reknen kann ik uk! Fraag mi mol, wat dree un dree is!*

Wenn ihre Schwestern nachmittags an ihren Hausaufgaben saßen, hing Gönke immer neben ihnen auf der Küchenbank und wollte ihre Lesefibeln haben, malte nach, was sie in ihre Hefte schrieben, guckte, was sie rechneten, und wehe, wenn sie irgendetwas nicht gleich konnte! Wenn ihr die schweren Buchstaben wie G nicht gleich gelingen wollten oder sie nicht auf Anhieb gleichmäßige Achten malen konnte, warf sie Bücher, Federtaschen, Anspitzer vom Tisch, schlug mit dem Lineal um sich, bis ihre großen Schwestern aus der Küche flüchteten. Man konnte wirklich Angst vor ihr bekommen, weil Gönke sich vor Wut vergaß, an Zöpfen riss und mit den Füßen trat, in Arme oder Beine biss. Greta nahm sie dann und schleppte sie zum Spülbecken, hielt ihren Kopf unter das kalte Wasser, was manchmal half und manchmal nicht.

Oft musste doch noch Erich kommen, der das Wutpaket dann unter seinen Arm nahm und es schnell nach draußen trug. Man konnte Gönke aber nicht laufen lassen, weil sie vor lauter Wut nichts hörte und nichts sah. Er hielt sie deshalb fest, bis ihr die Puste ausging und sie nicht mehr nach ihm trat. *Bist du nu lieb? Gönke! Bist du nu endlich lieb?* Meistens war sie nicht lieb, und dann trug er sie zum alten Hundezwinger. Bäcker Boysen hatte keine Hunde mehr, seit ihm der letzte überfahren worden war, er hatte jetzt ein tollwütiges Kind. Schön war es nicht, wenn er sie in den Zwinger sperrte, aber er musste in die Backstube zurück. Er konnte nicht den halben Tag damit verbringen, wildgewordene Kinder zu beruhigen. Meistens schrie sie dann auch nicht mehr lange, sondern warf sich in den alten Hundekorb und schlief dort vor Erschöpfung ein, die letzten Schluchzer bebten eine Weile nach, und plötzlich sah sie wieder wie ein kleines Mädchen aus, fünf Jahre alt, und Erich trug sie in ihr Bett.

Drei ganz normale Töchter, lieb und fröhlich. Dann ein Kind wie Gönke, wie von einem anderen Stern. Greta Boysen war schon hundertmal die ganze Sippschaft durchgegangen. Ein paar Wunderliche gab es wirklich: Erichs Bruder Sievert, der mit keinem sprach und sich in seinem alten Schrankenwärterhaus verschanzte, menschenscheu. Und Gretas Mutter, die als Witwe schwermütig geworden war und nur noch bei geschlossenen Gardinen in der Stube saß. Aber das war alles kein Vergleich mit Gönke. Niemand sonst in der Familie hatte diese Wut. Gönke schrie, als hätten Vater, Mutter, Schwestern und das ganze Dorf ihr etwas angetan, und manchmal war man wirklich kurz davor, ihr etwas anzutun! Das Kind zu nehmen und es in den Mühlenteich zu werfen, an die Wand, in den Kartoffelkeller, Luke dicht und Schloss davor und dicke Säcke vor die Tür, damit man endlich Ruhe hatte. Und nicht mehr sehen musste, wie die Brinkebüller guckten, wenn sie in den Bäckerladen kamen und hinten wütete schon wieder Gönke. Oder am Hundezwinger stehen blieben und die Köpfe schüttelten. *Wo het se dat bloß vun?*

Die Frage stellte Greta sich, seit ihre Tochter auf der Welt war. Sie bereute bitterlich, dass sie ihr viertes Kind im Krankenhaus bekommen hatte, nicht zu Hause, wie die ersten drei. Man hörte immer wieder schreckliche Geschichten aus den Säuglingszimmern, Kinder aus Versehen ins verkehrte Bett gelegt und dann vertauscht. Womöglich hatte irgendjemand jetzt die echte Gönke, lieb und niedlich wie die Schwestern, Greta durfte gar nicht daran denken. *Denn harrn se di je wenigstens een Jung mitgeven kunnt,* sagte Erich, wenn sie mit ihrer Tauschgeschichte anfing, und er fand das wohl noch lustig. *Giff dat man ruhig to, du hest mi dor wat ünnerschoben!* Das sollte auch bloß Spaß sein, Greta konnte aber nicht darüber lachen.

Erich fand das alles halb so schlimm mit Gönke, seine Jüngste war an sich nicht so verkehrt. Manchmal konnte er sie fast verstehen. Er war selbst auch ein bisschen eigen, wusste, wie das war, wenn man sich unverstanden fühlte, unterschätzt im Dorf. Wenn man Konditor war, ein Tortenkünstler, Zuckerbäcker, aber alle nur das Schwarzbrot und das Graubrot wollten. Wenn man anders war und durfte es nicht sein. Wer wusste denn, ob nicht in seiner Tochter auch *so'n beten Künstler* steckte.

Ein Kind wie Gönke Boysen hatte Lehrer Steensen jedenfalls noch nicht erlebt. Sie stürmte in die Schule wie in die Notaufnahme eines Krankenhauses, als gäbe es dort Blutkonserven oder Medizin, die sie zum Überleben brauchte. Und Steensen sah sofort, dass dieses Kind die Jungsteinzeit verstehen würde. Ein Mädchen für die Oberschule, das hatte es in Brinkebüll noch nicht gegeben.

Es hatte auch, solange Steensen sich erinnern konnte, nie einen Sommer ohne Storchenpaar gegeben. Im Frühling war das Männchen angekommen, hatte ein paar Runden über Brinkebüll gedreht und eine Weile auf dem Kirchendach gestanden. Dann war es plötzlich wieder weggeflogen. Was jetzt noch klapperte im Dorf, war Marret, die vom Gasthof Feddersen zur Kirche lief, ein paarmal jeden Tag, und nach den Störchen sah. Bis schließlich klar war, dass sie nicht mehr kommen würden. Es war der erste Sommer ohne Störche, und die Welt ging unter. Marret klapperte von Haus zu Haus mit ihrem Blatt. »ERWACHET!« Wenn es passte, sang sie nach dem Untergang noch ein paar Schlagerlieder.

Lehrer Steensen schulte seinen letzten Jahrgang ein und legte für das Klassenfoto einen Farbfilm in die Agfa Isola, zum ersten Mal. Er machte diese Fotos immer selbst, so musste er nicht mit aufs Bild. Als er die Abzüge bekam, erschienen sie ihm viel zu bunt, es tat fast in den Augen weh, wenn man sie ansah. Die breiten Streifen der Pullover und die großen Karos auf den Röcken leuchteten in grellen Farben, schlimmer war nur noch das schreiend bunte Schultütensortiment aus Dora Koopmanns Laden. Die gelbe Mecki-Tüte war in diesem Jahr der Schlager, auf dem Foto gab es sie gleich drei Mal. Der kleine Ketelsen kam ohne Zuckertüte, wie sein Bruder vor drei Jahren auch schon. Flecken auf dem Hemd und ohne Mutter bei der Einschulung. Manche Dinge würden sich nie ändern.

Das Boysen-Mädchen hatte schon die Tüte aufgerissen, bevor es bei der Schule angekommen war, es wollte an die neue Federtasche. Greta band die Schleife für das Foto dann noch einmal zu.

Marrets Junge kam an Ellas Hand, auf seiner blauen Tüte war ein Traktor, und sein Haar war kurz geschoren. Sönke hatte ihm zur Einschulung noch einen Messerschnitt verpasst, es sah verboten aus. Ansonsten unterschied er sich nicht von den anderen Jungen: kurze Hose, weiße Strümpfe und die Schuhe blankpoliert. Sein Ranzen war aus grünem Leder, auf den Schnallen funkelten die Reflektoren. Ella achtete darauf, dass er wie die normalen Kinder aussah, nicht wie der Sohn von Marret Ünnergang, und auch nicht wie der kleine Ketelsen. Für seinen Haarschnitt konnte sie ja nichts.

Ingwer Feddersen gehörte zu den Größten seiner Klasse, auf dem Foto stand er hinten. Einer von der Sorte, die man leicht mal übersehen konnte, die nur wenig sagten, aber alles mitbekamen. Steensen blätterte zurück zu Marrets Einschulung von 1955 und sah die Ähnlichkeit. Hielt beide Bilder aneinander, schaute sich die hohe Stirn der beiden an und ihre schmalen Nasen. Fragte sich, ob außer ihm noch jemand eine Dorfschullehrerstirn erkannte. Ella wiegte nur den Kopf, als er sie ein paar Tage später fragte.

Die Mädchen trugen keine Zöpfe mehr, das fiel ihm auf, als er die beiden Klassenfotos aneinanderlegte. Auf dem Farbbild seines letzten Jahrgangs sah er nur noch Kurzhaarschnitte. Flurbereinigung jetzt auch schon auf den Mädchenköpfen, alles eckig und gestutzt, aber was verstand ein alter Lehrer schon von den Frisuren kleiner Mädchen. Noch vier Jahre.

Steensen setzte Ingwer Feddersen zu Heiko Ketelsen auf eine Bank, sie kamen in die erste Reihe. Manchmal färbte von den guten Schülern etwas auf die schlechten ab, es konnte jedenfalls nicht schaden. Ob bei dem kleinen Ketelsen ein Fall von echter oder träger Dummheit vorlag, musste sich erst zeigen. Dass er ein armer Teufel war, sah man sofort. Steensen nahm sich vor, den Jungen nicht zu schlagen, weil er zu Hause schon genug bekam.

Er hielt es dann nicht durch, weil Heiko Ketelsen nicht ohne Schläge konnte. Im letzten Jahrgang seines Lehrerlebens, als er schon dachte, dass er alles wüsste und alles gesehen hatte, lernte Steensen doch noch eine dritte Form von Dummheit kennen, die lebensmüde. Der dünne Junge in der ersten Reihe war wie ein arabischer Fakir, der sich auf Nagelbetten legte, um zu zeigen, dass er Schmerzen aushielt. Er bettelte um Schläge, triezte seinen Lehrer, schaffte es tatsächlich noch, den späten, milden Steensen in die Raserei zu treiben. Bekam am Ende doch die Hefte links und rechts um seinen dummen Kopf geschlagen. Manche Dinge änderten sich nicht.

Für Boysens änderte sich alles, als Gönke in die Schule kam. Vom ersten Tag an war ihr jüngstes Kind wie ausgewechselt. Als hätte man sie, knapp sechs Jahre nach der Krankenhausentbindung, noch mal umgetauscht. Zurückgetauscht! Als hätte Greta endlich doch ihr richtiges, ihr echtes Kind bekommen. Sie hatte plötzlich eine stille Tochter! Gönke atmete die Lesefibel ein wie Sauerstoff, sie fing zu lesen an und hörte nicht mehr auf. Als sie mit ihrer Fibel durch war, sog sie die Lesebücher ihrer Schwestern ein, danach das Heimatkundebuch, und dann schloss Steensen ihr die Schulbibliothek auf. Dort saß sie dann allein am langen Tisch, das Kinn in beiden Händen, jede Pause, und nach der letzten Stunde wieder, bis ihre großen Schwestern Schulschluss hatten und sie holten, ihr die Arme in die Jacke stopften und sie mit nach Hause zogen, Gönke mit dem Buch in ihrer Hand und einem Finger in den Seiten, meistens las sie noch im Gehen weiter.

Gönke Boysen las, wie andere Menschen tranken. Maßlos, wahllos, bis zur völligen Betäubung. In Steensens Schulbibliothek fing sie links oben bei den Kinderreimen an und las sich nach rechts unten durch, in Richtung Archäologie. Am Ende kamen dann nur noch Atlanten und die Ordner mit den Zeitschriften der Gesellschaft für Geschiebekunde. Steensen sah, mit welchem Tempo dieses Mädchen las, und ahnte schon, dass sein bescheidener Bestand nicht bis zum Ende ihrer Grundschulzeit genügen würde. Notfalls würde sie sich durch die Brockhaus-Bände lesen müssen. Oder wieder bei den Kinderreimen anfangen.

Gönke Boysen blieb auch mit den Büchern noch ein merkwürdiges Kind. Sie spielte nicht. Hin und wieder stand sie in den Pausen mit dem Butterbrot in ihrer Hand am Rand des Schulhofs, man durfte in der Bibliothek nicht essen. Dann schaute sie den anderen Mädchen zu bei Gummitwist und Hinkepott und runzelte die Stirn, als wollte sie den Sinn der Hüpferei verstehen und fände ihn nicht. Lieb und fröhlich wie die großen Schwestern wurde Gönke auch als Schulkind nicht. Ihre Wut war nur betäubt, nicht weg. Aber Boysens waren dankbar, dass die Schreierei vorbei war, Erich war auch froh, dass Gönke nicht mehr in den Hundezwinger musste. Wenn doch noch einer ihrer Wutanfälle ausbrach, lag es meistens daran, dass ihr Buch zu Ende war und sie kein neues hatte. Dann half es, wenn man irgendetwas Lesbares auftreiben konnte, Tageszeitung, Kirchenblatt, zur Not die Bäko-Zeitung von der Bäcker- und Konditoreigenossenschaft. Etwas Gedrucktes zur Betäubung, bevor das wilde Tier in Gönke wieder zu sich kam.

Lehrer Steensen sorgte für Betäubung und Beschäftigung. Er ließ das Boysen-Kind im dritten Schuljahr schon Balladen lernen, *Bürgschaft, Glocke, Kraniche des Ibykus, John Maynard.* Es verstand vermutlich noch nicht viel davon, das spielte aber keine Rolle.

Als sie acht war, konnte Gönke von der Schulbank aus nicht mehr erkennen, was vorne an der Tafel stand. Der Augenarzt verschrieb die erste Brille, und ihre Gläser wurden dann in jedem Jahr ein bisschen dicker. »Dat kummt vun aal din Lesen«, sagte Gunda Boysen, »pass mol op, du warst noch blind!« Aber Gönke zuckte mit den Schultern, schaute gar nicht auf von ihrem Buch, wenn eine ihrer Schwestern mit ihr sprach, las weiter. Die Brinkebüller machten Witze über Gönke Bäcker mit der dicken Brille und dem grimmigen Gesicht. Amüsierten sich, wenn sie bei Dora Koopmann stand, Buch vor der Nase, und schon nicht mehr wusste, was sie kaufen sollte. Lachten über dieses Kind, das einhändig auf seinem Roller fuhr, weil in der anderen Hand das Buch war. »Na Gönke«, fragte Haye Nissen, »schall ik di dat Book nich an de Kopp fastschweißen? Dat du mol de Hände frie hest.«

Lehrer Steensen lachte nicht, er konnte sehen, dass Gönke Boysen um ihr Leben las. Die Krankheit, unter der sie litt, hieß Brinkebüll. Es war der schwerste Fall von Einsamkeit, den er in seinem Leben je gesehen hatte, und Steensen kannte sich mit Einsamkeit ein bisschen aus. Ein Kind, das wie ein Außerirdischer in diesem Ort gelandet war. Zehn Jahre früher, und es hätte keinen Weg aus diesem Dorf für sie gegeben. Jetzt übte er das gute »R« mit ihr und würde Boysens schonend darauf vorbereiten, dass ihre Tochter auf die hohe Schule musste. Raus aus Brinkebüll, so schnell es ging.

Bei Marrets Jungen war es nicht so, Ingwer kam im Dorf zurecht. Er sah, wenn er mit Heiko Ketelsen, Kai Martensen und Henning Bahnsen spielte, wie ein Bauernjunge aus. Er war nicht halb so schnell wie Gönke Boysen, niemals wütend, aber fast so klug, man musste ihm nie etwas zweimal sagen. Er verstand, was man ihm sagte, und er stellte Fragen, das unterschied ihn von den anderen.

Vier Jahre noch, und Lehrer Steensen würde diese Zeit gut nutzen. Marrets Jungen auf den Weg bringen, auch ihn aus Brinkebüll heraus, erst zum Gymnasium, dann auf die Universität, dann in die Welt der Praxen und Kanzleien, der Opernabende und Reisen. Dort war sein Platz, und Lehrer Steensen schob ihn, langsam und behutsam, wie er fand, in Richtung Ortsausgang. Weg von Sönke Feddersen und seinem Gasthof, seinem kleinen Stall voll Vieh.

Er sah die beiden miteinander, wenn er seine Runden zog, den Alten und den Jungen auf dem Feld, Ingwer auf dem Traktor, Sönke Feddersen daneben, der ihm zeigte, wie man pflügte, säte, Mist ausstreute. Sah sie auf dem Weg zur

Landmaschinenwerkstatt, vor dem Gasthof beim Entladen der Getränkewagen, und er wusste ganz genau, was Sönke Feddersen da tat. Er zog sich einen Brinkebüller Gastwirt groß, einen Bauern, Blasmusiker, *Dörpsmann*. Einen, der so war wie er, den er behalten wollte, hier behalten, seinen Jungen.

Sie grüßten sich, wenn sie einander trafen, wortlos. Sönke tippte mit dem Finger an den Mützenschirm und Steensen nickte kurz, und beide wünschten sich den anderen weit weg.

Steensen wollte, wenn er Ingwer mit dem *Kröger* sah, am liebsten hingehen, ihm den Arm um seine Schulter legen und ihn wegziehen. Er hatte ihn gesehen, als er zur Welt gekommen war. Marrets Jungen, noch ganz blau. Er und Ella. Vater, Mutter. Tochter. Enkel. Sönke hatte nicht das Recht, sich diesen Jungen hinzubiegen, bis er in seinen Gasthof passte. Er gehörte nicht dahin.

Steensen sah, dass Ingwer Feddersen die Jungsteinzeit verstand. Dass er den Kopf gesenkt hielt, wenn er über Felder ging, dass er ein Junge war, der Steine suchte. Dass er verstand, warum ein Hünengrab nicht eingeebnet werden durfte. Er half ihm mit dem Rucksack, wenn sie draußen waren. Ließ die Hand ein bisschen länger auf der Schulter, als es nötig war. Fuhr ihm, wenn es keiner sah, mal über seinen Kopf, zog ihm den Kragen seiner Jacke gerade, half ihm mit dem verhakten Reißverschluss.

Es war noch immer mehr, als er sich Marret gegenüber je gestattet hatte. Undenkbar, ihre Schulter zu berühren, einen Arm um dieses Kind zu legen, das bei der Einschulung kaum größer als die Schultüte gewesen war. Das summend Vögel, Hasen, Blumen malte, wenn es rechnen oder schreiben sollte.

Manchmal steckte er ihr blaue Hefte zu, mal ein paar Stifte. Ein Radiergummi und einen Anspitzer, wenn sie ihm einen Flintstein brachte oder einen Donnerkeil, den sie auf ihren Streifzügen gefunden hatte. Die toten Tiere kamen zum Pastor, mit den Versteinerungen stand sie vor der Tür der Lehrerwohnung, brachte Steensen in Verlegenheit. Er ließ sie nicht hinein, weil er nicht wollte, dass man Marret bei ihm sah. Nur einmal, als es heiß war, hatte er ihr ein Glas Saft gegeben, und sie war durch seinen Flur spaziert, wo das Harmonium stand. Er hatte ihren Fingern dabei zugesehen, wie sie langsam von den tiefen zu den hohen Tönen wanderten und dann zurück. Schwarze Erde unter ihren Fingernägeln, einen Strohhalm in den Haaren, Steensen hatte ihn herausgezogen.

Sie sprachen viel von ihr, wenn Ella bei ihm war, sie wussten beide nicht, was werden sollte aus ihrem seltsamen, verdrehten Kind.

Im letzten Jahr der Brinkebüller Schule kam noch ein neuer Schüler in die Klasse, klein, ein bisschen pummelig, Brillenträger, Haare bis zum Kinn. Zugezogen aus Berlin, er wohnte jetzt mit seinen Eltern, Schwestern und noch ein paar anderen Menschen in Carsten Leidigs alter Mühle. *Wilde Volk! As de Zigeuners!* Hanni Thomsen tuckerte zehnmal am Tag auf seinem Mofa um die Mühle und meldete die neuesten Entwicklungen. *Aal de Fenstern bunt maalt! Nakelte Fruuns in de Hof!* Der fremde Junge war in den Sommerferien auf einmal wie ein ausgewildertes Fabrikhuhn durch das Dorf gestakst.

Als er am ersten Morgen vor der Klasse stand, kam aus dem blassen Hähnchen ein erstaunlich lautes und durchdringendes Organ. Er stellte sich breitbeinig an die Tafel und begann, sich vorzustellen. »Und zwar bin ik der Karl Fidel Baumann«, rief er. »Und zwar Karl wie der Karl Liebknecht und Fidel wegen Fidel Castro. Und zwar sind det Revolutionäre.«

Die erstaunte Brinkebüller Schülerschaft, letzter Jahrgang, viertes Schuljahr, erlebte einen Julimorgen, den sie nicht so schnell vergessen würde, einen fast historischen Moment. Es war das erste Mal in über dreißig Jahren, dass Lehrer Steensen vor der Klasse stand und lachte. Schallend, laut, den Kopf im Nacken. Dann schob er den Berliner Neuzugang nach vorne in die erste Bank. »Und zwar setzt du dich mal hier hin, Karl Fidel Baumann«, sagte er, noch immer lachend, *Fidel* mit Betonung auf der ersten Silbe.

Steensen wusste selbst nicht ganz, woher die Heiterkeit auf einmal kam. Dass seine Lehrerzeit in Brinkebüll zu Ende ging, erfüllte ihn mit einer Leichtigkeit, die er von sich nicht kannte. Keine Wehmut, keine Bitterkeit, kein Hadern mit den fünfunddreißig Jahren, nur das befreiende Gefühl, dass all das Neue, *Progressive,* das jetzt kam, ihn nicht mehr kümmern musste.

Nach ihm die Mengenlehre, Sachkunde, gewaltfreie Erziehung. Nach ihm die Revolutionäre.

Kurz bevor sich Gönke Boysen auch noch in die Brockhaus-Bände der Schulbibliothek verbeißen musste, stoppte auf dem neuen Parkplatz vor der Kirche zum ersten Mal der große Bus der Fahrbücherei Nordfriesland.

Eine schrille dreistimmige Sirene kündigte ihn an wie einen Katastrophenfall. Nichts anderes war dieser verdammte

Bücherbus auch für die meisten Brinkebüller, weil er in ihre Mittagsstunde platzte. Jeden zweiten Donnerstag wurde man jetzt von den Küchenbänken und den Stubensofas aufgeschreckt, und wenn man gerade wieder eingenickt war, ging die Sirene noch mal los, weil es noch eine zweite Haltestelle gab im Dorf.

Gönke Boysen stand vor der Kirche anfangs noch alleine, immer viel zu früh. In der ersten Zeit trug sie die Bücher noch in ihrem Ranzen hin und her, dann nahm sie noch zwei Tragetaschen extra mit. In den letzten beiden Jahren vor dem Abitur kam sie mit Erich Boysens Schubkarre.

Die letzten Schüler bekamen ihre Zeugnisse, ein Bild von sich in einem Blumenbogen und einen Brief von *Deinem Lehrer Steensen* ein Jahr später. Das Tageblatt berichtete auf einer halben Seite über die Schließung der alten Brinkebüller Dorfschule, auf dem Foto Lehrer Steensen, in seinem schwarzen Anzug, in seinem leeren Klassenzimmer. *Nach dreieinhalb Jahrzehnten scheidet Christian Steensen aus dem Schuldienst.*

Lehrer Steensen hatte einen Vornamen.

17
Rauschende Birken

Sönke wehrte sich nicht länger gegen warmes Wasser, nur noch gegen Ellas Seife, weil sie nach Lavendel roch. Er wollte nicht so riechen *as een Fruunsminsch,* also kaufte Ingwer eine andere für ihn, mit Sandelholz. Die alte Kernseife kam weg.

Er machte immer noch die Augen zu, wenn Ingwer anfing, ihn zu waschen, sie wurden aber langsam besser miteinander, atmeten nicht mehr wie Tiere auf der Flucht. Manchmal sprachen sie beim Waschen, meistens nicht. Sönke schien oft sehr weit weg zu sein, wenn er im Bad auf seinem Plastikhocker saß, er war wohl in Gedanken unterwegs. Reiste noch mal alles ab, wie Ella. Nur dass Ella sich verlief und Sönke nicht. In seinem Kopf war alles klar.

An manchen Tagen trug er immer noch sein *Plünn,* das alte Tuch, das er sich um den Schädel knotete, wenn ihn das Kopfweh quälte. Es schlug bei einem ganz bestimmten Wetter zu, an manchen Herbst- und Wintertagen, wenn starker Wind von Osten kam, der schlimmste, bissigste der Winde. Er ging durch jedes Hemd und fraß sich durch die Haut bis zu den Knochen durch. Die Stürme, die von Norden, Süden, Westen kamen, waren nicht so schlimm, nur dieser Ostwind machte das mit ihm.

An seinen Kopfwehtagen sah er wie versteinert aus, grau im Gesicht. Er bewegte sich sehr langsam, und er sprach nicht. Alles, was man von ihm hörte, war ein unterdrücktes

Stöhnen hin und wieder. Sein *Plünn* verschaffte ihm ein bisschen Linderung, so fest um seinen Kopf gebunden, dass es tief in seine Stirn schnitt. Tabletten wirkten kaum, er warf sie trotzdem ein, drei Stück auf einmal, schluckte sie mit Korn, und wenn er nicht mehr konnte, legte er sich auf den Teppich im Kontor. Erst dann war er so weit, dass er sich Ellas Pfefferminzöl auf die Stirn und auf die Schläfen reiben ließ, sie sprach dann leise mit ihm, während ihm die Tränen in die Ohren liefen.

Ella kam jetzt nicht mehr selbst darauf, ihm an den Kopfwehtagen beizustehen. Man musste es ihr sagen, mit ihr ins Kontor gehen und das Öl in ihre Hände träufeln, und von da an wusste sie dann wieder. Scheinbar war es wie beim Spülen oder Schälen, ihre Hände konnten alles noch. Sie massierte ihm die Schläfen und die Stirn, *nu ween man nich,* bis er die Augen schloss und langsam wegdämmerte. Er legte sich jetzt immerhin auf seine Couch und nicht mehr auf den Teppich.

Der Winter wurde nicht so schlimm, wie Ingwer befürchtet hatte, sie kamen ganz gut durch. Selbst Weihnachten lief nicht so schlecht, mit Lichterketten und dem Christbaumschmuckset aus dem Baumarkt, weil sie die Kiste mit den Kugeln, Glocken und dem Silbervogel für die Spitze nicht gefunden hatten. Ella konnte sich nicht mehr erinnern, wo sie war, und Sönke hatte es noch nie gewusst. Aber der Baum war dann perfekt, Nordmanntanne, selbst gesägt bei einem Ausflug im Advent. Er musste sich mit ihnen irgendwie beschäftigen, man drehte durch, wenn man den ganzen Tag nur in der Bude saß, also packte er die beiden Alten ein und nahm sie mit zur Baumschule Petersen, zwei Dörfer weiter. Wo sie zwischen aufgedrehten kleinen Kindern in Zeitlupe die Tannen inspizierten, rechts Ella und links Sönke eingehakt bei ihm, *to groot, to lütt, to dick, to dünn, to scheef,* bis sie sich endlich einig waren. Sönke sah so aus, als hätte er die Säge lieber selbst in die Hand genommen, es fiel ihm sichtlich schwer, dass er nur wie ein alter Mann danebenstehen konnte, er sagte aber nichts.

Auf dem Parkplatz gab es eine Bude, wo man nach dem Sägen Punsch und Erbsensuppe kaufen konnte, man saß auf Strohballen um einen Feuerkorb herum, es war wie Kinderfest. Selbst die Erwachsenen, die hier mit ihren Glühweinbechern saßen, kamen Ingwer vor wie Jugendliche. Er war wohl zwanzig Jahre älter als die meisten, mindestens. »Ik giff een ut!«, Sönke drückte ihm das Portemonnaie in die Hand und schob ihn Richtung Bude, während er mit Ella auf die Strohballen zusteuerte.

Für die Suppe brauchten sie dann nicht zu zahlen, weil man Feddersens hier kannte, Gärtner Petersen und seine Frau hatten vor dreiundzwanzig Jahren ihre Silberhochzeit noch im Gasthof Brinkebüll gefeiert. »Un jem sind immer noch so flott, jem beiden! Un de Jung hem jem uk mit! Moin, Ingwer, Mensch, wat …« Es fehlte nicht mehr viel, es war ganz knapp. Ingwer hörte schon, wie dieser Satz zu Ende gehen würde…, *»bist du groot worrn«.* Aber Gärtner Petersen kriegte gerade noch die Kurve … *»is dat schön«.*

Er bestellte das Weihnachtsessen online, Gourmetgans mit fünf Beilagen, alles schon fertig gekocht, im Kühlkarton bis an die Tür gebracht. Als am 23. Dezember der Lieferwagen kam, sah er Nils und Anna gegenüber in der Küche stehen, die Nasen noch ein bisschen dichter an der Fensterscheibe als normalerweise. Ingwer winkte, und die beiden Arme gingen hoch. Sie würden jetzt ein bisschen was zu rätseln haben über Weihnachten.

Vor Silvester graute ihm dann wirklich. Er hatte seinen Vorrat in der Kuchendose aufgestockt, um notfalls ausreichend bekifft vor Mitternacht im Bett zu liegen, aber es kam ein bisschen anders. Sheriff Ketelsen bequatschte Ehrenmitglied Sönke Feddersen so lange, bis er im Gasthof seine Line-Dance-Silvesterparty mit den *Brinkebüll Buffalos* feiern durfte.

Es war wohl nicht das erste Mal, dass er und seine Leute so ein Fest organisierten, sie machten es wie Profis. Schmückten den Saal mit blau-weiß-roten Luftschlangen, montierten eine große Discokugel, füllten ein paar Hundert Stars-and-Stripes-Ballons mit Gas und bauten ein gigantisches *Saloon Buffet* mit Chickenwings und Baked Potatoes, Hamburgern und Donuts auf. DJ Crazy Horst legte auf, und Ingwer übernahm den Tresendienst.

Sönke saß bis Mitternacht auf dem Rollator neben ihm, er raunte wieder Kommentare zu den nicht so hübschen Frauen, *Nich gut glückt! Dicke Kopp! Wat bloß een Stamper!* und sah sich dabei heimlich die geglückten an. Alle halbe Stunde schob er Richtung Stube, um zu sehen, ob Ella schlief, und um Mitternacht, als auf der Straße das Geballer losging, blieb er bei ihr sitzen, »dat se nich bang ward«.

Ingwer rauchte auf dem Parkplatz eine Zigarette, sah ein paar Leuchtraketen in den Brinkebüller Himmel schießen, fand aber wieder nicht das Sternbild Orion. Er war, was das anging, ein hoffnungsloser Fall. Sheriff Ketelsen kam auf ihn zugewankt in seinem Fransenledermantel, weniger betrunken als beseelt, Sektflasche in der Hand. Er legte seinen Arm um Ingwers Schulter, zog ihn an sich, hielt ihm seine Flasche hin. »Ach, Ingwer, du.« Wild-West-Silvester im Saloon von Brinkebüll, zwei alte Freunde der Prärie unter dem weiten Sternenhimmel, Heiko war vor Glück den Tränen nah. Ingwer nahm einen Schluck aus seiner Flasche. Dann legte er den Arm um ihn.

Als die Tage länger wurden, ging er nach der Mittagsstunde jeden Tag mit Ella eine Runde durch das Dorf, sie war noch ziemlich gut zu Fuß. Den Rollator stieß sie weg, sie hakte sich bei Ingwer lieber ein. Oft hatte sie den Einkaufszettel in der Tasche, in Sütterlin geschrieben, aber wenn sie dann beim alten Haus von Dora Koopmann waren, hatte Ella ihn vergessen, ging vorbei. Meistens zog sie Ingwer in die andere Richtung, bog nach links, sobald sie aus dem Haus trat, ging die Hauptstraße entlang, dann wieder links, den alten Schulweg durch. Die Füße fanden von allein den Weg, es war, als wenn sie alten Trampelpfaden folgte. *Ik schall to School,* und immer war es eilig. Sie gingen dann zum Schulgebäude, das der Ortskulturring heute nutzte, fassten an die Tür, die immer abgeschlossen war. *Versöken wi dat morgen,* sagte Ingwer, und sie machten es am nächsten Tag dann wieder so. Am übernächsten und am überübernächsten.

Jeden Dienstag kam der Bäckerwagen in das Dorf, er hielt nicht weit von Boysens altem Laden, es war Ellas Höhepunkt der Woche. Sie kaufte Schwarzbrot, Graubrot, ein paar heiße Wecken, und zum Bezahlen gab sie der Verkäuferin ihr Portemonnaie. Aus dem Wagen kam ein warmer, tröstlicher Geruch nach Brot und Kuchen, fast wie früher aus dem Fenster von Erich Boysens Backstube. Sie gingen auf dem Rückweg unten durch das Dorf, den Birkenweg hinein und dann zur Kirche, einmal über den Friedhof, wo bei gutem Wetter meistens ein paar Leute auf den Gräbern harkten, Wasserkannen schleppten, Vogeldreck und Sand von den Grabsteinen wuschen. Zwischendurch ein bisschen miteinander redeten, hier traf man jedenfalls mal jemanden. Auf dem Friedhof war am meisten los.

Die Forsythien blühten jetzt schon, die Amseln trugen Wintergras und kleine Zweige in den Schnäbeln, trafen sich zum Speeddating in kahlen Bäumen, fingen schon mal an mit Nestbau und Familienplanung. Vor dem Haus von Nils und Anna wagten sich die Krokusse heraus, sobald die Sonne kam. Kalt war es trotzdem noch.

Vor dem Waschen drehte Ingwer jedes Mal den Heizkörper im Badezimmer hoch, und nachher rieb er Sönke mit dem angewärmten Handtuch trocken. Es kamen keine Klagen mehr, kein *Hä!* Er hatte wohl genug gefroren, brauchte sich und Ingwer und dem Rest der Welt jetzt nicht mehr zu beweisen, dass er nicht der Heuler war.

Es war erstaunlich, was ein Körper aushielt, dieser jedenfalls, bald hundert Jahre lang.

Sönke schmiss den Gasthof, seit er fünfzehn war, gerade aus der Schule, gerade konfirmiert. Der Vater tot, die Mutter *nervenkrank,* vier jüngere Geschwister. Drei Schwestern und ein Bruder, und er hatte alle überlebt. Sönke Feddersen, der Erste und der Letzte. Er war der Härteste, schon immer. Hungern, bluten, frieren, vier Zehen weg, und weiter ging's. Kein Heuler sein. Er trank wohl auch schon, seit er fünfzehn war, es war für ihn wie essen oder atmen. Man hörte damit auf, wenn man den Löffel abgab, vorher nicht. Er kannte seine Dosis, hatte sich im Griff wie ein erfahrener Morphinist. Bei Festen immer nüchtern bis zum Ehrentanz. Nur Wasser, bis die Gäste nach dem Essen ihren *Muck* bekamen, ein Teil Korn, zwei Teile Limonade, Brinkebüller Standardmischung. Große Krüge davon auf den Tischen, man war blau, bevor man es bemerkte. Wenn der Tanz begann, stand Sönke Feddersen am Tresen wie ein Kapitän auf seiner Brücke, rauchte, mischte Muck und kippte Korn. Er trank die Abkürzung, die Limonade ließ er weg. Leerte Aschenbecher, zapfte Bier für die Musiker, kippte Korn, die Ärmel seines weißen Hemdes hochgekrempelt. Behielt den Saal im Blick und kippte Korn, er sah verschwitzte Männerhände, die auf Synthetikkleidern etwas höher oder tiefer rutschten als erlaubt, und alte Paare, die beim Tanzen die Gesichter aneinanderlegten. Erich Boysen, der bei jedem Fest am Tisch einschlief, und Greta Boysen, die bei jedem Fest darüber wütend war.

Ella übernahm den Tresen, wenn sie mit der Küche fertig war, und von da an fühlte Sönke Feddersen sich wie ein Gast, zu allen Festen eingeladen. Die Frauen mochten ihn, er tanzte gut, er sah gut aus. Er brachte sie zum Lachen, wusste, was sie hören wollten und was lieber nicht. Sönke führte, wenn er seinen Pegel hatte, jede Polonaise an, er schunkelte und scherbelte sich durch die Nächte, und am Ende hing er in der Eckbank mit den üblichen Verdächtigen, bis Ella einen nach dem anderen nach draußen manövrierte. Ganz zuletzt dann auch noch ihren Mann ins Bett, wenn es noch lohnte vor dem Melken. Sonst blieb er auf der Küchenbank, schlief da noch eine halbe Stunde, bis es Zeit war für den Stall. Ging auch. Ging alles. Er war der Erste und der Letzte.

Ingwer fühlte jeden Knochen, wenn er Sönke wusch, nur dünne Haut darüber. Blaue Flecken an den Oberarmen, Innenseite, Ella hatte wieder zugekniffen. Immer da, wo es am meisten wehtat, auch das vergaßen ihre Hände scheinbar nicht. Früher hatte sie nur Marret oder Ingwer so gekniffen, wenn sie ihr im Weg gestanden hatten in der Küche. Wenn auf allen Platten riesengroße Töpfe standen, alles dampfte und Marlene Bahnsen, die beim Kochen half, in ihrer weißen Kittelschürze schon die Klöße in die Suppentassen füllte, dann war man Ella besser nicht vor ihren Füßen rumgelaufen. Jetzt kniff sie Sönke manchmal, einfach so, wenn er zu dicht an ihr vorbeiging.

Sie hatte auch schon wieder zugeschlagen, Ingwer konnte es an seinen Beinen sehen. »Na, wat hest du denn wedder anstellt?«, aber Sönke konnte nicht darüber lachen. Er zuckte nur die Achseln. Sie schimpfte jetzt auch manchmal sehr auf ihn, sagte schlimme Dinge, »wat se ehr Leevdag noch nich seggt hett to mi. Ehr Leevdag nich!« Die Pflegerinnen nickten nur, wenn Ingwer es erzählte, sie nannten es *herausforderndes Verhalten* und hatten schon viel Schlimmeres gesehen und gehört. *Sie dürfen das bloß nicht persönlich nehmen!* Ingwer hatte ein-, zweimal versucht, es Sönke zu erklären, er hatte nur den Kopf geschüttelt, kein Verständnis. Er nahm es sehr persönlich, dass die Frau, die er seit über siebzig Jahren kannte, den Verstand verlor. Dass so ein stiller Mensch wie Ella plötzlich schimpfte wie ein alter Kutscher, kniff und um sich schlug, wie sollte man das nicht persönlich nehmen.

Schlimmer als die bösen Tage waren die verzweifelten, wenn sie um Hilfe rief. *Help mi, help mi,* stundenlang, und keiner wusste, was ihr fehlte. Ihre Tierfilme halfen nicht und ihre Zwitschermeise auch nicht, nichts und niemand konnte sie beruhigen, sie war dann nicht zu trösten. *Help mi, help mi.* Lief durchs Haus und riss die Türen auf, sie wollte weg und wusste nicht, wohin. Ingwer schickte Sönke dann in sein Kontor, Kopfhörer auf, *Rauschende Birken* und *Sirenen-Polka* bis zum Anschlag, damit er es nicht länger hören musste. Dann versuchte er sie festzuhalten, manchmal half es, wenn man sie mit beiden Armen an sich drückte, bis sie kaum noch Luft bekam. Und manchmal war das gerade das Verkehrteste, dann schrie sie noch verzweifelter.

Wenn nichts mehr half, zog Ingwer ihr den Mantel an und setzte sich mit ihr ins Auto, fuhr aus dem Dorf heraus und hielt an einem Feldweg an. Half ihr aus dem Wagen, und dann gingen sie, so schnell Ella noch konnte. Marschierten durch die Brinkebüller Feldmark, *help mi, help mi.* Manchmal trafen sie ein paar Spaziergänger mit Hunden, Zugezogene, die etwas zögernd grüßten, manchmal Paule Bahnsen, der mit seinem *Rennpeerd* unterwegs war, jeden Tag, den Fahrradhelm über der Bauernmütze. *Moin, jem beiden. Oha. Sönke bithuus?* Dann nahm er Kurs auf Gasthof Feddersen. Auf Paule Bahnsen war Verlass, und Ingwer konnte Ella laufen lassen, bis sie müde wurde. Meistens half es, wenn sie sich bewegte, irgendwann beruhigte sie sich wieder.

Die Nächte wurden schwieriger, weil sie jetzt immer schlechter schlief, *se spökelt,* sagte Sönke, der es hörte, weil er selbst oft wach lag. Einmal hatte sie um drei Uhr morgens Wasser in die Badewanne laufen lassen. Hin und wieder wurde Ingwer wach von ihrem Scharren, Schlurfen, Poltern, Stühlerücken, Schränkeöffnen, aber weil er oben schlief, bemerkte er es oft zu spät. Bis er dann unten war, hatte sich

Sönke schon aus seinem Bett gequält und Ella wieder eingefangen. Sie schlief seit ein paar Monaten im Wohnzimmer, in einem Pflegebett, elektrisch regelbar. Nachts stellten sie es ihr so tief, dass sie sich nicht verletzen konnte, falls sie fiel, und Ingwer schob zur Sicherheit noch eine Matratze vor ihr Bett. In den Nächten suchte sie dann nach dem alten Bett, dem richtigen. Sie tastete sich durch den Flur, probierte die Kontortür und die Küchentür, lief erst mal in die falsche Richtung, tastete sich dann zurück. Manchmal fand sie schließlich doch die Tür, nach der sie suchte, schlurfte in ihr altes Schlafzimmer und legte sich zu Sönke in ihr altes Bett, ihr richtiges.

Scheinbar gab es aber auch den umgekehrten Weg. Zumindest hatte Ingwer neulich Sönke mitten in der Nacht auf der Matratze vor Ellas Bett gefunden, schlafend, unter seiner eigenen Decke. Wahrscheinlich schlich er sonst am frühen Morgen wieder in sein Bett zurück, es passte ihm zumindest gar nicht, dass er aufgeflogen war. Kein Wort gesagt, als Ingwer ihn beim Frühstück damit aufzog. »Na, wat weer dat denn letzte Nacht? Jungs in de Deernsstuuv?« Er konnte lange stur in seine Kaffeetasse pusten, als hätte er kein Wort gehört.

Keiner von den beiden konnte richtig schlafen, wenn der andere nicht bei ihm lag. Sie teilten immer noch Geheimnisse, es gab Dinge, die *de Jung* nicht wissen sollte, die sie hinter seinem Rücken taten, wie die Sache mit dem nassen Bett. Sönke zog das Laken ab, wenn Ella ein *Malheur* passiert war. Statt Bescheid zu sagen, knüllte er es irgendwo in eine Ecke, hinter die Toilette oder in den Schrank und rackerte sich dann mit einem neuen ab. Natürlich war er viel zu steif und klapprig, um ein Spannbettlaken glattzuziehen, Ingwer machte es dann später noch mal neu, er stopfte auch das nasse Laken in die Waschmaschine, sobald er es gefunden hatte. Manchmal kamen nachts Geräusche aus dem Saal, dann flüsterten sie irgendwas, er hörte das Geschlurfe ihrer Hausschuhe und fragte sich, was sie da unten taten, ob sie tanzten. Es ging ihn aber gar nichts an. Sie wollten nicht gesehen werden *vun de Jung*.

Und Ingwer wollte auch nicht sehen. Im Gegenteil, er hatte, seit er Kind war, diese Neigung wegzugucken. Manche Dinge wollte er nicht sehen. Es ging ihm selbst bei seiner Arbeit so. Er hatte oft, wenn er bei einer Grabung war und sie nach etwas ganz Konkretem suchten – Trichterbecher, Tierknochen, Feuersteine – einen seltsamen Moment der Furcht, bevor er anfing. Furcht, etwas zu finden, oder eher eine Scheu, einen Respekt vor diesen Augenblicken des Entdeckens, weil sie so machtvoll waren. Weil die Welt nach der Entdeckung oft nicht mehr wie vorher war. Dinge, die gesehen worden waren, ließen sich nicht wieder ungesehen machen.

Er hatte Ragnhild mal von dieser Furcht erzählt – keine gute Idee, er hätte es wissen müssen. *Ein Archäologe, der sich fürchtet vor dem Finden. Dein Ernst, Ingwer? Ich würde mal sagen: Augen auf bei der Berufswahl!* Für eine passionierte Hobbypsychologin konnte sie erstaunlich abgestumpft sein. Er hatte es dann lieber nicht vertieft, man musste manche Dinge mit sich selbst ausmachen – oder zumindest nicht mit Ragnhild Dieffenbach.

Nachdem er Sönke abgetrocknet hatte, fing Ingwer an, ihn einzureiben, er massierte seine trockene Haut mit Arnikaöl. Seinen steifen Rücken und den Nacken, seine klapperdürren

Arme, seine Beine. Auch die schlimmen Füße mit den Stummelzehen, Ingwer hatte sich an sie gewöhnen müssen. Und Sönke hatte sich an die Massageprozedur gewöhnen müssen. »Wat schall dat warrn, wenn dat hier fertig is? De Letzte Ölung?« Man musste in der Welt von Sönke Feddersen schon mindestens halbtot sein, ehe jemand einem mit Massageöl zu Leibe rücken durfte. Er war nicht krank, er war gewaschen und gekämmt, er sah nicht die Notwendigkeit für *dat Getüdel,* aber er wehrte sich nicht mehr dagegen. Saß entspannt und döste halbwegs weg dabei, so schlimm war es dann scheinbar doch nicht.

Wat schall dat warrn? Das fragte Ingwer sich auch manchmal selbst. Er wusste nicht genau, warum er das hier machte. Und für wen. *De Letzte Ölung?* Jeder Satz ein Treffer. Der Alte konnte es noch immer.

Hier versuchte einer, kurz vor Torschluss sein Gewissen reinzuwaschen. Etwas wegzureiben mit ein bisschen Öl, heile, heile Gänschen, alles wieder gut. Und hatte wohl geglaubt, dass Sönke Feddersen das nicht kapierte.

Ingwer wusste nicht, wie viel er Sönke schuldete, wie tief er in den Miesen war, er konnte es nur schätzen. Undank, Untreue, Verrat, es kam schon einiges zusammen.

Er hatte Gasthof Feddersen auf dem Gewissen, Sönkes Lebenswerk, sein Erbe. Dass es hier jetzt so schäbig aussah, hoffnungslos, der große Saal so abgetakelt, lag an ihm. Er wäre dran gewesen und war abgehauen.

Es gab sie überall, in allen Dörfern, alte Landgasthöfe ohne Gäste. Trostlose Kaschemmen mit brutal verbauten Fronten, Plastikblumen hinter sprossenlosen Fenstern, graugewordene Gardinen, Bierreklame an der Wand und die

Getränkekarte hinter Glas, noch mit der Schreibmaschine getippt. Sie standen an den Straßen, alt, verlassen und erbarmungswürdig hässlich. Die Jungen wollten sich das nicht mehr antun, Gastwirt sein, es war kein Job für Heuler. Sie wurden auch nicht mehr gebraucht, das Feierabendbier war ausgestorben. Die Männer in den Dörfern machten das nicht mehr, schnell vor dem Abendbrot noch einen trinken, *gau mol um to Krogs,* wenn sie vom Melken oder aus der Werkstatt kamen.

Die Leute hatten sich das abgewöhnt wie ihre Mittagsstunde, es legte sich jetzt kaum noch jemand hin tagsüber. Sie kamen auch nicht mehr zum Frühschoppen am Sonntag. Die jungen Väter fuhren schwimmen mit der Frau und mit den Kindern oder mussten ihre Sprösslinge zu Fußballspielen fahren. Gingen joggen oder brunchen. Bauten Carports, daddelten an ihren Spielkonsolen. Sie hatten ihre Arbeit ganz woanders, wohnten nur noch in den Dörfern, hatten Hobbys. Sie setzten sich nicht mehr zu Sönke Feddersen in seine Schankstube, rauchten Ernte 23, kippten Bier und Kümmerling, erklärten sich die Welt und hörten Schlager aus der Musikbox. Die Bauern, Bäcker, Schlosser, Zimmermänner, die am Mittag oder frühen Abend angetüdert aus dem Gasthof Feddersen gestolpert kamen, zweimal den Strich-Achter abwürgten und dann mit jaulendem Motor im dritten Gang nach Hause fuhren, gab es jetzt nicht mehr in Brinkebüll. Sie waren weg, verschwunden wie die Störche. Bis auf Paule Bahnsen, Sönkes treuen Frühschoppen- und Feierabendgast, den Letzten seiner Art, der immerhin betrunken Dreirad fuhr. Mit Helm.

Aber Sönke Feddersen war nicht so dumm, den alten Zeiten nachzuheulen, er hatte schon sehr früh verstanden, dass sich alles ändern würde. Alles schon geplant: die Bundeskegelbahn, die neuen Fremdenzimmer, Anbau für die neue Küche, Wintergarten für die Frühstücksgäste und die kaffeetrinkenden Touristen. Das Vieh verkauft, das Land verpachtet und sogar schon bei der Bank gewesen.

Und dann *de ganze Schiet verbrennt,* weil Ingwer Feddersen zu den Studierern wollte.

Das kam dabei heraus, wenn man die Jungen fragte.

Niemand hatte Sönke Feddersen gefragt, mit fünfzehn, ob er Gastwirt werden wollte. Ob ihm das wohl Freude bringen würde, ihn erfüllen, glücklich machen: Kröger sein und Bauer nebenbei, so wie sein Vater und sein Großvater. Es spielte keine Rolle, was man wollte. Man erbte es, man heulte nicht, man machte es.

Er war dagegen gewesen, dass Ingwer Feddersen nach Husum auf die Oberschule kam. Ella dafür – und Lehrer Steensen selbstverständlich auch, dringende Empfehlung fürs Gymnasium, noch zweimal unterstrichen, so als wäre Sönke Kröger blind. So blind wie er, Schoolmeester Steensen mit dem schwarzen Anzug, der ohne seine dicke Brille nicht sein eigenes Gesicht im Spiegel sehen konnte. So blind, dass sie ihn nicht mal in der Wehrmacht haben wollten. Dringende Empfehlung! Also hatten sie den Jungen selbst gefragt, und Sönke hatte schon gewusst, dass das ein Fehler war. Dass Steensen ihn längst unter seiner Fuchtel hatte, ihm das eingeredet mit dem Abitur und mit den Büchern und mit den verdammten Steinen.

Hä! Op de hoge School!

Es war, nach der Flucht vor seinem Messerhaarschnitt,

Ingwers zweiter schwerer Akt von Untreue an Sönke Feddersen gewesen. Er hatte nicht gewagt, ihn anzusehen, als Ella ihm die Frage stellte. Auf den Tisch geguckt, auf seinen Teller, auf die Hände, auf die Küchenuhr, zwanzig Minuten nach zwölf. »Denn gah ik na Husum.« Ella angesehen, nicht den Alten, der dann aufstand, ins Kontor ging, in die Mittagsstunde, und auf dem Weg dahin sein *Hä!* ausspuckte, als hätte er auf etwas Widerwärtiges, Verdorbenes gebissen.

Der dritte Akt: Mit Karl Fidel Baumann Sönkes Plattensammlung durchgestöbert, heimlich im Kontor, und sich kaputtgelacht über die Oberkrainer, *Rauschende Birken, Klarinetten-Polka* und *Trompetenecho.* Nicht gemerkt, dass Sönke Feddersen schon ziemlich lange an der Tür gestanden hatte.

Der vierte Akt: Bei der Marschprobe mit dem Feuerwehrmusikzug Brinkebüll absichtlich aus dem Takt gegangen. Große Wende, linker Fuß auf 1 und 3, nur Ingwer Feddersen auf 2 und 4. Rausgeschmissen worden, endlich.

Der fünfte Akt: Die zwölfsaitige Ibanez gekauft und dafür heimlich das Tenorhorn in Zahlung gegeben.

Ingwer konnte heute noch nicht daran denken, ohne sich zu schämen. Und er konnte hier so lange waschen und herummassieren wie er wollte, davon wurde es nicht anders.

Sönke drehte sich auf einmal um zu ihm, aus seiner Döserei erwacht. Er sah ihn an, ein bisschen spöttisch, dann fragte er: »Wat maakst du, wenn din Bummel-Johr vörbi is, un wi denn immer noch nich doot sind, Mudder un ik?« Es klang, als wäre ihm das gerade eingefallen, nicht sonderlich besorgt.

Ingwer hatte sich das selbst schon ein paarmal gefragt, die Frage aber immer schnell verdrängt. Jetzt zuckte er die Achseln. »Dat weet ik nich«, sagte er. »Denn mutt ik jem wull dootscheten, oder? Nützt je nix.«

Sönke fing zu lachen an, es klang wie Husten, schwerer Anfall, er wurde richtig durchgeschüttelt. »Du un mi scheten! Du weetst nich mol, wo vörn und achtern is bi so'n Gewehr.« Selten so gelacht. *Du un mi scheten!* Ein nackter, alter Mann, bis auf die Knochen abgemagert, und er hielt sich immer noch für unbesiegbar. Er war der Härteste.

Man brauchte sich um Sönkes Seelenheil wahrscheinlich nicht zu sorgen. Er hatte schon ganz andere Dinge ausgehalten als die paar schwachen Schläge eines Jungen, der erwachsen wurde.

Einmal aufgelistet, kamen Ingwer Feddersen seine Verbrechen an dem Alten auch nicht sonderlich monströs vor. Kein Mord, kein Hochverrat.

Wat schall dat warrn? Er wusste, dass er das hier nicht zu machen brauchte, Sönke waschen und mit Ella durch die Feldmark tigern. Hausfrau spielen, sie zu ihren Ärzten kutschieren und sich das Gemecker anhören, wenn das Essen nicht um Punkt zwölf auf dem Tisch stand. Nichts davon verlangten sie von ihm. Er wollte es. Er holte sich hier etwas ab, was ihm noch fehlte. Einen Nachschlag Brinkebüll. Er fand Dinge wieder, die er noch gebrauchen konnte, manches hatte er schon fast vergessen. Die Gerüche und Geräusche dieses Hauses. Das Gefühl für dieses Dorf, das viel mehr von ihm wusste als er selbst. Er schien hier in sich selbst zu stöbern, aufzuräumen, kramte auf verstaubten Böden, fand auch alte Wörter wieder, die er seit Jahrzehnten nicht gehört oder gesagt hatte. *Schiddeln, quesen, schietenbild.* Sein Plattdeutsch kam ihm vor wie eine Taschenuhr, geerbt von

Sönke Feddersen, sie passte nicht mehr richtig in die Zeit, ging aber noch. Nicht praktisch, aber er behielt sie trotzdem, weil er ihre Schlichtheit mochte, ihre ehrliche Mechanik. Weil sie zu ihm passte.

Lehrer Steensen hatte es dann doch nicht ganz geschafft, die *Sprache der Bornierten und Beschränkten* abzuschaffen, auch wenn viele Brinkebüller Eltern sich gefügt hatten. Ihre Kinder sollten es mal besser haben, also sprachen sie doch lieber Hochdeutsch – oder das, was sie für Hochdeutsch hielten, oft konnten sie es selbst nicht richtig. *Komm hin nach Papa. Lass das nach. Geh mal bei und mach das Schap rein.* Das hörte sich dann noch beschränkter an. Sönke hatte nicht im Traum daran gedacht. *Hochdüütsch schnacken in min egen Huus!* Er sprach bis heute mit fast jedem Menschen platt, der in den Gasthof kam. Nicht sein Problem, wenn ihn die anderen nicht verstanden.

Wenn Ingwer nachmittags mit Ella vom Spaziergang kam, saß Sönke manchmal ohne seine Kopfhörer im Kontor. Er hatte das alte Auftragsbuch auf seinem Schreibtisch und blätterte sich durch die Brinkebüller Feste der vergangenen Jahrzehnte. Alles aufgelistet: Gästezahl und Speisenfolge, Sitzordnung, Tischschmuck und Musik. Und die Abrechnung. Zu jeder Feier gab es nachträglich ein paar Notizen: *Barzahlung pünktlich!* oder *Zweite Mahnung!* Manche Rechnung war bis heute offen. Sechzigster Geburtstag Heini Wischer, Silberne Hochzeit Thies & Ina Hamke – nie bezahlt.

Es gab noch keine Gnadenhochzeit in dem Buch, nicht eine. Nach siebzig Jahren Ehe war den meisten Paaren wohl nicht mehr nach einer großen Feier. Es schafften ja auch nur die härtesten. Sönke war am Morgen immer sehr zufrieden, wenn er in der Zeitung die Familienanzeigen studierte und mal wieder keine Gnadenhochzeit fand. Es gab sehr viele Goldene, ein paar Diamantene und hin und wieder auch mal eine Eiserne Hochzeit, 65 Jahre. Das war dann aber schon so ungewöhnlich, dass es der Zeitung eine Meldung im Lokalteil wert war, halbe Seite manchmal, und mit Bild.

Er hatte mit der Planung schon begonnen:

Gnadenhochzeit Elisabeth & Sönke Feddersen
Ca. vierzig Mann.
Langer Tisch/Fenster: Nachbarn, Kartenspielerclub, Leinentänzer
Kurzer Tisch/Bühne: Brautpaar und Familie, Paule Bahnsen u. Frau, Pflegerinnen
Langer Tisch/innen: Reichsbund und Musikzug-Kameraden.
Empfang: Sekt, Orangensaft
Vorspeise: Spargelsuppe
Hauptspeise: Rinderbraten, Schweinebraten sowie Pilze, Rotkohl, Bohnen, Schwarzwurzeln.
Desw. Salzkartoffeln und Kroketten.
Nachspeise: Eistorte und kleine Kuchen.
Tischschmuck: Servietten blau, Gestecke Gerbera (gelb, rot).
Musik: Kapelle, zwei Mann.

Er plante offenbar ein großes Fest mit Tusch und Tanz. Ingwer brauchte einen Augenblick, bis er begriff, was er mit *Leinentänzer* meinte. Gnadenhochzeit mit den *Brinkebüll Buffalos,* man durfte sehr gespannt sein auf die Feier. Jetzt war nur noch die Frage, wen Sönke mit *Familie* meinte.

18

Oh Lord, won't you buy me a Mercedes Benz?

Die Störche blieben weg, aber die Schwalben kamen noch nach Brinkebüll, die ersten zogen kurz nach Ostern durch das Dorf wie schnelle, scharfe Schatten. Sie flogen immer wieder zu den Höfen, die sie kannten, suchten in den Ställen, Scheunen und Maschinenschuppen nach den alten Nestern, bauten neue, wenn sie mussten. Jagten in rasanten Flügen durch das Dorf, berührten an den feuchten Tagen fast die Erde, brachten Stechmücken und Fliegen in der Luft zur Strecke. Die Schwalben hatten die Verwegenheit von Jagdpiloten, sie wussten, was sie konnten, und sie zeigten es. Sie waren laut, sie schienen unentwegt zu reden, aufgekratzt und schnell, als hätten sie für eine großartige Geschichte viel zu wenig Zeit. Im Sommer hatten sie die Ställe fast für sich, das Vieh war auf den Weiden, und die Katzen wussten, dass die Schwalbennester unerreichbar waren.

Schwalben brachten Glück. Sie schützten Haus und Hof vor Feuer und das Vieh vor Krankheiten, ein paar der alten Bauern glaubten noch an so etwas. Sie glaubten auch noch an die Drei-Zylinder-Hanomag-Traktoren, mit denen sie im Schneckentempo zu den Rüben- und Kartoffeläckern fuhren. Glaubten noch an Heu und Kleegras, an ihre alten Eimermelkanlagen und an schuldenfreie Mischbetriebe, zwanzig Hektar Land und fünfzehn pummelige Kühe, ein paar Mastbullen und Kälber, ein Dutzend Schweine und am besten auch noch

Schafe, Hühner, Gänse, Enten. Die alten Bauern glaubten an ein bisschen was von allem.

Heini Wischer fütterte die alten Arbeitspferde noch und sammelte das Stroh aus ihren Mähnen, wenn er abends vor dem Schlafengehen seine Runde machte. Sprach mit ihnen wie mit Brüdern oder mit Komplizen. Strich über ihre breiten Rücken, putzte sie, als würde er sie morgen wieder brauchen. Als wagte er den Tieren nicht zu sagen, dass sie ausgemustert waren.

Heini Wischer dachte noch in Kreisen. Sein Leben war ein Karussell aus Gras und Milch und Mist. Die Tiere fraßen, gaben Milch und Fleisch und Dünger für das Gras, das Heu, die Futterrüben, die sie fraßen und in Milch und Fleisch und Mist verwandelten, der auf die Felder kam als Dünger für das Gras, das Heu, die Zuckerrüben, die sie fraßen … das Karussell hielt niemals an, es hatte sich schon immer so gedreht.

An Regentagen standen große Pfützen auf dem Hof von Heini Wischer, man versank mit seinen Stiefeln tief im Matsch auf seinem Weg vom Haus zum Stall. Den Schwalben ging es gut bei ihm, sie brauchten diesen Matsch für ihre Nester, rollten ihn zu kleinen Kugeln, die sie dann in mühevoller Arbeit an die tiefen Deckenbalken und die rau verputzten Wände seiner Stallgebäude klebten.

Die Schwalben fanden auch in Carsten Leidigs alter Mühle ihre alten Nester wieder, und die neuen Eigentümer ließen sie in Ruhe. Ansonsten war sie kaum noch wiederzuerkennen, das Grundstück schien sich nach und nach in einen Spielplatz zu verwandeln. Die Leute aus Berlin hatten die morschen Sprossenfenster seines Müllerhauses neu gestrichen, jedes in einer anderen Farbe: rot, blau, violett und grün, die Haustür leuchtete zitronengelb. Ein alter Zirkuswagen stand im Garten, daneben lag ein Krokodil aus alten Autoreifen. Vor der Mühlenrampe stand seit ein paar Wochen etwas Großes, Rostiges, an dem ein Mann mit schulterlangen Haaren dengelte und schweißte, wenn er nicht auf der Galerie der Mühle am Geländer lehnte und rauchend auf das Dorf herunterblickte.

Die Aussicht über Brinkebüll war nur vom Dach der Meierei noch besser. Marret saß dort jetzt sehr oft mit ihren Zigaretten, weil es im Dorf nicht mehr so viele Orte zum Verschwinden gab, die Hecken und die Büsche waren alle weg, und keiner suchte sie hier oben. Sie hatte endlich ihre Ruhe auf dem Taubenbrett. Der Meiereibetrieb war eingestellt, der große Backsteinbau stand leer. Die Bauern fuhren morgens nicht mehr mit den Kannen durch das Dorf, stattdessen fuhr der Milchtankwagen zu den Höfen. Marret konnte ungestört den Tauben zuhören, weil da kein Jakob Meierist mehr war, der von unten wütend nach ihr rief.

Die Gemeinde hatte Carsten Leidigs alte Mühle nicht gewollt, was sollte man damit, sie hatte nicht einmal mehr Flügel. Für Leute aus Berlin war sie genau das Richtige: Alte Graupenmühle, mehr als hundertfünfzig Jahre alt, ein reetgedecktes Müllerhaus, ein großer Garten, und das Ganze für'n Appel und'n Ei! Carsten Leidigs Schwester war sehr froh, als sie das Ungeheuer los war. Mit dem ganzen Krempel drin, sie brauchte Haus und Mühle nicht mal zu entrümpeln. Die jungen Leute konnten alles noch gebrauchen. Carstens wurmstichige Möbel, seine Werkzeuge, Mehltöpfe und Zinkbottiche, sogar das alte Spinnrad wollten sie behalten, nichts durfte weg.

Es parkten immer viele Autos auf dem Grundstück, mal

ein VW-Bus mit Berliner Nummernschild, mal ein rostiger VW aus Hamburg, man wusste gar nicht, wer nun alles in der Mühle lebte. Geschweige denn, wovon! Sie schienen alle nicht zu arbeiten, den Brinkebüllern kam es vor, als spielten sie den ganzen Tag, wie Kinder. Sie bauten irgendwas aus Holz und Schrott und Steinen, malten, zeichneten und saßen stundenlang im Gras mit Kaffeetassen und Gitarren. Morgens waren sie noch wach, wenn man zum Melken ging, dann schliefen sie bis zwölf, und in der Mittagsstunde rannten ihre Kinder durch das Dorf und kreischten wie die Wilden, Kletten in den Haaren, Marmelade an den Backen. Da hatte Greta Boysen dann doch mal Bescheid gesagt, dass das um diese Tageszeit in Brinkebüll ein bisschen leiser gehen musste. Ansonsten konnten sie ja machen, was sie wollten. Drei Kinder schienen ständig hier zu wohnen, bei den Erwachsenen blickte keiner durch. Die beiden kleinen Mädchen gingen noch nicht in die Schule.

Der Große hatte sich an seinem ersten Tag in Brinkebüll sofort mit Dora Koopmann angelegt, weil er in ihrem Laden einfach an die Eistruhe gegangen war, den Deckel aufgerissen hatte und dann mit beiden Händen rumgewühlt. Als klebte nicht ein großes Schild an ihrer Truhe: KEINE SELBSTBEDIENUNG! Und von dem Eis, das dieser Bengel haben wollte, hatte sie noch nie gehört. »Himmi Jimmi? Gibt das hier nicht!« Er hatte dann ein Mili-Schokoladeneis genommen, Dora seine dreißig Pfennig hingeknallt und war verschwunden. Ohne Worte. »Keen moin, kenn tschüß, keen gornix.«

Karl Fidel Baumann grüßte nur, wenn es ihm passte. Mädchenhaarschnitt, Brillenträger, Hochdeutschsprecher – jeder andere mit einer solchen Mängelliste wäre in der Brinkebüller Hackordnung zum Opfertier geworden. Er sah aus wie einer, der vor Dorfjungs weglief und nach seiner Mama jaulte. Aber drei Jahre autonomer Schülerladen *Bella Ciao* in Kreuzberg waren nicht umsonst gewesen. Karl Fidel konnte sich ganz gut verständlich machen, selbst auf Hochdeutsch. *Ik polier dir gleich die Fresse, Bauer.* Es gab keinerlei Probleme.

Die Leute in der alten Mühle kamen ihren Nachbarn vor wie Zirkus- oder Jahrmarktsmenschen, *as Zigeuners,* fremd und eigenartig, aber Carsten Leidig war ja auch nicht ganz normal gewesen. Wer in Mühlen wohnte, war vielleicht *so'n beten anners.* Man kam aber zurecht. Sie konnten trinken wie die Brinkebüller, jedenfalls die Männer. Sönke hatte mal mit Paule Bahnsen und der Stammtischrunde vorgehabt, ein paar von ihnen abzubuddeln. Keine Chance. Es war ein sehr fideler Vormittag geworden. Erst hatten sie den neuen Brinkebüllern mal das Schleswig-Holstein-Lied beibringen müssen, dafür mussten sie mit ihnen dann auch eines ihrer Kommunistenlieder singen. Die Berliner konnten hinterher sogar noch Erich Boysen huckepack nach Hause schleppen, *trotz alledem und alledem,* es waren keine schlechten Leute. Man durfte bloß nicht anfangen, mit dieser roten Bande über Politik zu diskutieren.

Haye Nissen ging mal hin und sah sich an, was der Kollege an der Mühlenrampe so zusammenschweißte. Es war ein riesiger Greifvogel aus rostigem Eisenblech, alten Zahnrädern und kaputten Sägeblättern. *Ikarus,* der Künstler selbst hieß Andi, und er hatte allen Ernstes einen Auftrag für das Ungetüm. Irgendein Museum mit Skulpturenpark. *Denn man to.* Haye Nissen hätte dieses Ding nicht haben wollen, aber schweißen konnte der Genosse, keine Bindefehler, keine Spritzer, seine Nähte sahen gut aus. Er kam dann hin und wieder mal zu Haye in die Landmaschinenwerkstatt, guckte eine Weile zu beim Schweißen, stöberte in Haye Nissens Eisenschrott. Je rostiger und abgestoßener die Sachen waren, umso besser konnte er sie noch gebrauchen.

Hanni Thomsen hatte jetzt ein neues Ziel im Dorf, er kreiste auf dem Mofa um die Mühle wie ein Satellit, seit er an einem heißen Julitag die Mutter von Karl Fidel Baumann nackt in Carsten Leidigs alter Zinkwanne gesehen hatte. Auf dem ungemähten Rasen vor dem Müllerhaus, mit einem Buch in ihrer Hand. Hanni hatte sich sehr auf das Lenken konzentrieren müssen. Bevor sie durch das Dorf zu Dora Koopmanns Laden ging, zog sie sich aber an, ein bisschen jedenfalls. »Dat is mol een Rock«, murmelte Haye Nissen, der mit Sönke Feddersen vor seiner Werkstatt stand, als Sonja Baumann auf der Dorfstraße vorbeiging. Es war der kürzeste, den man in Brinkebüll bislang gesehen hatte.

Man kam zurecht mit diesen Menschen aus der Stadt, sie taten einem nichts. Man wusste nur nicht, was sie wollten. All die Berliner und die Hamburger, die plötzlich in die Dörfer zogen, man hatte keine Ahnung, was sie suchten. Sie kauften aufgegebene Bauernhöfe, alte Schmieden und verwaiste Dorfschulen, stillgelegte Bahnhöfe und Mühlen, die sich nicht mehr drehten. Sie schienen immer das zu wollen, was besonders alt und klapprig und verfallen war. Was schon brachlag oder nicht mehr funktionierte. Alles Wurmstichige, Vermooste, Überwucherte zog diese Leute magisch an. Vielleicht hatten sie zu viel Beton und Straßenlärm gehabt, zu schlechte Luft, zu wenig Platz. Jetzt zogen sie aufs Land und suchten nach dem Ruhigen und Natürlichen, dem Unverfälschten. Nach Reetdachhäusern, Dielenböden, Backstein, Sprossenfenstern, Kopfsteinpflaster. Manche zogen sich dann Bauernkittel oder Fischerhemden an, rauchten Pfeifen, wollten Plattdeutsch sprechen. Fingen an zu spinnen, färben, weben, stricken. Lernten, wie man Schafe schor und Kühe mit den Händen molk. Schrieben Bücher über Wolken, Sturm und Einsamkeit, sangen Lieder über dieses Land und nahmen in den alten Ställen Platten auf, malten Bilder oder schweißten große Vögel aus Metall, die dann vor einer flügellosen Mühle rosteten.

Sonja Baumann konnte sich sogar für Bäcker Boysens *Kintjentüüch* begeistern. Sie kam mit einem alten Buch in seine Backstube und zeigte ihm ein Bild von einem kleinen Holzgestell, das wie ein Baum aussah. In seinen Zweigen hing das *Kintjentüüch,* es sah genauso aus wie das, was Erich Boysen jedes Jahr vom Lehrling backen ließ: Adam, Eva, Schwein, Kuh, Fisch. Scheinbar war es eine alte friesische Tradition. »Ein Kenkenbaum«, erklärte Sonja Baumann. Erich Boysen hatte nie davon gehört.

Die Berliner bauten sich so einen Kenkenbaum zu Weihnachten und schmückten ihn wie auf dem Bild in Sonja Baumanns Buch. Die Brinkebüller kauften *Kintjentüüch* und legten es auf ihre bunten Teller. Auf ihre Fensterbänke stellten sie Elektroleuchter.

Es war ein großes Missverständnis. Die Leute aus der Großstadt suchten die Natur und das Ursprüngliche, und in den Dörfern wurde es gerade abgeschafft.

Paule Bahnsen war der Erste, der in seinem Hof Beton aufschütten und die große Auffahrt glatt versiegeln ließ. Er wollte nicht mehr jedes Mal im Schlamm versinken, wenn es regnete. Er hatte schon das alte Haus abreißen lassen und seinen viel zu kleinen Stall. Jetzt baute er den ersten Bungalow in Brinkebüll, aus weißem Klinkerstein, die Räume alle hell gefliest, die Fensterscheiben riesig, Einbauküche *för de Fruu.* Nahm Kredit auf bei der Bank und investierte in den neuen Laufstall und die hochmoderne Melkanlage. Nur noch Rinder, keine Schweine mehr und auch kein Kleinvieh. Er war der erste Brinkebüller Bauer, der vom Karussell heruntersprang und nicht mehr in den alten Kreisen dachte, nur voraus.

Paule Bahnsen war der Erste, immer, blieb aber nicht der Einzige. Es ging den meisten Bauern so wie ihm. Sie hatten viel zu lange unter den vermoosten Reetdächern gelebt, in dunklen, feuchten Stuben, waren durch den Mist gewatet, hatten sich von diesem Land vorschreiben lassen, wie sie leben sollten, ärmlich und bescheiden auf der Geest, als Hungerleider. Jetzt drehten sie den Spieß mal um und wiesen die Natur in ihre Schranken. Alles war auf einmal möglich: Flüsse gerade machen, Felder größer, Tümpel, Hecken, Unkraut weg, Erträge höher, Kühe besser, Kinder klüger. Sie wollten jetzt Beton und Glas, Licht in den Häusern, große Kunststofffenster, die man nicht mehr streichen musste. Auf die Dächer Eternit für ewig, weg mit dem Reet, das alle dreißig Jahre räudig wurde. Es schien, als rächten sie sich jetzt an all dem Alten, sie merzten alles aus, was nutzlos wachsen, grünen, blühen, fressen wollte. Weg mit all dem Schiefen, Schäbigen und Ärmlichen, weg mit dem Bäuerlichen, Tölpelhaften. Sie befreiten sich von der Natur wie Sklaven sich von ihren Herren, sie waren hier seit langer Zeit geschoben worden und geschliffen, von harten Winden kleingehalten, schlecht ernährt von diesem Boden. Ein Büschel Heidekraut gewesen, ein kümmerliches bisschen Mensch. Die Zeiten waren jetzt vorbei. Die Leute aus den großen Städten, die unter Reet den Wind besangen und hinter Sprossenfenstern Verse über Krähen schrieben, verstanden nicht, dass ihre Nachbarn mit der Landschaft eine Rechnung offen hatten. Sie waren neu hier, *auf* dem Land, sie wussten nicht, was es bedeutete, *von* diesem Land zu leben.

Paule Bahnsen war auch der Erste, der in Brinkebüll Mercedes fuhr. Einen 200er Diesel Strich-Acht, strohgelb, nagelneu. Und als er nicht mehr ganz so neu war, klebte er ein grünes Schild ans Heck mit weißer Schrift: *Landwirtschaft dient allen.*

Ein Dreschen setzte ein im Dorf, am Anfang merkte man es kaum, es ging ganz leise vor sich. Jahr um Jahr und Hof für Hof trennte sich in Brinkebüll die Spreu vom Weizen. Die Bauern von den Landwirten. Die Alten, die in Kreisen dachten, von den Jungen, die nach vorne wollten. Die Ängstlichen, die keine Schulden machen wollten, von den Mutigen, die mit Kredit den Hof modernisierten. Die Kleinen von den Großen. Die Höfe mit den Regenpfützen von den Höfen mit Beton.

Die Schwalben kamen immer noch auf Heini Wischers Hof, aber sie brachten ihm kein Glück mehr. Große Regenpfützen, knöcheltiefer Matsch, ein Misthaufen und ein altersschwacher Traktor – man wusste, wenn man einen Hof wie diesen sah, dass er es nicht mehr lange machen würde. Schwalben, schwarz wie Pech, ein schlechtes Zeichen.

Es stand kein böser Plan dahinter, keine tückische, geheimnisvolle Macht. Es war der Lauf der Dinge, sie bewegten sich.

Die Großen wurden größer, und die Kleinen gaben auf. Wer nicht wachsen wollte, musste weichen, Lehrsatz der modernen Landwirtschaft. Man kannte ihn und wusste, dass er stimmte. Man glaubte es nur nicht, bis man den Viehtransporter sah, der auf den Hof gefahren kam. Bis man das letzte seiner Tiere in den Wagen staksen sah, bis hinter diesem letzten Tier die Luke zuging. Man verstand es erst, wenn man im leeren Stall stand mit den Händen in den Taschen und die Totenstille hörte.

Heini Wischer mistete den Kuhstall aus, bis kein Halm Stroh mehr da war, und er ließ die Namensschilder seiner Kühe hängen. Liese. Lore. Susi. Die Plaketten der prämierten Rinder auch. Ließ die Stalltür offen für die Schwalben. In den ersten Tagen zog er sich am späten Nachmittag das Stallzeug an und stieg in seine Gummistiefel, bis ihm einfiel, dass er nicht mehr melken musste. Und jeden Morgen lag er wach, kurz vor halb fünf, blieb schweigend liegen neben seiner Frau, und beide ließen sie die Augen zu und atmeten wie Schlafende bis um halb sieben, wenn der Wecker endlich klingelte. Das Melken hatte ihren Takt bestimmt ein Leben lang. Morgens, abends, morgens, abends, wie das Pendel ihrer Wanduhr in der guten Stube. Jetzt fielen ihre Tage auseinander, hatten keinen Anfang und kein Ende mehr.

Man machte weiter, legte sich zur Mittagsstunde hin, auch wenn man noch nicht müde war, trank jeden Tag um drei den Kaffee, aß ein Butterbrot mit Zucker, und am Abend, vor dem Schlafen, machte man die Runde durch den Stall. Heini Wischer hatte seine beiden Kaltblutpferde nicht verkauft, kein Mensch verstand, was er noch mit den Ackergäulen wollte. Er putzte sie, gab ihnen Zuckerstücke aus der Kitteltasche, und seine Pferde schienen alles schon zu wissen. Nickten, sahen ihn mit ernsten Augen an.

In den ersten Wochen ging Lina Wischer ihrem Mann am Abend leise hinterher, heimlich durch den leeren Stall, sie hatte keine Ruhe. Man hörte viel zu oft Geschichten über Bauern, die sich das zu sehr zu Herzen nahmen. Die am Anfang ganz vernünftig waren, Land verpachteten, das Vieh verkauften, alles ganz in Ruhe. Und dann auf einmal nicht zum Essen kamen, wenn ihre Frauen riefen. Oder in der Mittagsstunde aus der Stube schlichen. Und jemand musste sie dann später finden, auf den leergefegten Heuböden, in den kalten Melkkammern. Heini Wischers Frau gab acht, dass nichts herumlag, kein Stück Tau im Stall, kein altes Kabel, sie nahm sogar sein Taschenmesser aus dem Kittel, und Heini suchte es sehr lange.

Man durfte diese Dinge nicht persönlich nehmen, nicht verrückt werden bei dem Gedanken, ein Bauer ohne Hof zu sein. Manche wurden schwermütig davon. Sie nahmen Wörter wie *Abschaffungsprämie* persönlich, und dann schafften sie mit ihrem Land, dem Vieh und den Maschinen auch sich selbst ab.

Die Höfe starben, dafür wuchsen überall im Land Kasernen, Übungsplätze, Munitionsdepots und Fliegerhorste. Man nannte sie die *Bauernauffanglager*. Wer noch zu jung fürs Altenteil war, sah am besten zu, dass er beim Bund noch ein paar Jahre unterkam, und pütscherte dann nebenbei mit ein paar Kälbern und ein bisschen Land herum. Die Aussortierten wachten jetzt mit Schäferhunden über Waffenlager oder Kampfflugzeuge, warteten die Lkw der Bundeswehr und gaben Uniformen an Rekruten aus. Von Pflugscharen auf Schwerter umgeschult, es hatte auch sein Gutes. Man machte sich nicht tot, man war nicht mehr auf Sonne, Wind und Regen angewiesen. Brauchte sich mit der Natur nicht mehr herumzuplagen.

Landwirtschaft dient allen. Man sah den Aufkleber in Brinkebüll auf großen IHC- und Ferguson-Traktoren, auf neuen Güllewagen und Mercedes-Hecks. Es war, als spielten Brinkebüller Bauern die *Reise nach Jerusalem.* Man konnte sich schon denken, wer am Ende übrig bleiben würde. Wer nicht weichen wollte, musste wachsen – so sagte Paule Bahnsen diesen Lehrsatz auf. Dann kaufte er die Felder seiner Nachbarn.

Die Landwirtschaft, die Paule Bahnsen meinte, diente nicht den Schwalben und den Störchen und den Stichlingen. Auch nicht Marret Feddersen, die nicht mehr in die Feldmark konnte, wenn sie jetzt verschwinden wollte. Kein Hase konnte sich in diesen Feldern mehr verstecken.

Wenn Marret nicht im Kälberschuppen oder auf dem Meiereidach saß, verschwand sie manchmal im VW von Hauke Godbersen, weil er ein Autoradio hatte. Sie fuhr mit ihm die Mappen aus, sie hörten Schlagerlieder, sangen mit und rauchten. Man fragte sich, was Hauke sich versprach von diesen Touren. Seinen Heiratsantrag damals hatte sie ja nie beantwortet, vielleicht auch nicht gehört, das konnte man nicht wissen. Er hatte sich wohl auch nicht deutlich ausgedrückt, nur einmal die Gelegenheit genutzt, ganz kurz im Flur, den Stapel Mappen auf dem Arm, als Marret gerade mal alleine war, ihr Bauch schon ziemlich dick. »Ik heff noch kener. Wenn du uk noch kener hest …« Gut möglich, dass es nicht so richtig angekommen war. Jetzt war der Junge schon fast zehn. Es wurde auch nicht leichter, sich mit ihr zu unterhalten, sie sprach nur noch vom Untergang der Welt, wahrscheinlich lohnte es schon nicht mehr mit dem Heiraten.

Sönke waren diese Mappentouren nicht geheuer, er hatte das Gefühl, er müsste hier mal deutlich werden. »Wenn dor noch wat Lüttjes kummt bi Marret, denn geiht dat na de Pastor«, sagte er. »Un wenn ik jem dor an de Ohren henschleppen mutt!«

Hauke hatte nur mit rotem Kopf genickt, es kam aber nichts Kleines mehr. Er saß am Steuer, Marret sang, sie fuhren Mappen aus. Mehr kam dann nicht.

Als nach den großen Ferien an einem Donnerstag Mitte August eine dreistimmige Sirene durch das Dorf schrillte, glaubte Marret, dass das Ende nun wohl wirklich nah sein musste. Sönke fiel fast von der Eckbank und verfluchte den verdammten Bücherbus, der ihn aus seiner Mittagsstunde riss. Der zweite Halt der Fahrbücherei Nordfriesland war der Parkplatz vor dem Gasthof Feddersen.

Das erste Mal stieg Marret noch mit Klapperlatschen in den Bus, in einem alten Kleid von Ella, nur mal gucken. Sie kam heraus mit einem Leseausweis und zwei Büchern über Liebe, die ihr der junge Bibliothekar ans Herz gelegt hatte. Er trug Pullunder und Krawatte, nahm sich Zeit für seine Leserschaft. Zwei Wochen später brachte Marret ihm die Bücher wieder, und jetzt trug sie Lippenstift und weiße, spitze Schuhe, die zehn Jahre lang in ihrem Kleiderschrank gestanden hatten. Jeden zweiten Donnerstag ging Marret dann zum Bücherbus, als ginge sie zu einem Rendez-vous, und der Pullundermann empfahl ihr Bücher über Liebespaare, in denen sie für eine Zeit verschwinden konnte.

Ella und der Junge kamen auch, es gab auf einmal Bücher bei Familie Feddersen. Gedichte und Novellen, Geschichten über Abenteuer, Bildbände über fremde Länder, wilde Tiere, andere Welten. Und Sönke lag in seiner Mittagsstunde wach, jeden zweiten Donnerstag, und fluchte. Er hatte einen Shell-Atlas, mehr brauchte auch kein Mensch, er wusste nicht, warum auf einmal alle lesen mussten.

Marret klapperte von Haus zu Haus mit ihrem *Blatt,* als Paule Bahnsens Ältester mit seinem Dominator 76 ein Rehkitz überfuhr. Knochen, Blut und Fell im Messerbalken, ein junger Bauer, der nie wieder dreschen wollte. *De Welt geiht ünner.* Sie klapperte auch bei der alten Mühle, klopfte an die gelbe Tür des Müllerhauses und erzählte den Berlinern von dem Untergang der Welt. Sie hatten eine Menge Fragen, es war der erste Untergang für sie.

Die Zeit der Schwalbenpfützen auf den Höfen ging zu Ende. Ein Landwirt nach dem anderen machte seine Auffahrt glatt und sauber mit Beton oder Asphalt. Sogar an warmen Tagen dauerte es lange, bis der Boden hart war. Katzen oder Hunde hinterließen manchmal ihre Spuren, liefen über den Beton, wenn er noch weich war. Kleine Tatzen, die auf den Höfen noch zu sehen waren, wenn die Tiere längst an Altersschwäche eingegangen oder auf der Straße überfahren worden waren. Andenken in Beton.

Marret Feddersen saß auf dem Dach der Meierei, fast jeden Tag, und hörte, was die Tauben sagten. Sah die Zeichen, die die Starfighter der Bundeswehr am Brinkebüller Himmel hinterließen. Weiße Streifen, Parallelen, Kreuze, die kein Mensch verstand, nur Marret, weil sie angeschlossen war an etwas Größeres. *Halfbackt* und nicht zu retten.

19
Happy Birthday

Er hatte schon vor Mitternacht das Handy ausgeschaltet, nur für den Fall, dass jemand gratulieren wollte. Sein achtundvierzigster Geburtstag fand nicht statt, er atmete ihn einfach weg. Ein Dienstag im April, nichts weiter. Morgen, Mittag, Abend, Nacht, vorbei. Die beiden Alten würden es vergessen. Ella wusste lange schon nicht mehr, wer wann geboren worden war, und Sönke hatte von allein noch nie daran gedacht.

Kein Wind und kein Zement am Himmel, nur ein sehr hohes, klares Blau, die Osterglocken blühten. Es war der erste Tag in diesem Jahr, an dem man nicht den Kopf einzog, sobald man aus der Tür trat. Den ganzen Winter Mühlsteine geschleppt, sich vor dem Wind geduckt, jetzt stand man aufrecht in der Sonne und fühlte sich wie ein Begnadigter. Ingwer Feddersen bezog es aber nicht auf sich. Kein Geburtstagswetter, nur ein schöner, milder Frühlingstag, nichts weiter.

Es war ein guter Morgen, auch für Sönke, der in der Zeitung wieder keine Gnadenhochzeit fand und auf der Seite mit den Toten keinen Namen, den er kannte. Der Kaffee war zu stark, das Brot zu dick geschnitten, *Peerdebrot!,* er hielt die Scheibe hoch und schwenkte sie, bis Ella kicherte. Nach dem Frühstück setzte sie die Küche unter Wasser, weil sie das große Schneidebrett mit beiden Händen in das Becken drückte, immer wieder, als ob sie es ertränken wollte. Man staunte manchmal über ihre Kraft.

Ingwer ging mit seinem Kaffeebecher vor die Tür und lehnte sich ein paar Minuten an die Hauswand, rauchte in der Sonne, bevor er wieder in die Küche ging und wischte, Ella umzog. Dann setzte er die beiden Alten in den Wagen, packte ihre Rollatoren in den Kofferraum und nahm sie mit zu einem Ausflug an die Nordsee.

Er fuhr die kleinen Nebenstraßen, auf Schleichwegen über die Dörfer, durch die Marsch, vorbei an großen Windradfeldern, hörte Sönke zu, der rechts und links die Häuser an der Straße kommentierte. »Dat is dat Öllernhuus vun Hanni Thomsen wään … Dor hett Wilma Nielsen mit ehr Schwester wohnt … Hier stunn fröher noch een Möhl … Dat weer mol de ole School …«

So ging es immer, wenn man mit ihm fuhr, als wenn man durch ein Fotoalbum rollte, durch eine alte Chronik. »Kiek dor, de Osterkrog. Dor hem wi danzt, as wi verlobt weern. Ella, weetst dat noch?« Ella sagte immer ja, wenn Sönke sie das fragte. Ja auf jede Frage, die mit *weetst du noch* begann. Sie hielten sich die ganze Zeit beim Fahren an den Haltegriffen fest, was Ingwer immer irritierte. Aber so saß man wohl im Auto, wenn man als junger Mensch noch Borgward oder DKW gefahren war.

Er fuhr zum Parkplatz an der Mole, half ihnen in die Jacken, und dann schoben sie in Richtung Fähranleger. Ein Schiff kam von den Halligen und machte fest, sie schauten zu, wie ein paar Autos und ein Traktor von der Fähre rollten. Sönke nickte einem Bärtigen im Blaumann zu, sie kannten sich. Egal, wohin man kam mit Sönke Feddersen, er kannte immer jemanden. Wenn nicht, dann fing er ein Gespräch mit einem Fremden an, und immer ließ sich früher oder später ein gemeinsamer Bekannter finden, der Kollege eines Schwagers, ein Großcousin, der Bruder eines Schulfreunds oder die Nichte einer Nachbarin. Sönke sprach mit allen Menschen, die er traf, als wären sie Brinkebüller. *Man schall bloß mol een beten schnacken mit de Lüüd.* Die ganze Welt sein Dorf.

Ingwer schob mit Ella langsam weiter, zu einem Kutter, der im Hafenbecken lag, und kaufte zwei Pfund Krabben für ihr Abendbrot, Beschäftigung für Ellas Hände. Sie pulte immer noch viel schneller als die meisten anderen Frauen. *Porren,* sagte sie, das alte Wort für Krabben, Ingwer hatte es sehr lange nicht gehört und fast vergessen.

Sie gingen noch ein Stück den Deich entlang, weil Ella zu den Lämmern wollte. Mutter-Kind-Kur bei den Schafen, vielstimmiges Geblöke. Es klang, als wollte ein sehr unbegabter Chor ein Lied anstimmen. Die Mutterschafe sahen grau und abgekämpft aus neben ihren weißen Lämmern, das Fell so angeschnuddelt wie die Brinkebüller Küchenlumpen. Es roch wahrscheinlich auch so ähnlich.

Ella stand am Deich und sah den Schafen zu, sie schien versunken, ganz weit weg zu sein, bis Ingwer sie am Arm nahm und mit ihr zurückschob Richtung Anleger, wo Sönke immer noch auf dem Rollator saß und sich mit seinem Blaumann unterhielt. »Dat weer de Broder vun de ole Schmitt in Niebüll«, sagte er, als sie zum Fährhaus gingen.

Ingwer half erst Ella und dann Sönke die paar Stufen hoch in das Café, es gab noch einen Tisch am Fenster. Man sah am Horizont die Häuser einer Hallig, die im blanken Meer zu treiben schienen. Vor dem Fenster probte immer noch der unbegabte Chor und fand den Ton nicht. Dazwischen das Geschrei der Möwen, die um den Krabbenkutter kreisten, auch nicht harmonischer, eine atonale Sinfonie, in Ingwers Ohren klang sie wie ein Meisterwerk.

Es war so warm, dass er den beiden Alten Eis bestellte. Sie schauten ungläubig, als ihre Becher kamen, groß und bunt, Papierschirmchen und Sahnewolken, Streusel, Waffelherzen. *Alles Gute nachträglich,* dachte Ingwer, weil er zwei alte Kinder vor sich sitzen sah, Geestkinder, die ihr Leben lang zu kurz gekommen waren. Sie fingen langsam an, ihr Eis zu löffeln, und sie aßen es dann schweigend, wie zwei Träumende. Ein bisschen Sahne in den Mundwinkeln.

Ingwer setzte seine Sonnenbrille auf und goss sich Milch in seinen Kaffee.

»Kummt Marret uk glieks?«, fragte Ella plötzlich.

»Hüüt nich mehr, Mudder.«

Es war ihr altes Frage-Antwort-Spiel, und je verwirrter Ella wurde, desto öfter kam die Frage.

Auf dem Rückweg nickten sie ihm beide ein im Wagen. Große Eisbecher am späten Vormittag, die Nordseeluft, der Deichspaziergang, ihr Tag war völlig aus dem Rhythmus. Sie legten sich zu Hause hin, und Ingwer dachte kurz an seinen Vorrat in der Kuchendose, aber er ließ es dann. Man brauchte sich an einem blauen Frühlingstag nicht zu bekiffen, nur weil man achtundvierzig wurde. Weil man die Fünfzig näherrücken sah und immer noch nicht wusste, wie man leben wollte.

Er holte Sönkes Fahrrad aus dem Schuppen, pumpte Luft in beide Reifen und fuhr los, zuerst ein Stück die Hauptstraße entlang, dann bog er ab in Richtung Hünengrab. Das Schutzblech klapperte, die Kette quietschte, er war ein fast schon

Fünfzigjähriger auf einem alten Melkerrad, aber er fühlte sich nicht so. Er war ein Junge, Wind in den Haaren.

Kinder hatten mit bunter Kreide auf dem Weg gemalt, er rollte über Blumen, Schmetterlinge und Marienkäfer, fuhr vorbei an Kirche, Friedhof und der restaurierten Mühle, die seit ein paar Jahren wieder Flügel hatte. Feierabendschere. Es gab jetzt einen Mühlenbauverein in Brinkebüll und jedes Jahr ein Mühlenfest. Auf der alten Hauskoppel von Sievers standen fünf braungelockte Alpakas, ihre Hälse hochgereckt, die Ohren aufgestellt, sie sahen aus wie überdehnte Schafe und blickten streng in seine Richtung. Wahrscheinlich fragten sie sich, was er hier zu suchen hatte. Zwei der Tiere waren noch sehr klein. Er wusste nicht, wie man den Nachwuchs bei Alpakas nannte. Kälber? Oder Fohlen? Oder Lämmer?

Ein kleiner Junge kam in großem Tempo auf ihn zugeradelt, außer Atem und verschwitzt, an seinem Lenker baumelte der Fahrradhelm, er fuhr vorbei und grüßte Ingwer mit dem ausgestreckten Zeigefinger.

Kurz vor dem Ortsausgang sah er das neue Hinweisschild *Zum Hünengrab*. Der Brinkebüller Dorfkulturverein hatte es dort aufgestellt, nachdem die alte Grabanlage von Landjugend und Freiwilliger Feuerwehr auf Vordermann gebracht worden war. Sie hatten die wuchernden Brombeeren, Brennnesseln und Wildrosen entfernt und aus dem holprigen Trampelfad einen gut begehbaren Sandweg gemacht. Anschließend Grünkohl für die Helfer im Dorfgemeinschaftshaus, Waffeln von den Landfrauen, und Ingwer sollte ihnen jetzt noch einen Text für ihre Infotafel schreiben. »Du kennst di doch mit so wat ut, Ingwer, Steentiet un de ganze Kraam.«

Bambi Bahnsen, Vorsitzender des Dorfkulturvereins, war seinem Vater Paule wie aus dem Gesicht geschnitten. Wenn man die Bahnsens sah, verstand man, was Vererbung hieß. Es gab an Bambi nichts, das neu war oder nur ihm selbst gehörte, er war die Fortsetzung des Alten. Dieselbe grundentspannte Breitbeinigkeit, dieselbe Ausdauer beim Feiern, sogar den Bürgermeisterposten schien Paule Bahnsen seinem Sohn vererbt zu haben. Ingwer war inzwischen fast der Einzige, der ihn noch Henning nannte, selbst seine Frau (Anja? Antje? Anke?) sagte schon meistens Bambi. Er war nie mehr auf einen Mähdrescher gestiegen. Das war vielleicht das Einzige, was Henning Bahnsen unterschied von seinem Vater: Er mähte nicht.

Ingwer hatte es noch immer nicht geschafft, mal auf dem Hof vorbeizufahren, dabei grüßte Anja/Antje/Anke ihn jedes Mal von Henning, wenn sie zum Line-Dance-Training in den Gasthof kam. *Kiek doch mol längs bi uns!* Er drückte sich davor, weil er nicht wusste, ob er Henning Bahnsens Tüchtigkeit gewachsen war. Es war vielleicht kein guter Zeitpunkt. Man wollte, wenn man gerade wie ein Korken dümpelte, nicht unbedingt von einem Hecht gesehen werden.

Die Bahnsens hatten immer schon den größten Hof im Dorf gehabt, jetzt hatten sie auch einen der letzten. Hundertneunzig Kühe, programmierte Fütterung und Melkroboter, Biogasanlage, hundertzwanzig Hektar Land. Außer Bambi Bahnsen gab es nur noch drei, vier andere Brinkebüller Vollerwerbsbetriebe. Und die paar Feierabendbauern, die sich nicht von ihren Kühen oder Bullen trennen mochten, obwohl es sich für sie schon lange nicht mehr lohnte.

Henning war der Mann, der alles richtig machte, ein Landwirt mit Paradehof, Ehemann und Vater, vier gesunde Kinder, der Älteste schon unentbehrlich im Betrieb. All das schien Paule Bahnsen seinem Sohn vererbt zu haben.

Der Dorfkulturverein plante jetzt den Neubau eines Storchennestes auf dem Kirchendach. Sie hatten sich schon beim Naturschutzbund erkundigt und einen Referenten eingeladen, der ihnen alles über Weißstorch-Nisthilfen erzählen sollte. Ingwer war sich ziemlich sicher, dass es bald auch einen Brinkebüller Storchenschutzverein geben würde. Einen *Arbeitskreis Renaturierung* gab es schon. Sie fingen an, ein Stück der alten Moor- und Heidelandschaft wieder herzustellen, pflegten die paar Wallhecken, die bei der Flurbereinigung verschont geblieben waren, legten sogar neue an. Die Texte für die Infotafeln schrieb ein pensionierter Biolehrer, der mit seiner Frau vor ein paar Jahren in das Dorf gezogen war. Er kannte sich ja aus mit so was, Artenvielfalt *un de ganze Kraam.*

Scheinbar musste man kein dümpelnder Nostalgiker in einer Midlife-Crisis sein, um sich nach einem alten Dorf zurückzusehnen, in dem die Störche klapperten. Sogar ein Mann, der alles richtig machte, spürte wohl so etwas wie Verlust, wenn er das Brinkebüll von heute sah. Bambi Bahnsen pflegte jetzt mit seinem Dorfkulturverein das Hünengrab, das Bahnsen senior vor fünfzig Jahren fast mit weggehobelt hätte. Niemand hatte so an das moderne Dorf geglaubt wie Paule Bahnsen. Aber er konnte heute noch zitieren aus der Standpauke, die Lehrer Steensen ihm gehalten hatte, mit dem Schaufelbagger hinter sich. *Hest du al vertellt,* sagte Sönke jedes Mal, wenn Paule davon anfing. *Dor bruken wi nich mehr vun schnacken.*

Ingwer lehnte das Rad an eine Birke und ging das letzte Stück zu Fuß, der Sandweg grenzte neuerdings an den Solarpark Brinkebüll. Wie große blanke Pulte standen die Paneele auf dem Feld, endlose Reihen Glas und Aluminium. *Vorsicht Starkstrom!* Der Metallzaun war gezackt, mit Natodraht verstärkt, und in den Ecken hingen Überwachungskameras. Aber zwischen all den ordentlichen Pulten war die Erde aufgewühlt zu großen Haufen, ein Maulwurf ließ sich wohl von ein paar Überwachungskameras und Starkstromwarnungen nicht daran hindern, seinen Job zu machen.

Das Hünengrab kam ihm viel kleiner vor als früher. Es schien jedes Mal, wenn er hierherkam, noch ein Stück geschrumpft zu sein. Auch die Buchen, die das Grab umstanden wie ein Dutzend Wachsoldaten, kamen ihm nicht mehr so mächtig vor. Es gab jetzt so viel Höheres hier draußen: Windturbinen, Starkstrommasten, neben denen selbst die Brinkebüller Kirche mickrig aussah.

Wie immer, wenn er hier war, fiel ihm Gönke Boysen ein und ihre Theorie zu der Besiedlung dieser Gegend: eine verheerende Seuche. Anders hatte sie sich das beim besten Willen nicht erklären können. Wann immer Lehrer Steensen seine Ode auf die Jungsteinzeit und Sesshaftwerdung angestimmt hatte, kam von Gönke Boysen diese Frage: *Warum hier?* Die Idee, dass Menschen ausgerechnet auf der Brinkebüller Geest beschlossen hatten, einen Zaun um ein Stück Land zu ziehen, zu ackern, sich ein Rind, ein Schwein, ein Schaf zu halten, ein Haus zu bauen und ihre Toten unter Steinen zu bestatten, freiwillig und ohne Not, erschien ihr völlig abwegig. Der halbe Stamm von einer grauenvollen Seuche weggerafft, der Rest zu schwach und hoffnungslos zum

Weiterziehen – so ungefähr sah Gönkes Theorie zur neolithischen Revolution in Brinkebüll aus.

Warum hier? Die Frage hatte sie sich wohl jeden Tag auch selbst gestellt. Es schien, als hätte sie das Dorf bekämpft, seitdem sie laufen konnte. Gönke Boysen gegen Brinkebüll, Ring frei, die Fäuste hoch. Sie konnte Dinge nicht auf eine leichte Weise tun, geschweige denn aus Spaß, sie machte alles auf die harte Tour. Las wie eine Süchtige und strampelte auf ihrem Rad die Tretlager kaputt. Turnte sich am Reck die Hüftknochen und Kniekehlen blau, knallte runter, heulte, schwang sich wieder rauf und schleuderte im Umschwung um die Stange, bis sie sich übergeben musste. Im Sommer, wenn die anderen Kinder träge Nachmittage in der Badeanstalt verbrachten, bäuchlings auf den sonnenwarmen Gehsteigplatten lagen, Comics lasen, Eis aßen, Rückwärtsköpper übten und sich gegenseitig untertauchten, pflügte Gönke wie ein Kriegsschiff durch das Becken. Kraulen, Rückenschwimmen, Brust, bis sie mit blauen Lippen aus dem Wasser stieg, am Beckenrand nach ihrer Brille tastete, sich in ihr Handtuch wickelte und mit ächzendem Tretlager zurück nach Hause zu den Büchern fuhr.

Sie versuchte, auch ihr dickes, schlecht gelauntes Pony zu Höchstleistungen anzutreiben, jedenfalls zu Trab und zu Galopp, aber bei dem Tier kam sie an ihre Grenzen. Man wusste nicht, wer von den beiden mehr zu leiden hatte, wenn man sie durch die Feldmark trotten sah, ein Spaß war es auf keinen Fall. Sobald ein Traktor kam oder ein Mähdrescher, preschte das Pony los wie angestochen, das war dann mehr Galopp, als Gönke jemals wollte, und meistens lief es dann erst wieder langsamer, wenn sie zu Boden ging. Sie stieg gleich wieder auf, wenn sie es eingefangen hatte, damit das Pony nicht das letzte Wort bekam. Der Kampf war zäh und endete für Gönke meistens in der Niederlage.

Es lief auch optisch nicht sehr gut für sie. Mit vierzehn waren ihre Brillengläser dick wie Glasbausteine, und auf Wangen, Stirn und Nase loderte die Akne wie ein flammendes Inferno. Greta Boysens hausgemachter Rundschnitt machte den Gesamteindruck nicht besser. Was ihr den Rest gab, waren aber die Klamotten. Gönke latschte in den alten Bäckerhosen ihres Vaters rum, mit Entenschuhen und gefärbten Männerunterhemden. Ihre Schwestern waren froh, dass sie zumindest nicht auf ihre Schule ging, und Greta schämte sich in Grund und Boden für das Kind. Es gab nur einen schwachen Trost, und der hieß Marret Feddersen. Gretas Tochter war in Brinkebüll noch nicht die Allerschlimmste. Zumindest lief sie nicht in Klapperlatschen durch das Dorf und prophezeite Untergänge. Gönke war ja nicht verrückt, sie war nur immer gegenan, man wusste manchmal aber nicht, ob das viel besser war.

Als sie anfing, Rosa Luxemburg zu lesen und ATOMKRAFT? NEIN DANKE-Anstecker an ihre ausgeleierten Klamotten zu hängen, reichte es allmählich sogar ihrem Vater. Sonja Baumann gab Spinnkurse in der alten Mühle, und Gönke lernte es bei ihr. Sie strickte sich aus ungefärbter Wolle unförmige Pullover, die ihr fast bis zu den Knien gingen, und fing an, nach Schaf zu müffeln.

Als die Gitarrenphase kam, beharkte sie das Instrument, bis ihr die Saiten rissen und die Finger bluteten. Erich Boysen drehte durch, als Gönke anfing, Lieder von Joan Baez zu singen. *Diamonds and Rust* in der Mittagsstunde, kein Mensch bekam ein Auge zu bei ihrem schrecklichen Gejaule. *Gönke, maak de Döör to!* Wenn ihr Fenster offenstand, hörte man sie bis zur Straße, und es klang wirklich ziemlich schlimm. »Wie abkratzende Katze«, hatte Karl Fidel Baumann mal gesagt, und dann hatten er und Ingwer Feddersen vor Gönkes Fenster so lange miaut, bis sie es mitbekam. Kurz herausgeschaut, mit den Augen gerollt, Fenster zugeknallt, weitergemacht. Es war ihr vollkommen egal, was andere von ihr dachten, Jungs sowieso. Sie lebte wie ein Leistungssportler, der für Gold trainierte, schaute nicht nach rechts und links, sie hatte nur ihr Ziel im Blick. Und zog es durch.

Mit achtzehn Jahren, einen Tag nach ihrem Abitur, stand Gönke Boysen morgens auf und legte ihre Muttersprache ab wie eine alte Haut. Sie tat, als hätte sie nie platt gesprochen, gurgelte ihr »R«, als hätte sie es nie gerollt, sprach plötzlich Hochdeutsch mit den Eltern und den Schwestern. Sie hätte sie auch schlagen können, mitten ins Gesicht, es hätte sich für Greta oder Erich nicht viel schlimmer angefühlt. Gönke zog mit einem Rucksack voll Klamotten und der angeschrammelten Gitarre nach Berlin. Was sie genau studierte, konnten Boysens gar nicht sagen, es wechselte wohl auch, »irgendwat mit istik.« Sie kam dann fast nie mehr nach Brinkebüll, nicht mal zu Weihnachten, und ihre Eltern rätselten bis heute, was sie eigentlich verbrochen hatten.

Ingwer stand mit seinen Händen in den Taschen an dem Hünengrab und fragte sich, wo Gönke Boysen heute lebte, was sie machte. Es war sehr schwer, sich vorzustellen, dass sie nicht mehr wütend war, wahrscheinlich war sie ohne ihre Wut nicht wiederzuerkennen. Oder jetzt auf etwas anderes wütend.

Er hatte auch hier weggewollt, heraus aus Brinkebüll, aber nicht so wie Gönke, er hatte dieses Dorf noch nie gehasst. Er kreiste immer noch auf seiner alten Umlaufbahn, ein treues Mondgesicht, Kartoffelkind, bald fünfzig Jahre alt.

Er schien aus diesem Land gemacht zu sein. Ein Altmoränenmensch, geschoben und verschrammt, Schleifspuren am Gemüt von alten Gletschern, Wind und Regen. Wie Gönke fehlte ihm jegliches Talent zur Leichtigkeit, er war für Höhenflüge nicht gemacht. Sein Element war Erde. Flugsand.

Er hörte eine Lerche über sich und schaute auf, sie flog so hoch, dass er sie kaum erkennen konnte. Ein aufgeregtes Zwitschern, Trällern, Lerchen sangen immer um ihr Leben, zumindest klang es so. Der kleine Vogel überschlug sich fast. Die Bäume wurden langsam grün, er sah die ersten Blätter an den Buchen, stand auf dem freien Feld und hörte, wie die Windturbinen rauschten, sah sein Dorf, sehr klein unter dem großen Himmel, und etwas schwang in ihm.

Es spielte auf ihm wie auf einem Instrument, es spielte Kinderlied und Heimatlied. Geburtstagslied, es lag vielleicht am Frühling. Im Winter war es leiser, wenn die Landschaft schwächelte und steif war, alle Bäume kahl, die Felder schwarz und auf den Gräben weißes Eis, es schien ihn trotzdem zu bewegen, wie ein Windspiel, leicht, sehr leise. Im Sommer dann fortissimo, wenn es nach Heckenrosen und Holunderblüten roch, nach Heu und Klee. Wenn er durch die Getreidefelder fuhr, das Korn noch grün, kniehoch, so dicht und schimmernd wie ein Fell, und an den Straßenrändern schäumendes, hüfthohes Kraut, von dem er nicht den Namen kannte. Es summte dann in ihm und sang. Er brauchte dann nichts mehr zu rauchen, er war high genug.

Er ging zu Sönkes Rad, das an der Birke lehnte, und fuhr den anderen Weg zurück, vorbei an Bambi Bahnsens großer Biogasanlage, dann Richtung Westerende.

Man sah den Hof von Ketelsens jetzt schon von Weitem. Heiko hatte sich ein großes Tor aus Holz gebaut, zwei alte Wagenräder in der Mitte und ein grob geschnitztes Schild mit einem Büffel, *Heiko's Ranch,* in Westernschrift. Hinter diesem Tor begann das Reich von Sheriff Ketelsen. Man musste allerdings die Welt mit Heikos Augen sehen, um hier die Ranch zu finden. Die meisten Augen sahen nichts als einen abgewrackten Milchbetrieb und einen Haufen Schrott vor einem halb verfallenen Bauernhaus. Alte Landmaschinen, die auf dem Hofplatz rosteten, Heuwender, Strohpresse, den alten Melkstand, einen Haufen Treckerreifen und das leere Güllesilo, halb von Efeu überwuchert. Das Förderband, das an der Bodenluke stand, es lagen noch die Heuballen darauf, als hätte jemand es nur kurz mal ausgemacht, als sollte es gleich nach der Mittagsstunde weitergehen. Es stand seit Jahren so, es würde da auch stehenbleiben, Heiko dachte nicht daran, es wieder einzuschalten. Sheriff Ketelsen vermietete jetzt Pferdeboxen, dafür hatte er den alten Kuhstall umgebaut. Dahinter noch einen Paddock angelegt für Westernreiter und ein Tipi aufgebaut für Kinder, die auf *Heiko's Ranch* Geburtstag feiern konnten, es war wohl die Idee von Moni. Ponyreiten, Bogenschießen, Hufeisenwerfen und zum Schluss am Lagerfeuer Stockbrot backen, in den Sommermonaten lief es ganz gut.

Heiko saß auf seiner Bank, die er aus einem alten Fass

gebaut hatte, den Fransenledermantel aufgeknöpft, die Beine ausgestreckt, Gesicht zur Sonne. Er hatte eine Flasche Snickers-Milchshake in der Hand, und neben ihm stand eine Kilodose Haribo Colorado. Er döste vor sich hin, es war wohl seine Mittagsstunde. Ingwer bremste quietschend ab und stieg vom Rad.

»Oh! Moin, Kümmerling!« Heiko machte Platz auf seiner Bank. »Hier, machst du uk een?« Er gab ihm eine Plastikflasche Snickers-Drink.

Ingwer schraubte den Deckel ab und schnupperte daran, dann nahm er einen kleinen Schluck. Es schmeckte wie ein aufgelöster Schokoriegel.

»Nu segg mol: Schmeckt dat geil oder nich?«, sagte Heiko. »Gift dat uk mit Bounty.« Er war immer noch so spiddelig wie früher, was erstaunlich war bei all den Süßigkeiten, die er sich den ganzen Tag lang reinzog. In seinem Auto kullerten die Smarties-Rollen durch den Fußraum, und das Handschuhfach war immer voll mit Schokolade. Er tat jetzt einfach das, was er sich vorgenommen hatte, als er klein war: *Wenn ik groot bin, ett ik bloß noch Naschkraam.* Heiko hatte eine Menge nachzuholen, nicht nur, was das Naschen anging. Seine Kindheit konnte man sich auch mit Snickers-Milchshakes nicht mehr schöntrinken. Er versuchte es wohl trotzdem.

Sein Vater lebte noch, er war nicht totzukriegen. Folkert Ketelsen saß auf dem Altenteil und schmiss mit Schnabeltassen und Besteck nach seinem Sohn, traf aber lange schon nicht mehr. Er tatterte zu sehr, er hatte Parkinson. Am Morgen und am Abend kam der Pflegedienst, und Moni war so lieb, dem Alten mittags ein Tablett mit Essen auf den Tisch zu stellen. Sein Frühstück und sein Abendessen kriegte er auch noch allein zurechtgeschustert, Heiko kaufte für ihn ein und stellte ihm die Sachen vor die Tür. Es hätte niemanden gewundert, wenn er dem Alten Gift gegeben hätte, aber Heiko war nicht der Mensch, der Rache übte. Er war auch keiner, der sich wehren konnte, Heiko hielt nur aus.

Der Einzige, der jemals aufgestanden war für *Jaulnich* Ketelsen, war Lehrer Steensens Neuzugang, der Kommunistenbengel, in der vierten Klasse. »Und zwar is det Körperverletzung! Kannste anzeigen!« Er wäre auch zu Folkert Ketelsen gegangen, um ihm das ins Gesicht zu sagen. Karl Fidel Baumann war noch unerschrockener als *Jaulnich* Ketelsen. Aber Heiko hatte nur gegrinst und seinen Kopf geschüttelt. Er hielt aus.

Ingwer fiel das alles wieder ein, als er jetzt neben Heiko auf der Bank saß und den Snickers-Milchshake mit ihm trank, er hatte das Gefühl, er müsste sich entschuldigen, er war kein guter Freund gewesen.

Nach dem vierten Schuljahr hatten sie sich immer weniger gesehen. Ingwer Feddersen, der Oberschüler im Kartoffelroder und Heiko Ketelsen, Hauptschüler an der Dorfgemeinschaftsschule – sie hatten plötzlich zwei verschiedene Leben. Die ersten Jahre waren sie noch manchmal nachts zum Mergelschacht gefahren mit den Angeln, hatten noch im Freibad miteinander auf den warmen Steinplatten gelegen oder Mädchen vom Beckenrand geschubst. Sie hatten eine Zeitlang auch noch mit Kai, Henning und Fidel zusammen Baader-Meinhof-Bande gespielt, aber es gab dann immer öfter Streit, weil alle Baader spielen wollten, keiner wollte Meinhof oder das Entführungsopfer sein, sie ließen es dann schließlich ganz. Heiko, Kai und Henning fingen an, sich eine Cliquenbude hinter Bahnsens Stall zu bauen. Kais Vater, Kalle Martensen, gab ihnen Holz und Werkzeug, half sogar beim Dach, sie stellten eine Couch und ein paar Sessel von Kais Oma in die Hütte, bauten sich aus einem Bierfass einen Tisch und trieben irgendwo noch eine alte Stereoanlage auf. Ingwer und Karl Fidel wurden noch geduldet, aber in der Bude wurde richtige Musik gehört, Motörhead und AC/DC, nicht diese Scheißmusik der beiden Oberschüler. Als es mit Mädchen losging, wurde es für Heiko schwierig. Er saß nur immer auf der Couch mit seiner Flasche Bier und sah den anderen beim Knutschen zu, am Ende kam er dann nicht mehr. Oft sah man ihn im Wartehäuschen an der Bushaltestelle sitzen, es kam ja hin und wieder mal ein Mensch vorbei, dann schnorrte er sich eine Zigarette.

Ingwer sah, dass Heiko neben ihm fast weggedöst war auf der Bank, er hatte seinen Hut tief ins Gesicht gezogen und die Arme hinter seinem Kopf verschränkt. Plötzlich ging die Haustür auf, und Moni kam heraus, ein Tablett mit Kaffeebechern in der Hand.

»Ich hab zwei müde alte Männer auf der Bank gesehen«, sagte sie, stellte das Tablett ins Gras und setzte sich auf Heikos Schoß. »Na, mein Engel«, und sie küsste ihn geräuschvoll auf den Mund. Monis Haare leuchteten fast apfelsinenrot, bis auf die ersten vier, fünf Zentimeter oben, wo sie grau waren. Sie trug den Westernhut nicht, deshalb sah man es. Aber sie hatte ihre Pythonlederoptik-Stiefel an und eine Cowboyhose, auf der Gürtelschnalle buckelte ein Mustang. Sie sah aus, als wollte sie zum Rodeo. »Ich mach die Ponys schon mal fertig«, sagte sie, »wir haben Reitgeburtstag, gleich kommen hier fünf sechsjährige Mädchen an.« Sie schmatzte

Heiko noch mal ab, dann stampfte sie auf ihren dicken Beinen Richtung Paddock.

Heupeerd, dachte Ingwer, aber Heikos Augen sahen eine Traumfrau, einen Hasen der Prärie. »Se is so lieb to mi, dat gloovst du gor nich«, sagte er mit Tränen in den Augen und reichte Ingwer einen Kaffeebecher. »So lieb, dat gloovst du nich!«

Vor allem glaubte er es selbst wohl nicht. Dass jemand lieb zu *Jaulnich* Ketelsen sein konnte.

Heiko schlürfte seinen Kaffee, dann räusperte er sich und setzte sich gerade hin, schlug ein Bein über das andere. Beugte sich ein bisschen vor. »Na, Ingwer, un bi di? Wie sieht dat ut? Immer noch keen Fruu, keen Huus un nix bi di?« Er sah ihn von der Seite an, dann blies er schnell in seinen Kaffeebecher, schlürfte, räusperte sich noch mal. Stieß ihn sacht mit dem Ellenbogen an. »Weetst wat, Ingwer, dat löppt sik aal torecht. Bruukst nich bang sien, du. Op jede Putt passt een Deckel.« Tröstend.

Ingwer nickte nur, trank seinen Kaffee und fragte sich ein bisschen alarmiert, seit wann sein alter Schulfreund *Jaulnich* Ketelsen schon Mitleid mit ihm hatte.

Als er nach Hause kam, saßen die beiden Alten in der Küche. Sönke hatte den Tisch mit alten Zeitungen ausgelegt und die Krabbentüte ausgeschüttet, sie pulten wohl schon eine Weile, Ellas Schüssel war bald voll, bei Sönke war nicht viel zu sehen. Er brauchte ewig, bis er eine Krabbe aus der Schale gefummelt hatte, und meistens riss er sie dabei noch in der Mitte durch. Wenn doch mal eine ganz blieb, steckte er sie vor Begeisterung gleich in den Mund. Er hatte schon die Pfanne auf den Herd gestellt, die Eier aus dem Kühlschrank geholt und drei Scheiben Schwarzbrot mit Butter bestrichen.

Als Ingwer an den Tisch kam, stand er auf und schlurfte Richtung Gaststube, Ingwer hörte ihn am Tresen hantieren. Nach einer Weile brachte er drei Gläser Bier, die er sehr vorsichtig auf einem Tablett balancierte. Ingwer nahm es ihm schnell ab und stellte es auf den Tisch.

»So«, sagte Sönke, »denn gratoleern wi to Geburtsdag, Mudder un ik. Ne, Ella?«

Er stand auf mit seinem Bierglas in der Hand, sie schaute von ihrer Schüssel auf, als wäre sie aus einem tiefen Traum erwacht. Wischte sich die Finger an der Schürze ab und nahm ihr Glas. Schob ihren Stuhl zurück, stand langsam auf, und beide fingen an zu singen, ihre Stimmen wackelten ein bisschen. *Hoch soll er leben, hoch soll er leben, dreimal hoch* …

Ingwer strich Ella über die Wange, als sie fertig waren, er nickte Sönke zu, dann stieß er mit den beiden an.

»Ganz dösig sind wi doch noch nich«, sagte Sönke, »alles vergeten wi nich.« Er trank einen Schluck, wischte sich mit dem Handrücken den Schaum von der Lippe und sah Ingwer forschend an. »Wat bist du nu? Bald föftig?« Dann nickte er lange, nachdenklich. »Dat is keen gude Öller för een Mann.« Sie tranken eine Weile schweigend, bis ihm Sönke schließlich auf die Schulter klopfte. »Denn kann dat bloß noch better warrn.«

Nach dem Abendessen, als Ella im Bett war und Sönke vor dem Fernseher saß, zapfte Ingwer sich ein zweites Bier, nahm seine Zigaretten und ging vor die Tür. Er zog sein Handy aus der Hosentasche, schaltete es ein und hörte seine Mailbox ab. Dreimal Ragnhild und Claudius, beim ersten Mal sangen sie *Happy Birthday,* beim dritten Mal klangen sie ein bisschen genervt. »Mann! Geh doch mal ran, Ingwer!« Dann noch ein vierter Anruf. Anneleen. Mal wieder Walzer miteinander tanzen …

Ingwer Feddersen, die Hitparade auf zwei Beinen, hatte gleich ein Lied im Ohr, sehr schlimme Schnulze, und er konnte nichts dagegen tun. *Der letzte Walzer mit dir sagte mir, die musst du lieben. Mein schönstes Souvenir ist dieser Walzer geblieben.*

Es musste gar nicht gleich die große Liebe sein, man konnte mal mit einer kleinen anfangen. Ein bisschen in Revieren denken. Nicht immer nur der Bauer sein, auch mal ein Jäger.

20
Fast Car

Wenn Haye Nissen in der Werkstatt stand, erschrak er manchmal fast vor den Maschinen, die jetzt auf seinen Hof gefahren kamen, die Reifen der Traktoren wurden immer größer. Es tuckerte nicht mehr, es dröhnte. Musik in seinen Ohren! In seiner Werkstatt wurde es zu eng, die neuen Mähdreschermodelle passten kaum noch durch das Tor. Haye Nissen ging zur Bank und nahm Kredit auf, ließ seine alte Werkstatt abreißen und eine neue bauen, so groß wie eine Halle. *Landwirtschaft dient allen* – Haye konnte jedenfalls nicht klagen.

Das Dorf beschleunigte. Landmaschinen, Melkmaschinen, Waschmaschinen, alles wurde schneller, bis auf Hanni Thomsens Mofa – und den alten Pastor Ahlers. Er schien immer langsamer zu werden, seine Füße quälten ihn. Ein Ballenzeh an beiden Seiten, jeder Schritt tat weh, er brauchte sonntags lange, bis er seine kleine Kanzeltreppe hochgestiegen war. Es störte aber niemanden. Die paar Brinkebüller, die jeden Sonntag in die Kirche gingen, waren selbst schon nicht mehr gut zu Fuß. Und bei Beerdigungen, Taufen, Totensonntagsgottesdiensten nickte ohnehin die Hälfte weg, kein Grund zur Eile also. Ein Pastor durfte langsam sein, das machte nichts.

Der Rest des Dorfes nahm jetzt Fahrt auf. Bei Sönke Krögers Tanzball mit Dreimannkapelle blieb der Saal an manchen Abenden halb leer. Die jungen Leute fuhren jetzt am Wochenende mit den Autos ihrer Väter in die Diskotheken. Führerschein mit achtzehn und dann ab die Post, sie rasten wie die Wilden. Oft kamen sie nicht weit. Flogen aus der großen Kurve, die knapp einen Kilometer nach dem Ortsschild kam. Sie landeten in Gräben oder auf gepflügten Feldern, manchmal mit dem Dach nach unten. Hingen in den Sitzen, eingeklemmt, und bluteten. Bäcker Boysens Töchter durften nicht alleine fahren, auch nicht mit den anderen jungen Leuten, lieber brachte Greta sie und holte sie spät nachts auch wieder ab. Die neue Straße fraß die Kinder, Greta hatte es von Anfang an gewusst. Sie wollte nicht, wenn nachts das Martinshorn die Dorfstraße entlangjaulte, verrückt vor Angst am Fenster stehen. Die Kameraden von der Brinkebüller Feuerwehr mussten mit den Wagenhebern los, mit Schneidbrennern und Spreizscheren, spät nachts oder am frühen Morgen. Oft kannten sie die jungen Leute, die da bluteten und schrien. Nachbarstöchter, Schulkameraden, Kollegen aus der Lehrlingszeit. Oder nicht mehr schrien.

Wenn es ganz schlimm war, der Notarzt nichts mehr machen konnte, holten sie den Pastor, und es war dann Ahlers, der mit ihnen an der Unfallstelle blieb, bis der Bestatter kam. Der die bleichen Männer von der Feuerwehr zurück in ihren Wagen schob und mit den Polizisten zu den Elternhäusern fuhr. Ausstieg und auf seinen schlimmen Füßen an die Haustür humpelte, klopfte und das Licht angehen sah. Der Pastor vor der Tür, es konnte nur das Schlimmste heißen, die Eltern wussten es sofort. Ahlers blieb, bis sie es auch verstanden hatten. Hielt es mit ihnen in den Küchen aus. Zweimal ging das so in seinem letzten Dienstjahr, der eine war ein

Junge aus dem Nachbardorf. Der zweite war der Älteste von Kalli Martensen, zum ersten Mal im Kombi seines Vaters in die Diskothek gefahren.

In seinen letzten Monaten als Dorfpastor schien man den alten, lahmen Ahlers mehr zu brauchen als die ganze Zeit zuvor. Der Pastor, der sich nur noch mühsam fortbewegen konnte, stand denen bei, die aus der Kurve flogen. Ahlers hoffte immer noch, die Seelen zu erquicken und sie aus den dunklen Tälern zu befreien, er würde dieses Dorf wohl nicht mehr fromm bekommen, aber er mühte sich redlich bis zum Abschiedsgottesdienst. Den letzten drei, vier Paaren, die sich von ihm trauen ließen, legte er als Trauspruch Epheser 4,2 ans Herz: *Mit aller Demut und Sanftmut, mit Langmut. Ertragt einer den andern in Liebe.* Es schien für Pastor Ahlers die Essenz aus dreißig Jahren Dienst in Brinkebüll zu sein. Er hatte seinen Frieden mit dem Dorf gemacht.

Als seine junge Nachfolgerin mit Mann und Kind das Pastorat bezog, übernahmen er und seine Frau die alte Lehrerwohnung. Frisch renoviert, mit neuer Heizung, weil kein Mensch so frieren wollte wie ein alter Dorfschullehrer. Steensen hatte noch am letzten Schultag angefangen, seine Bücher und Versteinerungen einzupacken, und zum nächsten Ersten war er in die Stadt gezogen. Befreit von Brinkebüll und Brinkebüll von ihm. Kein Lehrer Steensen mehr, der düster wie ein Rabenvogel durch die Feldmark schritt.

Das ganze Dorf bewegte sich, die Frauen machten Führerschein, sogar mit Ende vierzig noch, wie Greta Boysen oder Ella Feddersen. Die jungen Frauen sowieso, sie fuhren ihre Kinder zu Melodica- oder Akkordeonunterricht, und endlich konnten sie auch ohne Männer zum Friseur, sie mussten nicht mehr darum bitten, dass sie hingefahren wurden, wieder abgeholt. Keine Ehemänner mehr, die im Salon gereizt in Illustrierten blätterten und alle zwei Minuten auf die Uhren sahen. Die Welt war größer für die Frauen mit den Führerscheinen, sie hörte nicht mehr bei dem Brinkebüller Ortsschild auf. Sie kamen endlich aus dem Dorf heraus, waren auch nicht mehr auf Dora Koopmanns Hökerladen angewiesen, wo man als Kundin nichts zu melden hatte, wo man gefälligst eine der drei Sorten Käse kaufte, die sie hatte. Edamer, Tilsiter, Butterkäse, *mehr bruukt wull keen normale Minsch!* In Doras Augen brauchte ein normaler Mensch auch keine Nudeln, die so lang wie Stricknadeln waren – oder Joghurt mit Kirschgeschmack. *Wat vun Dussel denkt sich so wat ut?*

Die Frauen mit den Führerscheinen konnten ihre Einkäufe im neuen Aldimarkt erledigen, große Wagen voll für wenig Geld, sie durften sich bloß nicht auf frischer Tat ertappen lassen. Denn Dora hatte ihren Führerschein jetzt auch, und jeden Mittwoch war ihr Laden nachmittags geschlossen. Sie machte das mit Absicht, wenn sie in der Stadt war: Sobald ein Brinkebüller Auto auf den Aldiparkplatz abbog, fuhr sie hinterher. Parkte ihren Opel möglichst dicht daneben, und dann saß sie mit verschränkten Armen auf dem Fahrersitz, bis eine arme Sünderin mit vollem Einkaufswagen auf ihr Auto zuschob – und rot anlief, wenn sie Doras Opel sah. Die Gesichter der Ertappten waren sehenswert, Dora kurbelte die Fensterscheibe dann herunter und gab ihnen mit einem scharfen *Moin!* den Rest, bevor sie ihren Motor anließ. Nachher würden sie dann wieder bei ihr angedackelt kommen, wenn noch irgendetwas Kleines fehlte, wenn sie Salz vergessen hatten, Seife oder Brühwürfel. *Na, harrn se dat nicht bi Aldi?* Dora Koopmann dachte nicht daran, mit Selbstbedienung anzufangen. Damit die Kunden ihr dann mit den Einkaufswagen ihren Laden demolieren konnten, einfach ihre Waren aus den Regalen zerren! Wer war man denn.

Ella Feddersen fuhr jeden Montag nach dem Mittagessen in die Stadt und war zum Melken wieder da. Donnerstags fuhr sie am frühen Abend. Nach dem Melken los und Freitag vor dem Morgenmelken wieder da. Es war viel einfacher, wenn man die Dinge auseinanderhielt. Ein Brinkebüller Leben und eines in der Stadt, ein kleineres, mit einem ernsten, stillen Mann.

Kein Schleichen in der Mittagsstunde mehr, kein Huschen durch das stille Dorf, kein Schlüpfen durch die Hintertür.

Keiner mehr, der einsam wandern musste, kreisen um das Dorf, tagein, tagaus. Kein stummes Grüßen mehr, wenn zwei sich auf der Straße trafen, die die Fäuste in den Taschen ballten und den anderen zum Teufel wünschten. Kein Mann mehr, der im kalten Schulhaus auf die Mittagsstunde wartete. Kein Mann mehr, der auf seinem Sofa im Kontor lag und so tat, als hörte er die Tür nicht leise auf- und wieder zugehen.

Es wurde leichter für sie alle. Ella hielt die festen Zeiten immer ein, auch später noch, als sie nicht mehr zum Melken musste, als das Vieh von Sönke Feddersen verkauft war und das Land verpachtet. Manchmal nahm sie Marret mit am Montag. Hin und wieder auch den Jungen, aber selten, weil sie fand, dass es nicht richtig war. Sönke hatte ihn durchs Dorf getragen, unter seinem Hemd, Mensch wärmt Mensch, *dat is min Jung,* er war ein Feddersen, auch wenn er nicht so aussah.

Sie hielt noch an den Zeiten fest, als Steensen schon gestorben war, ihr Krischan, knapp zehn Jahre nach der Pensionierung. Jeden Montag nach dem Mittagessen fuhr sie auf den Friedhof in der Stadt und harkte ihm sein Grab, bepflanzte es und wusch den Grabstein, wenn es nötig war. Und Donnerstag, am frühen Abend, fuhr sie in die schmale Kopfsteinpflasterstraße, wo das Haus stand. Sein Haus, das Ella jetzt gehörte. Schloss die Tür auf, kochte Tee und setzte sich an seinen runden Tisch. Las in seinen Büchern, schlief in seinem Bett und fuhr am nächsten Morgen in das Dorf zurück, sehr früh, wenn in den Ställen gerade erst die Lichter eingeschaltet wurden.

Das große Dreschen ging in allen Dörfern weiter, Spreu trennte sich von Weizen. Wer an Wintertagen früh am Morgen oder spät am Nachmittag durch Brinkebüll ging, konnte sehen, dass die alten, kleinen Ställe dunkel blieben. Licht brannte in den anderen. Die Höfe, die gepflastert waren, aufgeräumt und ausgebaut und neu verklinkert, wuchsen. Überall Mercedesfahrer. Auf der Geest! Panoramafenster in den Häusern, und die Kinder lernten Instrumente. Standen früh am Morgen an der Haltestelle mit Kapuzen auf den Köpfen, warteten auf den Kartoffelroder, machten Abitur. Und die Frauen alle drei, vier Wochen zum Friseur. Und zu jedem Fest ein neues Kleid.

Feiern mussten alle, ob sie wollten oder nicht, sogar die Pfützenbauern, die nicht viel zu lachen hatten, geschweige denn zu feiern. Bevor man einem Hof im Dorf das Sterben richtig ansah, wusste Ella meistens schon Bescheid. Sie merkte es, wenn sie die Feste plante und die Angst sah in den Augen ihrer Kunden. Wasser bis zum Hals, kein Geld für die Musik, das Essen und den Muck, es musste trotzdem sein. Runde Geburtstage ab vierzig und die Hochzeitstage: Zehnter, fünfundzwanzigster und fünfzigster, das war das Mindeste. Die Nachbarn fragten gar nicht erst, sie wanden Girlanden aus Holzspänen oder Tannengrün mit Gold- und Silberfolie, die an die Tür genagelt wurden. Und das Jubelpaar, das nicht mal wusste, wie es noch ein neues Kleid bezahlen sollte, einen neuen Anzug, ging lachend mit dem Schnapstablett nach draußen und bedankte sich.

Man konnte diesen Festen nicht entkommen. Es spielte keine Rolle, ob man nur noch Margarinebrote aß und Rübenmus, ob man bei Dora Koopmann in der Kreide stand. Man musste Schulden machen für die Feier, notfalls Vieh verkaufen, irgendwas in Zahlung geben und sich das Kleid, den Anzug leihen von Schwester, Bruder, Schwager, Schwägerin. Es ging nicht anders, denn die Feste wurden nicht zum Spaß gefeiert, nicht aus Lebensfreude oder Dankbarkeit für fünfundzwanzig Ehejahre. Sie dienten einem Zweck, sie regelten das Dorf. Einladen und eingeladen werden, man kannte die Gesetze und befolgte sie, wenn man ein *Dörpsminsch* war.

Man kam mit vielen Dingen durch in Brinkebüll. Man konnte seine Kinder schlagen, die Frauen seiner Nachbarn schwängern oder das Vieh im Stall verkommen lassen. Es kamen trotzdem alle, wenn sie eingeladen wurden. Aßen, tranken, tanzten, schunkelten. Hoben ihre Gläser auf den Gastgeber und seine Frau, beklatschten sie bei ihren Ehrentänzen, stießen an mit ihnen, gratulierten, klopften ihnen auf die Schultern. Tanzkapelle, warmes Essen, Eistorte und kleine Kuchen, Muck und Ehrentanz und Polonaisen, morgens früh noch kalte Platten. Die Feste liefen ab nach alten Regeln, vorhersehbar wie Gottesdienste oder Trauerfeiern.

Ella sah sofort, wenn Spreufeste gefeiert werden mussten, sie tat dann so, als merkte sie nichts von der Angst des Paares, das da vor ihr saß und seine Feier mit ihr plante. Als fiele ihr das vorsichtige Tasten nach dem günstigeren Essen, nach den Preisen der Getränke gar nicht auf. Meistens schlug sie ihnen einen Festpreis vor, den sie so lange kleiner rechnete, bis er halbwegs passte. Festpreise machten ruhiger. Denn beim Feiern durfte man nicht zeigen, dass die Luft knapp war, die Gäste merkten es sofort, wenn man sich vor der Rechnung fürchtete. Wenn man stumm die Krüge auf den Tischen zählte oder nervös am Tresen stand und zusah, wie die Gäste immer lustig Bier und Schnaps bestellten. Wenn man beim Zuprosten gequält aussah. Sobald die Gäste spürten, dass es knapp war, legten sie erst richtig los, auch das schien ein Gesetz zu sein in Brinkebüll.

Ein bisschen konnte man als Gastwirtsfrau noch regeln, wenn man verschwiegen war wie Ella Feddersen. Manche Feiern lohnten sich nicht richtig, weil sie den Preis zu klein gerechnet hatte. Es glich sich aber wieder aus, sie machte es dann teurer bei den anderen. Die mit den großen, neuen Ställen zahlten mehr. Sie merkten nichts davon, es tat ihnen nicht weh.

Wer so schlimm dran war, dass er nicht mehr feiern konnte, endete wie Hanni Thomsen, der auf seinem Mofa noch so freundlich grüßen konnte, keiner lud ihn mehr zu irgendetwas ein. Er kam frühmorgens nach den Festen in den Gasthof, kurz vor Schluss, wenn die Musik schon nicht mehr spielte und alle Gäste schon gegangen waren, bis auf die Schiffbrüchigen, die in der Eckbank hingen. Hanni Thomsen trank im leeren Saal die Reste aus den Gläsern, sammelte die halb gerauchten Zigaretten ein und räumte dann mit Marret und mit Ella auf. Stellte Stühle hoch und leerte Aschenbecher, und sie ließen ihn dann fegen. Manchmal fand er Kleingeld unter einem Tisch, das er behalten durfte. Wenn sie fertig waren, Marret nur noch Böden wischen musste, gab ihm Ella ein Fünfmarkstück, und Hanni tuckerte nach Hause, bis Dora Koopmann ihren Laden aufschloss und er seine Jagdwurst kaufen konnte.

Manchmal kam er mit dem Mofa von der Straße ab, weil er selten nüchtern fuhr, man musste Hanni Thomsen ständig irgendwo aus einem Graben ziehen. Es war ein Wunder, dass er sich noch nicht den Hals gebrochen hatte. Am Ende überlebte er sogar sein Mofa, das noch ein paarmal röchelte und dann verendete, eines Morgens sprang es einfach nicht mehr an. »Nix mehr to maaken, Hanni«, sagte Haye Nissen, der insgeheim drei Kreuze machte, weil die Klapperkiste endlich nicht mehr in die Werkstatt kommen würde. Hanni Thomsen weinte dann schon wieder, stand wie ein Witwer neben seinem toten Mofa. Haye hatte noch ein altes Damenfahrrad stehen, ein bisschen angerostet, beide Reifen platt. Er rief den Lehrling, der es flickte, putzte und den Sattel ein Stück tiefer stellte, sodass Hanni mit den Füßen auf den Boden kam. Sie holten schließlich auch noch eine Klingel aus dem Lager, groß und nagelneu, sie klang wie eine Glocke. Hanni Thomsen war auf dem geschenkten Damenrad dann noch ein bisschen langsamer als vorher. Er klingelte jetzt jedes Mal, wenn ihm in Brinkebüll jemand begegnete, und hieß bald nur noch Hanni *Bimmel*.

Es traf wohl niemanden im Dorf so hart wie ihn, als Dora Koopmann schließlich ihren Laden schloss. Ihr reichte es, wer war man denn. Die Leute kauften nur noch in den Selbstbedienungsläden, fuhren ständig in die Stadt und luden sich die Kofferräume voll, es kamen nur noch alte Leute zu ihr, kleine Kinder, die für zwanzig Pfennig Bonbons kaufen wollten, und die armen Schlucker, die kein Auto hatten. Dora Koopmann musste hier nicht stehen, den ganzen Tag im Laden Waren einsortieren, die dann doch keiner kaufen wollte. Sich aus der Mittagsstunde klingeln lassen oder nachts aus ihrem Bett von diesem undankbaren Pack, das ihre Kundschaft war. Dora Koopmann hatte Hauswirtschaft gelernt, sie konnte kochen. Mit Anfang fünfzig machte sie den Hökerladen dicht und fing in der Kantine eines Flugabwehrbataillons ihr neues Leben an. Mit fünfundfünfzig lud sie neunzig Mann zur Hochzeit ein im Gasthof Feddersen, ein Leutnant der Reserve war der Glückliche. Dora hatte wohl das Regiment in dieser Ehe, aber scheinbar waren sie sich einig. Sie bauten sich den alten Laden um zu einer Wohnung. Spätes Glück für Dora Koopmann, Pech für die Brinkebüller. Das hatten sie davon.

Hanni Thomsen musste in die Stadt, wenn ihm die Jagdwurst ausgegangen war, er stellte sich dann an die Straße, winkte, wenn ein Auto kam, und irgendjemand nahm ihn immer mit.

Das Tuckern seines alten Mofas fehlte jetzt in Brinkebüll, und noch ein anderes Geräusch verschwand in diesem Sommer, zuerst bemerkte es noch keiner.

Der Brinkebüller Gasthof brauchte einen neuen Parkplatz, weil auf einmal alle mit den Autos kamen, Frühschoppenmänner, Hochzeitsgäste, alle fuhren, niemand ging jetzt mehr zu Fuß. Alles wurde anders, Sönke hatte es begriffen und den Tanzsaal renoviert, die Wände tapeziert und an die Decke bunte Scheinwerfer geschraubt, damit es aussah wie in diesen Diskotheken. Neuerdings kam auch ein Plattenmann, der jeden Freitag seltsame Musik auflegte, die die Leute jetzt wohl hören wollten. Sönke Feddersen begriff zwar nicht, warum sie das Gedudel wollten und nicht mehr seine Tanzkapelle, er mochte das Gezappel und Gehüpfe auf dem Saal auch gar nicht sehen, es nützte aber nichts, er fand sich damit ab. Und zu den Festen tanzten ja die meisten noch normal.

Er hatte sich auch damit abgefunden, dass seine kleine Landwirtschaft sich nicht mehr lohnte. Die paar Kühe, die paar Kälber, die paar Hektar Land, es brachte nichts.

Als er das Land verpachtet hatte und das Vieh verkauft, ließ Sönke Feddersen den alten Stall abreißen, Platz genug für einen großen Parkplatz mit stabilem, glattem Boden, ohne Pfützen. Marrets *Schap* kam weg, sie hatte es noch leergemacht, das ganze Sammelsurium herausgeholt mit großer Schreierei, nichts durfte weg. Jetzt war ihr Zimmer voll von Steinen, Federn, Kuhhörnern und Rindenstücken längst gefällter Bäume. »Laat ehr«, sagte Ella, »wenn se dat so lieden mag.«

Sie gossen den Beton an einem warmen Nachmittag im Juli, er brauchte trotzdem lange, bis er fest geworden war.

Es huschten keine Katzen über den Beton bei Feddersens, man sah am nächsten Morgen keine Pfoten, nur zwei Füße, wie von einem Schulkind. Etwas schief. Kleine Fußabdrücke, wie ein letzter Gruß.

Ella stellte Marrets Tasse wieder weg, als sie zum Frühstück nicht herunterkam. Das Bett war leer, sie saß auch nicht im Kleiderschrank, »de sitt al wedder op de Meieri to schmöken«, knurrte Sönke.

Beim Mittagessen brauchten sie den vierten Teller nicht, am Abend aß der Junge Marrets Spiegelei.

Der Boden vor dem Tresen klebte, niemand hatte ihn gewischt, und Sönke fluchte über *dat Stück Deern.*

Nachts schien ein großer Sommermond, der Ella weckte. Sie ging ans Fenster, und es war sehr still in Brinkebüll. Kein Mensch mehr wach, kein Tier zu hören, nur ein leises Rascheln, weil der müde Wind ein bisschen in den Silberpappeln blätterte.

So still. Kein Knacken auf der Treppe, niemand, der mit nackten Füßen hochgeschlichen kam. Ella ging in Marrets Zimmer, sah das leere Bett und wusste plötzlich, dass mit dieser Stille etwas nicht in Ordnung war.

Sie weckte Sönke, und sie suchten Marret in den Schränken, Abstellkammern, unter allen Tischen, auf dem Boden und im Kühlraum. Als die Sonne aufging, liefen sie von einem Hof zum nächsten, »hem jem Marret sehen?« Sahen in den Scheunen nach, in Ställen, Schuppen, auf dem Dach der Meierei, am Mergelschacht, beim Hünengrab. Halb Brinkebüll rief schließlich ihren Namen. Die Stimmen waren laut genug, um ein Stück Vieh von einem großen Feld heranzubrüllen. Aber doch nicht laut genug, um Marret Ünnergang zurückzuholen.

In den Tagen, Wochen, die dann kamen, glaubte immer wieder jemand, sie gesehen zu haben. Dora Koopmann war sich sicher, »dor bi't Westerende leep se jüst noch!«

Lina Wischer zeigte auf den Bücherbus, »wenn de Pullundermann ehr man nicht mitschnackt het!« Der Fahrer legte aber seine Hand ins Feuer für den Bibliothekar, schüttelte den Kopf und tippte sich nur an die Stirn.

Eine Weile wurde Hauke Godbersen misstrauisch angesehen, wenn er mit den Mappen kam.

Der Sommer ging vorbei, und Paule Bahnsen wagte nicht, das große Gerstenfeld mit seinem Dominator abzuernten, er holte Heini Wischer und ein paar der alten Bauern, die noch mit der Sense mähen konnten. Sie waren froh, als sie kein totes Mädchen fanden, nur zwei junge Rehe.

Die Jungen angelten in diesem Herbst mal lieber nicht im Mergelschacht, sie hatten Angst vor etwas, das mit weißem Bauch im Wasser treiben könnte.

Ella wartete auf Marret, wie sie auf Störche wartete, auf Schwalben. Sie würde wiederkommen, wenn nicht dieses Jahr, dann nächstes, übernächstes. Vermisste tauchten wieder auf. Ein totgeglaubter Mensch stand plötzlich vor der Tür. Sie wusste das, sie hatte es schon mal erlebt.

21
Ich tanze mit dir in den Himmel hinein

Die Tageszeitung schickte eine freie Mitarbeiterin, sehr jung und ziemlich aufgeregt. Sie nahm das Interview mit ihrem Handy auf und wollte auch die Fotos damit machen. Sönke sollte auf dem Sofa neben Ella sitzen und den Arm um ihre Schulter legen. Er versuchte es, aber sie schlug sofort mit ihrer Faust auf seinen Oberschenkel. Sönke nahm den Arm herunter, rückte ein Stück weg von ihr, und Ingwer sah den Blick der jungen Frau, die fast ihr Handy fallen ließ.

»Sie haut mich immer«, sagte Sönke, »müssen Sie sich nichts bei denken«, und er machte mit der Hand vor seinen Augen eine Wischbewegung. Die Journalistin nickte langsam.

Ingwer schenkte Kaffee ein und schob ihr eine Tasse hin, dann schlug er vor, ein anderes Bild zu machen: Ella auf dem Sessel sitzend, Sönke stehend hinter ihr, die Hände auf der Lehne, fast auf ihren Schultern, nur nicht ganz.

Ingwer legte Ella schnell die Meise in den Schoß. Solange sie ihr Stofftier drückte, konnte sie wenigstens nicht schlagen. »Der Vogel muss nicht mit aufs Bild«, erklärte er der jungen Frau, die wieder ernst und langsam nickte.

Sönke stand in seinem weißen Hemd und machte schon sein Knipsgesicht, er lächelte charmant wie Jopi Heesters. Die junge Frau gefiel ihm offenbar, er zeigte sich von seiner besten Seite. Ella blickte konzentriert auf ihre Meise, knetete den Vogel, der sehr heftig zwitscherte, bis Ingwer sich hinter die

Zeitungsfrau stellte, mit den Fingern schnipste und Grimassen schnitt, jetzt lachte Ella auch. Sie sahen auf dem Foto dann sehr glücklich aus, zwei fröhliche Senioren, Gnadenhochzeit, siebzig Jahre miteinander.

»Wahnsinn! Und wie schafft man das«, fragte die junge Frau und zwinkerte den beiden zu, »was ist denn das Geheimnis Ihrer langen Ehe?«

Ingwer wurde bei der Frage etwas mulmig, Ella knetete die Meise, Sönke schien sehr lange nachzudenken.

»Ihr Glücksgeheimnis?« Die Reporterin trank einen Schluck Kaffee und lächelte verschwörerisch, ein bisschen angestrengt.

»Ach so«, sagte Sönke, »das Glücksgeheimnis!« Er schien sich gut zu amüsieren, lehnte sich zurück und grinste breit. Dann hob er einen Zeigefinger und fing an zu singen. »Heute blau und morgen blau und übermorgen wieder …«

Ella blickte plötzlich auf. Sie lächelte, begann dann langsam hin- und herzuschunkeln und sang mit: »… und wenn wir dann mal nüchtern sind, besaufen wir uns wieder.«

Sie schunkelten jetzt beide, Sönke auf dem Sofa, Ella auf dem Sessel. Die junge Frau sah ernst aus, kleine Schweißperlen auf ihrer glatten Stirn. Das sollte hier die Herzgeschichte werden für die nächste Wochenendausgabe, eine ganze Seite mit zwei Fotos. Gnadenhochzeit, Jubelpaar, zwei alte Menschen, lebenslang in Innigkeit verbunden. Harte Arbeit, große Liebe, Treu' und Redlichkeit in guten wie in schlechten Tagen, sie war noch in dem Alter, wo man an so etwas glaubte.

Ingwer sah, wie sie auf ihrer Unterlippe kaute. Ellas Vogel zwitscherte die ganze Zeit.

»Meine Frau hat eine Meise«, sagte Sönke, »bei ihr piept das. Ne, Ella?«

Zwei Alte kicherten, ein Stofftier quietschte, und wieder nickte die Reporterin, als wüsste sie genau, was Sönke meinte. Sie atmete ein bisschen tiefer ein und fragte tapfer weiter. »Und dann kommt nächste Woche bestimmt Ihre ganze Familie und feiert mit Ihnen, oder?«

Sönke schüttelte den Kopf, dann zeigte er auf Ingwer: »Familie ist schon da. Der lungert hier schon ewig bei uns rum und macht bloß Arbeit.«

Röchelndes Gelächter. Ingwer verlor die Fassung, er schaffte es nicht länger, ernst zu bleiben, prustete in seine Kaffeetasse, die Reporterin tat ihm sehr leid. Ihre Unterlippe blutete ein bisschen, sie schaltete das Handy aus. Sönke wollte ihr den Saal noch zeigen, wo schon die Tische für die Feier standen, fertig eingedeckt, es fehlten nur noch seine Gerberagestecke. »Das guck ich mir beim Rausgehen an«, sie ging dann ziemlich schnell und ohne in den Saal zu schauen.

»Nette Deern«, sagte Sönke und lehnte sich zufrieden in sein Sofa.

Es war ihm lange nicht so gut gegangen. Je näher diese Gnadenhochzeit rückte, desto besser wurde seine Laune. Sein neuer Anzug hing am Kleiderschrank, seit einer Woche schon, er schaute ihn sich immer wieder an, auch seine eleganten Schuhe, Tanzsohlen! Ingwer hatte zweimal nachpolieren müssen, bis sie dann endlich blank genug waren. Für Ella hatten sie kein neues Kleid gekauft, sie wurde ängstlich in der Stadt, am besten ging es ihr in ihrer Stube. Sönke hatte ihr ein dunkelblaues Kleid herausgesucht und ihre lange Perlenkette. »Kiek, Ella, dat is din Kleed vun unse Golden Hochtiet, weetst dat noch?« Sie strich mit ihrer Hand über den Stoff und sagte ja. Immer ja zu allen Fragen, die mit *weetst du noch* begannen.

Sie hatten Ende Mai schon alle Gäste eingeladen, drei Monate im Voraus, wie es sich gehörte. Sönke war jetzt noch ein bisschen aufgeregter, wenn er morgens in die Zeitung schaute, jeden Tag in Sorge, dass ihm einer seiner alten Weggefährten vor der Feier sterben könnte. Jeden Morgen schlurfte er zuerst in Ellas Zimmer, um zu sehen, ob sie wach war, dann zum Küchenfenster, wo er kontrollierte, ob die Clausens auf dem Posten waren. Beide Arme hoch bei Nils und Anna, dann konnte er beruhigt ins Badezimmer gehen.

Paule Bahnsen, der noch immer jeden Vormittag mit seinem *Rennpeerd* in den Gasthof kam, durfte sich nicht mehr verspäten. Wenn er um Punkt halb elf nicht da war, stellte Sönke sich mit dem Rollator auf den Parkplatz, bis er ihn kommen sah. *Ik dacht al, du weerst doot.* Ingwer fragte sich, was sich die beiden immer zu erzählen hatten. Sie konnten ohne Pause reden, jeden Vormittag. Die Bauernhände auf dem Tisch wie Klauen, Eheringe in die Finger eingewachsen, Nägel gelb vom Rauchen, Schnapsglas und die Zigarette in derselben Hand. Zum Abschied sagten sie nicht *tschüß,* sie sagten *blief nich doot.*

Sheriff Ketelsen und seine Cowboys probten schon seit Wochen eine komplizierte Choreografie zu *Ring of Fire,* die sie auf dem Fest vorführen wollten, sie hatten sich sogar ein Outfit überlegt, von Kopf bis Fuß in Schwarz, wie Johnny Cash, und für die Lichteffekte ein paar Nieten auf den Hemden, an den Hüten und dazu die blankgeputzten Gürtelschnallen. Wenn ihr Ehrenmitglied Gnadenhochzeit hatte, durften sich die Buffalos nicht lumpen lassen, fand der Sheriff. Es sollte eine Überraschung werden, Sönke musste bei den Trainingsabenden jetzt immer eine halbe Stunde lang den

Saal verlassen, was er nur ungern tat. Er mochte diese Leinentänzer, Leben in der Bude und Musik im Saal, es fühlte sich wohl fast wie früher an.

Nach einer Probe Ende Juni hatte Heiko erst ein bisschen rumgedruckst und dann mal sachte vorgefühlt bei Sönke, er hatte da ein paar Ideen, was die Gastwirtschaft betraf. Sie mussten ihm schon länger durch den Kopf gegangen sein, er hatte jedenfalls schon etwas aufgezeichnet. Räuspernd rollte er dann auf dem Tresen einen Bogen Millimeterpapier auseinander, darauf eine akkurate Bleistiftzeichnung, die Beschriftungen in Westernlettern: *Farm House Saloon.* Heiko wollte aus dem Brinkebüller Gasthof eine Countrykneipe machen, rohe Balken an die Decke, alte Wagenräder an den Tresen, Bierfässer als Tische. Den Saal komplett mit Holz verkleiden, Tanzscheunenfeeling, noch den einen oder anderen Büffelschädel an die Wand. Den Umbau würde er mit seinen Buffalos in Eigenleistung stemmen. Kleiner Haken an der Sache: Im Moment kein Geld, es müsste sich ja alles erst entwickeln. Er wollte fragen, ob der Gasthof zu verpachten wäre. Und was Sönke dafür haben wollte.

Sönke hatte nicht so viel dazu gesagt, nur zugehört, genickt, dann war er aufgestanden und ins Bett gegangen. »Dat regel man mit Ingwer, wenn ik doot bin. He arvt de ganze Schiet je mol.«

Countrykneipe Brinkebüll, so richtig konnte Ingwer sich das zwar nicht vorstellen, aber schlimmer, als es jetzt war, konnte es im Grunde nicht mehr werden. Dorfkaschemme goes Saloon, man musste es wohl einfach mal mit Heikos Augen sehen. Sie hatten es vertagt. Erst mal die Feier.

Sönke hatte allen Ernstes Claudius und Ragnhild eingeladen, »is doch din Familie, oder nich?« Sie hatten allen Ernstes zugesagt, und Ingwer wusste nicht, ob er sich freute oder ob ihm davor graute. Er hatte Ragnhilds Kommentare nicht vergessen, ihr Grinsen damals und ihr *Ach du Scheiße* auf dem Parkplatz vor dem Gasthof Feddersen. Am Bauch kein Fell, sehr lange her. Er war nicht stolz darauf, so nachtragend zu sein, es musste auch mal gut sein.

In seinem Kieler Zimmer standen jetzt ein Kratzbaum und ein Katzenklo, die beiden hatten einen Kater angeschafft, nachdem er ausgezogen war. »Tja«, hatte Ragnhild schulterzuckend gesagt, »empty nest syndrome. Die Wohnung war so leer auf einmal.« Ingwer dachte lieber nicht zu lange nach darüber. Er war jedenfalls sehr froh, dass er nicht mehr das Haustier war in dieser Wohngemeinschaft. Er hatte Claudius und Ragnhild angeboten, nach der Gnadenhochzeit im Gasthof Brinkebüll zu übernachten, er würde ihnen dann ein Doppelzimmer geben. Fließend Kalt- und Warmwasser, Etagendusche und Linoleumboden, braungemusterte Tapete, Heidelandschaft an der Wand. *Ach du Scheiße.* Nichts daran tat ihm noch weh, er fühlte sich wie ein Genesender.

Er hatte es sogar geschafft, sich endlich Marrets Zimmer anzusehen. Jahrelang war er an dieser Tür vorbeigegangen, aus Furcht, dahinter irgendetwas Schlimmes, Schmerzhaftes zu finden. Ein Gruselkabinett, ein Geisterzimmer, eine Kammer voll mit quälenden Erinnerungen. Was er stattdessen fand, war eine Art Museum. Ein Brinkebüller Dorfarchiv in Marmeladengläsern und Niveadosen, Schuhkartons und Streichholzschachteln, Jägermeisterflaschen: Hufnägel und Storchenfedern, Hasenfell, Kuhhörner, Schweineborsten, Schafwollbüschel und ein Pferdezahn. Schlehen, Fliederbeeren, Hagebutten und Kastanienrinde. Knochen und Versteinerungen, Seeigel und Donnerkeile. Er fand den Shell-Atlas und darin Vierklee und gepresste Pusteblumen, Klatschmohnblüten, Pfennigkraut und Glockenblumen, Wiesenschaumkraut. Einen Stapel Schulhefte mit einer runden, ordentlichen Kinderschrift: *Alles von Brinkebüller Pflanzen und Tiere,* darunter akkurate Zeichnungen. *Gereusche von Brinkebüll,* Marret hatte aufgeschrieben, wie die Vögel, Frösche, Kälber klangen und die Winde. *Raschelig* in den Eichenkronen, *flüsterlich* in den Pappeln. Nichts Menschliches kam vor in dieser Sammlung, kein Zahn, kein Haar und auch kein Knopf und kein Stück Stoff, von Menschen hatte Marret Feddersen nichts aufgehoben – nur an den Wänden hingen ihre jungen Schlagersänger und die Filmstars, die längst alt geworden und gestorben waren.

Das Zimmer kam ihm vor wie eine Höhle, wie ein Bau, in dem ein Tier die Vorräte versteckte, die es brauchte. Was Marret hier gehortet hatte, war ihr altes Dorf. Er spürte in den Dingen, die hier aufgehoben waren, eine Wehmut, die er selbst gut kannte. Er fragte sich nach langer Zeit zum ersten Mal, wie Marret eigentlich verschwinden konnte. Ob sie noch lebte irgendwo und Klapperlatschen trug. Ob dieser schöne fremde Mann, den sie so oft besungen hatte, am Ende doch gekommen war, um sie zu holen. Bei dem Gedanken fuhr in seinem Kopf sofort das Tonband wieder ab. *Schöner fremder Mann, einmal kommt die Zeit, und dann wird mein Traum endlich Wirklichkeit. Schöner fremder Mann, dann fängt für uns die Liebe an.*

Man spürte jedenfalls, wenn man in dieser Höhle stand, dass Marret vom Verschwinden mehr verstanden hatte als normale Menschen. Sie war die Meisterin.

Es war sehr heiß in diesen Tagen, dreißig Grad und kaum ein Wind. Ella kam nicht gut zurecht mit diesem Wetter. Sie war die letzten Nächte wieder unterwegs gewesen, sehr viel Huschen, Poltern, Flüstern und Geschlurfe, auch im Saal, sie hatten alle nicht viel Schlaf gekriegt. Ingwer hoffte, dass es bis zum Fest ein bisschen kühler werden würde.

Er brachte Ella nach dem Mittagessen in ihr Bett, dann schaute er bei Sönke ins Kontor, die Tür war angelehnt. Man musste ihn jetzt fast zur Mittagsstunde zwingen, weil er immer aufgekratzter wurde, nur noch eine Woche bis zum Fest, er war so ungeduldig wie ein Kind, das sich auf Heiligabend freute. Nach dem Essen legte er sich auf sein Sofa, aber zehn Minuten später stand er wieder auf und setzte sich in seinen Schreibtischstuhl, nahm seine Kopfhörer und legte eine Platte auf.

Ingwer sah, dass sich der Plattenteller drehte, in letzter Zeit lief wenig Marschmusik bei ihm, er hörte jetzt die alten Schlagerplatten. *Ich tanze mit dir in den Himmel hinein.* Langsamer Walzer. Man stimmte sich wohl schon mal ein auf einen Ehrentanz. Sönke saß auf seinem Lederstuhl wie jeden Nachmittag, man sah nur seinen Hinterkopf, die schmalen Schultern und die Hand, die auf dem Schreibtisch lag. Ganz still.

Ingwer stand ein paar Sekunden in der Tür, bevor er es verstand.

22
Comes a Time

Ella brauchte lange, bis sie es begriffen hatte. Zuerst verstand sie nicht, warum er sich so kalt anfühlte. Nicht die Augen öffnen wollte. »Vadder ward nich wedder waaken«, sagte Ingwer, und Ella legte ihre Hand auf Sönkes Stirn, dann strich sie ihm mit beiden Händen über sein Gesicht wie an den Kopfwehtagen. »Min Krischan«, sagte sie, »min Krischan!« Und weinte sehr um ihren Mann.

Sie begruben ihn am Gnadenhochzeitstag, in seinem schwarzen Anzug und den blanken Schuhen, Ingwer hatte sie noch mal poliert. Die Brinkebüller Kirche war fast voll, weil jeder Sönke Kröger kannte, *Dörpsminsch,* hier getauft und konfirmiert, getraut und jetzt begraben. Sie sangen *Großer Gott, wir loben dich,* und nach der Trauerfeier, als sie im Gasthof noch zusammensaßen, war Paule Bahnsen nicht zu trösten. Nach dem Kaffee stand er auf und ging, noch vor dem Schnaps. *Wie kann he mi dat andoon.*

Ingwer sah ihn ein paar Tage später, als er mit Ella auf den Friedhof ging, um etwas Wasser auf den Blumenschmuck zu gießen, der in der Hitze sonst zu schnell vertrocknen würde. Paul Bahnsen fuhr auf seinem *Rennpeerd* Richtung Westerende, es war halb elf am Vormittag, sogar von hinten sah er einsam aus.

Es war so still im Dorf, kein Hund, kein Hahn. Kein Schleifen aus der Tischlerei, kein Hämmern mehr auf Haye Nissens Amboss. Er war vor ein paar Jahren umgestiegen, als er merkte, dass mit seiner Landmaschinenfirma nicht mehr viel zu machen war. Windkraft- und Solaranlagen liefen besser.

Man hörte keine Tiere mehr. Auch nicht die Stimmen, die die Tiere riefen, laut genug, um große Felder zu beschallen, wen sollten sie auch rufen, auf den Weiden standen kaum noch Kühe. Ingwer schienen, wenn er durch das Dorf ging, nur noch Dinge einzufallen, die verschwunden waren. Milchkannen, Pfützen auf den Höfen, Ulmen mit verschränkten Zweigen. Es lag an Sönkes Tod, an Marrets Höhle. Er hatte das Archiv der Brinkebüller Untergänge eingesehen, jetzt fiel ihm alles ein, was er vermisste. Das Gefühl von Glück und Schwindel, das man hatte, wenn man auf einem Erntewagen saß, das Gesicht ganz schwarz von Heusaat, oben auf den Ballen, wo es schwankte. Das Lehnen an den warmen Findlingen, wenn sie im Sommer auf den Feldern Kaffeepause machten. Kuchen aus dem Korb und kalter Saft.

Manches blieb. Am Morgen standen immer noch Kapuzenkinder an der Haltestelle, warteten auf den Kartoffelroder. Sogar der Bücherbus kam immer noch nach Brinkebüll, an jedem zweiten Donnerstag. Er spielte jetzt *La Cucaracha,* ziemlich schief, aber genauso laut wie die Sirene früher, und auf den Sofas fluchten immer noch die Mittagsstundenmenschen, weil der verdammte Bus sie aus den Träumen riss.

Er brauchte bis Oktober, um alle Brinkebüller Angelegenheiten zu regeln. Es war ihm schwergefallen, Ella in der Pflege für Demenzpatienen anzumelden. Sie erkannte ihn jetzt schon nicht mehr, wenn er am Wochenende kam und sie besuchte, er fuhr trotzdem jeden Freitag nach dem letzten Seminar ins

Dorf zurück. Er hatte noch sein Zimmer, Marrets auch, die beiden Räume würden bleiben, wie sie waren. Der Rest des Brinkebüller Gasthofs war dabei, sich in Bonanza zu verwandeln.

Dahlmann, den Klingenschmied, hatte er seit seiner Rückkehr an die Uni nicht gesehen, krankgeschrieben. *Zychisch,* wie Anita sagte, er würde wohl ein bisschen länger weg sein.

Ingwer hatte angefangen, sein Büro auf Vordermann zu bringen. Elefantenkanne raus, mit Dank zurück, jetzt suchte er noch etwas für die Wände. Er würde sich von Anneleen beraten lassen, sehr lahmer Vorwand, um sie mal in ihrem Atelier zu besuchen, aber einfach wie ein Findling liegenbleiben führte auch zu nichts. In Revieren denken! Er übte noch. Und er bewegte sich! Möblierte Wohnung, monatlich zu kündigen, er wusste noch nicht, wo es hinging.

Comes a time when we're driftin', comes a time when we settle down …

Es war stockdunkel, wenn er freitags Richtung Brinkebüll fuhr. November auf der Geest, der Himmel stapelte die Steine auf das Land, mit Dr. Young im Auto war es auszuhalten. Scheibenwischer auf die höchste Stufe, Schultern runter.

Alles schien verpackt zu sein. Die großen Ballen auf den Feldern. Die Silagehügel, die wie Plastikhügelgräber aussahen. Schnell wieder abzubauen, mitzunehmen, wegzupacken.

Die Zeit der Bauern ging zu Ende. Man blies das Feuer aus, man brach die Zelte ab und ließ die letzten Sesshaften zurück. Bambi Bahnsen und die drei, vier anderen, die nach dem großen Dreschen übrig waren. *Homo ruralis.* Fast ausgestorben.

Zeitalter fingen an und endeten, so einfach war das. Für einen, der vom Fach war, hatte er erstaunlich lang gebraucht, das zu kapieren.

Das Dorf, das Land kam ohne ihn zurecht. Zerschrammtes Altmoränenland, es brauchte keinen Ingwer Feddersen, es brauchte niemanden.

Der Wind war immer noch der alte. Er schliff die Steine ab und knickte Bäume, beugte Rücken. Auch diesem alten Wind war es egal, was Menschen taten, ob sie blieben oder weiterwanderten.

Es ging hier gar nicht um das bisschen Mensch.

Danksagung

Ich danke Claudia Vidoni für ihren langen Atem und ihr großartiges, kluges Lektorat.

Danke an Barbara Dobrick, mutige Erstleserin, für ihr Textgefühl, ihr Feingefühl und ihre Freundschaft.

Nicht genug danken kann ich Sven Jaax und Maike Jaax für das schöne, wahre Leben jenseits von Brinkebüll.

Lesen Sie weiter >>

LESEPROBE

Der erste Roman
der Bestsellerautorin

1
Kirschbäume

In manchen Nächten, wenn der Sturm von Westen kam, stöhnte das Haus wie ein Schiff, das in schwerer See hin- und hergeworfen wurde. Kreischend verbissen sich die Böen in den alten Mauern.

So klingen Hexen, wenn sie brennen, dachte Vera, oder Kinder, wenn sie sich die Finger klemmen.

Das Haus stöhnte, aber es würde nicht sinken. Das struppige Dach saß immer noch fest auf seinen Balken. Grüne Moosnester wucherten im Reet, nur am First war es durchgesackt.

Vom Fachwerk der Fassade war die Farbe abgeblättert, und die rohen Eichenständer steckten wie graue Knochen in den Mauern. Die Inschrift am Giebel war verwittert, aber Vera wusste, was da stand: *Dit Huus is mien un doch nich mien, de no mi kummt, nennt't ook noch sien.*

Es war der erste plattdeutsche Satz, den sie gelernt hatte, als sie an der Hand ihrer Mutter auf diesen Altländer Hof gekommen war.

Der zweite plattdeutsche Satz kam von Ida Eckhoff persönlich und war eine gute Einstimmung gewesen auf die gemeinsamen Jahre, die noch kommen sollten: »Woveel koomt denn noch vun jau Polacken?« Ihr ganzes Haus war voll von Flüchtlingen, es reichte.

Hildegard von Kamcke hatte keinerlei Talent für die Opferrolle. Den verlausten Kopf erhoben, dreihundert Jahre ostpreußischen Familienstammbaum im Rücken, war sie in die eiskalte Gesindekammer neben der Diele gezogen, die Ida Eckhoff ihnen als Unterkunft zugewiesen hatte.

Sie hatte das Kind auf die Strohmatratze gesetzt, ihren Rucksack abgestellt und Ida mit ruhiger Stimme und der korrekten Artikulation einer Sängerin den Krieg erklärt: »Meine Tochter bräuchte dann bitte etwas zu essen.« Und Ida Eckhoff, Altländer Bäuerin in sechster Generation, Witwe und Mutter eines verwundeten Frontsoldaten, hatte sofort zurückgefeuert: »Von mi gift dat nix!«

Vera war gerade fünf geworden, sie saß frierend auf dem schmalen Bett, die feuchten Wollstrümpfe kratzten, der Ärmel ihres Mantels war getränkt vom Rotz, der ihr unaufhörlich aus der Nase lief. Sie sah, wie ihre Mutter sich sehr dicht vor Ida Eckhoff aufbaute und mit feinem Vibrato und spöttischem Lächeln zu singen begann: *Ja, das Schreiben und das Lesen ist nie mein Fach gewesen. Denn schon von Kindesbeinen befasst ich mich mit Schweinen…*

Ida war so perplex, dass sie sich bis zum Refrain nicht vom Fleck rührte. *Mein idealer Lebenszweck ist Borstenvieh, ist Schweinespeck,* sang Hildegard von Kamcke, holte in ihrer Flüchtlingskammer zur großen Operettengeste aus und sang noch, als Ida längst kalt vor Wut an ihrem Küchentisch saß.

Als es dunkel wurde und im Haus alles ruhig war,

schlich Hildegard durch die Diele nach draußen. Sie kam zurück mit einem Apfel in jeder Manteltasche und einem Becher kuhwarmer Milch. Als Vera ausgetrunken hatte, wischte Hildegard den Becher mit ihrem Mantelsaum aus und stellte ihn leise zurück in die Diele, bevor sie sich zu ihrer Tochter auf die Strohmatratze legte.

Zwei Jahre später kam Karl Eckhoff heim aus russischer Gefangenschaft, das rechte Bein steif wie ein Knüppel, die Wangen so hohl, als hätte er sie nach innen gesogen, und Hildegard von Kamcke musste ihre Milch noch immer stehlen.

Von mi gift dat nix. Ida Eckhoff war ein Mensch, der Wort hielt, aber sie wusste, dass die *Person* jede Nacht in ihren Kuhstall ging. Irgendwann stellte sie neben den alten Becher in der Diele eine Kanne. Es musste beim nächtlichen Melken nicht auch noch die Hälfte danebengehen. Sie zog den Schlüssel für das Obstlager abends nicht mehr ab, und manchmal gab sie dem Kind ein Ei, wenn es mit dem viel zu großen Besen die Diele gefegt oder ihr beim Bohnenschneiden *Land der dunklen Wälder* vorgesungen hatte.

Als im Juli die Kirschen reif wurden und in den Höfen jedes Kind gebraucht wurde, um die Stare zu vertreiben, die sich in riesigen Schwärmen auf die Kirschbäume stürzten, stampfte Vera wie ein aufziehbarer Trommelaffe durch die Baumreihen, drosch mit einem Holzlöffel auf einen alten Kochtopf ein und grölte in endloser Wiederholung alle

Lieder, die ihre Mutter ihr beigebracht hatte, nur das mit dem Schweinespeck ließ sie aus.

Ida Eckhoff konnte sehen, wie das Kind Stunde um Stunde durch den Kirschhof marschierte, bis ihm das dunkle Haar in feuchten Kringeln am Kopf klebte. Um die Mittagszeit war das Kindergesicht dunkelrot angelaufen. Vera wurde langsamer, begann zu straucheln, hörte aber nicht mit dem Trommeln auf und mit dem Singen, marschierte taumelnd weiter wie ein erschöpfter Soldat, bis sie kopfüber in das gemähte Gras zwischen den Kirschbäumen kippte.

Die plötzliche Stille ließ Ida aufhorchen, sie lief zur großen Tür und sah das ohnmächtige Mädchen im Kirschhof liegen. Ärgerlich schüttelte sie den Kopf und lief zu den Bäumen, hob das Kind wie einen Kartoffelsack auf die Schulter und schleppte es zu der weißen Holzbank, die im Schatten einer großen Linde neben dem Haus stand.

Diese Bank war für Gesinde und Flüchtlinge tabu, sie war Ida Eckhoffs Hochzeitsbank gewesen, und jetzt war sie ihre Witwenbank. Außer ihr und Karl hatte hier niemand zu sitzen, aber nun lag das Polackenkind mit Sonnenstich auf der Bank und musste wieder zu sich kommen.

Karl kam aus dem Schuppen angehumpelt, aber Ida war schon an der Pumpe, ließ kaltes Wasser in den Eimer laufen. Sie nahm das Küchentuch, das sie immer über der Schulter trug, tauchte es ein, legte es wie einen Kopfverband zusammen und drückte es dem Kind auf die Stirn. Karl hob die nackten Füße an und legte ihre Beine über die weiße Lehne der Bank.

Aus dem Kirschhof drang das entfernte Klappern der Holzrasseln und Kochtopfdeckel. Hier, dicht am Haus, wo es jetzt viel zu still geworden war, wagten sich die ersten Stare schon wieder in die Bäume. Man konnte sie in den Zweigen rascheln hören und schmatzen.

Früher hatte Karl sie von den Bäumen geschossen, mit seinem Vater; sie waren mit ihren Schrotflinten durch die Spaliere der Kirschbäume gezogen, hatten wie im Rausch hineingeballert in die schwarzen Schwärme. Hinterher war es ernüchternd, die kaputten kleinen Vögel einzusammeln. Die große Wut und dann das kümmerliche Büschel Federn.

Vera kam wieder zu sich, würgte, drehte den Kopf zur Seite und erbrach sich auf der weißen Hochzeitsbank unter Ida Eckhoffs herrschaftlicher Linde. Sie fuhr heftig zusammen, als ihr das bewusst wurde, wollte aufspringen, aber die Linde drehte sich über ihrem Kopf, die hohe Baumkrone mit den herzförmigen Blättern schien zu tanzen, und Idas breite Hand drückte sie auf die Bank zurück.

Karl kam aus dem Haus mit einem Becher Milch und einem Butterbrot, er setzte sich neben Vera auf die Bank, und Ida schnappte sich den Holzlöffel und den verbeulten Topf, um die dreisten Vögel zu verscheuchen, die sich auf ihrem Hof breitmachten und fraßen, was ihnen nicht zustand.

Karl wischte dem Kind mit dem feuchten Küchentuch das Gesicht sauber. Als Vera sah, dass Ida weg war, trank sie schnell die kalte Milch und schnappte sich das Brot. Sie stand auf und machte einen wackeligen Knicks, dann trippelte sie barfuß über das heiße Kopfsteinpflaster, die Arme seitlich ausgestreckt, als tanzte sie auf einem Seil.

Karl sah sie zurück zu den Kirschbäumen gehen.

Er steckte sich eine Zigarette an, wischte die Bank sauber und warf das Tuch ins Gras. Dann legte er den Kopf in den Nacken, nahm einen tiefen Zug und machte schöne runde Rauchringe, die hoch in die Krone der Linde schwebten.

Seine Mutter wütete immer noch mit dem alten Kochtopf durch die Baumreihen.

Du liegst auch gleich mit Sonnenstich im Gras, dachte Karl, trommel du ruhig.

Ida lief dann selbst ins Haus, holte die Flinte und schoss in die Vogelschwärme, ballerte in den Himmel, bis sie den letzten Fresser aus den Kirschen geholt oder wenigstens für eine Weile verscheucht hatte. Und ihr Sohn, der zwei gesunde Arme hatte und ein heiles Bein, saß auf der Bank und sah ihr zu.

Alles dran, Gott sei Dank!, hatte Ida Eckhoff gedacht, als er ihr vor acht Wochen auf dem Bahnsteig entgegengehumpelt kam. Dünn war er ja immer gewesen, müde sah er aus, das Bein zog er nach, aber es hätte doch viel schlimmer kommen können. Friedrich Mohr hatte seinen Sohn ohne Arme zurückbekommen, der konnte nun sehen, was aus seinem Hof wurde. Und Buhrfeindts Paul und Heinrich waren beide gefallen. Ida konnte froh sein, dass sie ihren einzigen Sohn in so gutem Zustand nach Hause gekriegt hatte.

Und das andere, die Schreierei in der Nacht und das nasse Bett manchmal am Morgen, das war nichts Ernstes. Die Nerven, sagte Dr. Hauschildt, das würde sich bald geben.

Als im September die Äpfel reif wurden, saß Karl immer noch auf Idas weißer Bank und rauchte. Schöne runde Ringe blies er in die goldene Krone der Linde, und an der Spitze der Pflückerkolonne, die sich Korb für Korb durch die Apfelbaumreihen arbeitete, stand Hildegard von Kamcke. Aus Preußen sei sie ja ganz andere Flächen gewöhnt, hatte sie gesagt, und Ida hatte wieder einmal große Lust gehabt, das hochmütige Weib stante pede vom Hof zu jagen. Aber sie konnte nicht auf sie verzichten. Sie biss sich die Zähne aus an dieser schmalen Frau, die sich frühmorgens auf das Fahrrad schwang wie auf ein Reitpferd und in tadelloser Haltung zum Melken fuhr. Die im Obsthof schuftete, bis der letzte Apfel vom Baum war, die im Stall die Forke schwang wie ein Kerl und dabei Mozart-Arien sang, was die Kühe nicht beeindruckte.

Aber Karl auf seiner Bank gefiel es sehr.

Und Ida, die nicht geweint hatte, seit ihr Friedrich vor acht Jahren leblos wie ein Kreuz im Entwässerungsgraben trieb, stand am Küchenfenster und heulte, weil sie sah, wie Karl unter der Linde saß und lauschte.

Fühlst du nicht der Liebe Sehnen …, sang Hildegard von Kamcke und dachte dabei wohl an einen anderen, der tot war. Und sie wusste so gut wie Ida, dass da draußen auf der Bank nicht mehr der Karl saß, auf den dic Mutter jahrelang gewartet hatte.

Ihr Hoferbe Karl Eckhoff, stark und hoffnungsvoll, war im Krieg geblieben. Einen Pappkameraden hatten sie ihr zurückgebracht. Freundlich und fremd wie ein Reisender saß ihr Sohn auf der Hochzeitsbank und schickte Rauchringe in den Himmel. Und in den Nächten schrie er.

Als der Winter kam, baute Karl leise pfeifend einen Puppenwagen für die kleine Vera von Kamcke, und Weihnachten saß die hergelaufene Gräfin mit ihrem ewig hungrigen Kind zum ersten Mal an Ida Eckhoffs großem Esstisch in der Stube.

Im Frühling, als es Kirschblüten schneite, spielte Karl Akkordeon auf seiner Bank, und Vera setzte sich dazu.

Und im Oktober, nach der Apfelernte, zog Ida Eckhoff auf ihr Altenteil und hatte eine Schwiegertochter, die sie achten konnte und hassen musste.

Dit Huus is mien un doch nich mien …

Die alte Inschrift galt für beide. Sie waren ebenbürtig, sie lieferten sich schwere Schlachten in diesem Haus, das Ida nicht hergeben und Hildegard nicht mehr verlassen wollte.

Die jahrelange Schreierei, die Flüche, das Türenknallen, das Krachen der Kristallvasen und Goldrandtassen zogen in die Ritzen der Wände, setzten sich wie Staub auf Dielenbrettern und Deckenbalken ab. In stillen Nächten konnte Vera sie noch hören, und wenn es stürmisch wurde, fragte sie sich, ob es wirklich der Wind war, der da so wütend heulte.

Kein Staat mehr zu machen mit deinem Haus, Ida Eckhoff, dachte sie.

Vor dem Fenster stand die Linde und schüttelte den Sturm aus ihren Zweigen.